niemowlę
i małe dziecko

odpowiedzi na wszystkie pytania

niemowlę
i małe dziecko
odpowiedzi na wszystkie pytania

Konsultacja wydania polskiego
prof. dr hab. Janusz Trempała

Tytuł oryginału:

BABY & CHILD
ALL YOUR QUESTIONS ANSWERED

Fotografie na okładce: Corbis UK Ltd/Susan Solie
– front, prawe u dołu / Corbis UK Ltd/Royalty-Free –
front, lewe u góry; Octopus Publishing Group Limited/
Adrian Pope – front, prawe u góry i lewe u dołu / Peter
Pugh-Cook – lewe

Tłumaczenie: lek. med. Ryszard Długołęcki
Konsultacja: prof. dr hab. Janusz Trempała

Redakcja: Joanna Marcińczyk
Korekta: Magdalena Grochala, Ewa Gorzaniak

Książka po raz pierwszy wydana w Wielkiej Brytanii
w 2005 r. przez Hamlyn, oddział Octopus Publishing
Group Ltd 2-4 Heron Quays, London E14 4JP

Copyright © Octopus Publishing Group Ltd 2005

© for the Polish edition by Wydawnictwo Olesiejuk
Sp. z o.o.

ISBN 978-83-7588-123-3

Wydawca: Wydawnictwo Olesiejuk Sp. z o.o.
ul. Poznańska 91, 05-850 Ożarów Mazowiecki
www.olesiejuk.pl, wydawnictwo@olesiejuk.pl

WYDAWNICTWO OLESIEJUK

Opracowanie wydawnicze: ARSPOL Sp. z o.o.
ul. Hetmańska 11/1, 85-039 Bydgoszcz
www.arspol.pl arspol@arspol.pl

Uwaga
Książka ta nie może zastąpić osobistej porady lekarskiej.
W przypadku problemów zdrowotnych, a szczególnie
wystąpienia wszelkich niepokojących objawów, Czytelnik
powinien zwrócić się po poradę do lekarza. W chwili
oddawania tej książki do druku, wszystkie zawarte w niej rady
i informacje są uważane za dokładne i prawdziwe, jednak
pomimo tego ani autor, ani wydawca nie przyjmują jakiejkolwiek
odpowiedzialności prawnej czy też finansowej za wszelkie
błędy lub przeoczenia, które mogły zostać popełnione.

spis treści

wstęp

**Ileż to razy wydzwaniamy do własnych
rodziców, krewnych lub przyjaciół po radę?**

- **Dlaczego ono robi właśnie „to" czy „tamto"?**
- **Czy „to" jest normalne?**
- **Jak mogę je nakłonić, by wykonało określone polecenie?**

Wychowanie dzieci, nawet w najbardziej sprzyjających okolicznościach, jest prawdziwym wyzwaniem. Na początkujących
rodziców czekają nierzadko frustracje i niepokoje, związane
z koniecznością radzenia sobie z nowo narodzonym
maleństwem, którego jedyną formą komunikowania się jest
ograniczona gama płaczów i ruchów ciała.

Wraz z przyjściem na świat drugiego, trzeciego lub czwartego
dziecka, pojawiają się nowe problemy do rozwiązania. Rodzice
muszą poradzić sobie np. z rywalizacją między rodzeństwem,
relacjami między rodzeństwem różnej płci i zapewnieniem
dzieciom bezpiecznych warunków w domu. To nie wszystko.
Zdarza się, że problemem, doprowadzającym rodziców
do stanu bliskiego desperacji, jest błahostka, choćby fakt,
że drugie dziecko nie zachowuje się tak, jak pierwsze.

Nikt nie zna odpowiedzi na wszystkie pytania, a ponadto na wiele z nich nie ma jednoznacznej odpowiedzi. Często jednak wystarcza zasięgnąć rady kogoś postronnego, by upewnić się, że w naszym życiu nie dzieje się nic niedobrego. Najlepiej oczywiście jest mieć niezbędne informacje w jednym miejscu i zawsze pod ręką, a to zapewnia książka pt. „Niemowlę i małe dziecko – odpowiedzi na wszystkie pytania". Jest to wszechstronny poradnik przedstawiony w przystępnej dla Czytelnika formie pytań i odpowiedzi. Zawiera informacje na temat mnóstwa podstawowych problemów wychowawczych i wskazówki, jak je rozwiązać.

Książka zawiera porady zespołu ekspertów w wychowaniu dzieci. Dotyczy maluchów od momentu urodzenia, aż do czwartego roku życia. Porusza się w niej wszystkie zagadnienia związane z codzienną pielęgnacją i opieką nad dzieckiem, takie jak: odpowiedni sen, odżywianie, organizacja pracy przy opiece nad dzieckiem oraz radzenie sobie z problemami wychowawczymi, które pojawiają się po drodze. Rozdziały poświęcone są kolejno poszczególnym grupom wiekowym. Zawarte w nich wskazówki pomagają rodzicom zrozumieć dziecko i stymulować jego rozwój np. poprzez ćwiczenia koordynacji ręka-oko, ruchu i mówienia. Ułatwiają także dostrzeżenie i rozwiązywanie problemów rozwoju emocjonalnego, takich jak dziecięce napady złości, rywalizacja między rodzeństwem czy obawy dziecka przed rozłąką. Książka jest opracowana w formie pytań i odpowiedzi. Wskazują one, że wiele problemów można rozwiązać samodzielnie, wykorzystując praktyczne porady specjalistów i przyjmując odrobinę życzliwych słów otuchy.

noworodek
0 do 4 tygodni

Wygląd dziecka

Pierwsze wrażenie, jakie może wywrzeć na tobie twoje nowo narodzone dziecko, czasami bywa zaskakujące. Noworodek wygląda zupełnie inaczej niż dziecko liczące chociażby kilka miesięcy. Tuż po urodzeniu widać, że maleństwo pojawiło się wprost z płynnego środowiska panującego w macicy. Noworodek jest nie tylko wilgotny i śliski, ale może być też pokryty pasmami krwi. Ponadto dziecko okazuje zdenerwowanie wywołane porodem.

Ciemiączka

Czaszka noworodka nie stanowi zwartej całości. Jest uformowana z oddzielnych miękkich płytek kostnych, połączonych tkanką włóknistą. Znajduje się na niej sześć miękkich miejsc, inaczej ciemiączek, będących lukami pomiędzy kośćmi głowy. Będziecie prawdopodobnie dostrzegali jedynie dwa główne ciemiączka. Największe leży na szczycie głowy – ma około 4 cm szerokości i romboidalny kształt. Za nim, z tyłu główki, można wyczuć mniejsze ciemiączko w kształcie trójkąta. Miękkie miejsca ulegają zarastaniu mniej więcej pomiędzy dziewiątym a osiemnastym miesiącem życia.

Czego należy się spodziewać?

• **Główka.** Proporcje wielkości głowy do reszty ciała różnią się u noworodka i dorosłego człowieka. Głowa noworodka wydaje się bardzo duża – stanowi ¼ długości całego ciała dziecka. Po porodzie główka może przyjąć wydłużony kształt i być asymetryczna. Czoło noworodka może wydawać się niskie. To wynik zmian adaptacyjnych związanych z mechanizmem porodu, umożliwiających główce bezpieczne przejście przez wąski kanał rodny. Zmiany te utrzymują się jedynie przez kilka godzin, po czym główka dziecka staje się bardziej owalna i symetryczna.

• **Kończyny.** Przy dużej głowie i brzuchu noworodka, jego ręce i nogi mogą wydawać się małe i wątłe. Paznokcie dziecka urodzonego o czasie sięgają opuszków palców. Nóżki są nieznacznie przygięte, a ich stopy zwrócone ku środkowi, bowiem takie było ich ułożenie w macicy.

• **Zabarwienie powłok.** Początkowo rączki i stópki twojego dziecka będą wydawały się blade lub sinawe, podczas gdy jego tułów będzie zaróżowiony. Dzieje się tak, dlatego że układ krążenia u noworodka nie jest jeszcze w pełni wydolny w dostarczaniu krwi do kończyn. Ta pewna niedojrzałość krążenia, może powodować nierówne zabarwienie skóry: górna część ciała może być bledsza, zaś dolna zaczerwieniona. Równomierne zabarwienie może przywrócić skórze zmiana pozycji ciała dziecka.

• **Włoski.** Niektóre dzieci rodzą się z gęstymi czuprynami, podczas gdy inne są prawie łyse. Kolor włosów dziecka z czasem może ulec zmianie. Często pierwsze kosmyki wypadają w pierwszych tygodniach życia. Wyrastające na ich miejscu nowe włosy mogą mieć już zupełnie inny kolor.

- **Skóra.** Nowo narodzone dziecko pokryte jest mazią płodową – białawą substancją o konsystencji kremu, która ochraniała skórę w wodnym środowisku macicy. W pierwszych kilku dniach życia noworodka maź ta nadal ochrania delikatną skórę dziecka. Najlepiej więc jej nie zmywać, lecz pozwolić, by stopniowo ulegała wchłonięciu. Suchość i łuszczenie się skóry, widywane często po porodzie na rączkach lub stopach nowo narodzonego dziecka, nie są objawami egzemy czy też innych schorzeń skórnych i powinny ustąpić po kilku dniach.

- **Oczy.** Powieki noworodka mogą być podpuchnięte w wyniku ucisku podczas porodu. Obrzęk ten ustąpi po dobie lub dwóch. Nieznaczne krwiaczki na białkówkach oczu, powstałe w wyniku pękania drobnych naczynek krwionośnych, szybko znikną. Dziecko będzie płakało „na sucho", bowiem gruczoły łzowe zaczynają produkcję łez dopiero po kilku tygodniach.

- **Jama ustna.** Język dziecka może być połączony na prawie całej długości z dnem jamy ustnej. Nie będzie to zaburzać ssania i nie należy się tym martwić. W jamie ustnej, na dziąsłach i podniebieniu twardym, mogą znajdować się niewielkie różowe plamki. Są to małe torbielki, które zanikną same, bez konieczności leczenia.

- **Piersi i genitalia.** Noworodki, zarówno chłopcy, jak i dziewczynki, mogą mieć po porodzie opuchnięte piersi. Z ich brodawek może wyciekać kilka kropli mleka. Jest to wynik działania hormonów matki jeszcze w czasie ciąży. Obrzęk ustąpi po kilku dniach, w miarę jak hormony mamy będą usuwane z organizmu dziecka. Rezultatem działania tych hormonów mogą być także powiększone genitalia, a u dziewczynek mogą pojawić się białawe przejrzyste upławy lub kilka kropel krwi z pochwy. To także w sposób naturalny ustąpi w ciągu kilku dni.

Po prawej: Wiele dzieci rodzi się z czerwonymi plamkami pokrywającymi skórę. Nie ma się jednak czym martwić, ponieważ jest to jedynie reakcja ich skóry na nowe środowisko.

Znamiona

U wielu dzieci na skórze występuje małe, płaskie, czerwone znamię, pojawiające się najczęściej na powiekach, czole i karku. Jest to tzw. dziobnięcie bociana spowodowane rozszerzeniem się cienkich naczyń krwionośnych. Zwykle zanika w ciągu pierwszego roku życia. „Plamki mongolskie" są z kolei nieregularne i niebieskawe. Znajdują się zazwyczaj w dolnej części grzbietu. Występują najczęściej u dzieci ciemnoskórych i są spowodowane nierównym rozmieszczeniem barwnika. Są one nieszkodliwe i stopniowo zanikają. Dziecko może mieć też czerwone znamiona – widoczne tuż po urodzeniu lub pojawiające się kilka dni później. Wypukłe, czerwone i miękkie „znamię truskawkowe" powiększa się przez kilka miesięcy. Choć może być szpecące, w końcu zacznie blednąć, a następnie zaniknie – zwykle bez leczenia.

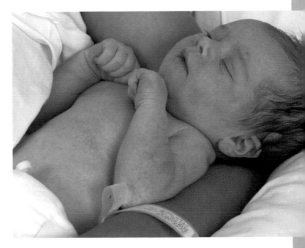

Wygląd dziecka
Częste pytania

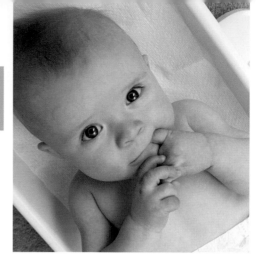

Pytanie (P.): Mój noworodek ma delikatne włoski na uszkach, ramionkach i grzbiecie. Czy jest to normalne?
Odpowiedź (O.): Włoski te nazywane są meszkiem (lanugo); mają je wszystkie dzieci, kiedy są w macicy. Niektóre maluchy, zwłaszcza wcześniaki, mają je też często zaraz po urodzeniu. Włoski te wypadają zwykle po kilku dniach.

P.: Czy powinnam się martwić, że moje dziecko ma na całej buzi maleńkie białe punkty?
O.: Nie. Noszą one nazwę prosaków (milia) i są czymś normalnym. Są to powiększone lub zatkane gruczoły potowe i łojowe skóry, które wrócą do normy po kilku dniach.

P.: Rączki i stópki mojego nowo narodzonego dziecka są sinawe z powodu stanu układu krążenia. To w jaki sposób sprawdzić, czy nie jest mu zimno?
O.: Możesz sprawdzić ciepłotę ciała dziecka, dotykając jego pleców lub brzuszka. Jeżeli jest ona podobna do twojej, nie jest mu zimno. Nie martw się, jeżeli w pierwszych dniach stópki czy rączki są nieco blade lub sinawe. Jeżeli jednak sinawe są wargi lub język, zgłoś to położnej lub lekarzowi.

P.: Urodziłam dwa tygodnie temu, a dziecko stale ma duży guz na boku głowy. Czy tak zostanie na stałe?
O.: Jest to prawdopodobnie krwiak głowy – uraz tkanek okalających czaszkę. Jest on nieszkodliwy i zniknie bez leczenia w ciągu kilku tygodni.

P.: Moje dziecko oddycha nieregularnie: przez pewien czas bardzo głęboko, następnie zupełnie płytko. Czy dzieje się z nim coś złego?
O.: Jest rzeczą normalną, kiedy małe dziecko oddycha szybko i głęboko, a następnie powierzchownie. Jego rytm oddechowy stanie się

Powyżej: Oczy prawie wszystkich dzieci są po urodzeniu niebieskoszare, ponieważ nie rozwinął się jeszcze barwnik tęczówek.

bardziej stabilny w wieku około trzech miesięcy. Noworodek oddycha dwukrotnie szybciej aniżeli osoba dorosła. Może także mieć czkawkę, co wygląda niepokojąco, bo wstrząsa ona całą jego klatką piersiową, ale zupełnie mu nie przeszkadza.

P.: Mój noworodek ma dość ciężki, sapiący oddech. Czy jest przeziębiony?
O.: Nowo narodzone dziecko może mieć sapkę, co jest wynikiem niewielkich rozmiarów dróg oddechowych, w których gromadzi się pewna dodatkowa ilość śluzu. Śluz ten jest wytwarzany w nosie po to, by chronić jego delikatną wyściółkę przed drażniącym działaniem mleka, które może dostać się do noska w pierwszych dniach. Nie znaczy to, że dziecko jest przeziębione. Gdyby istotnie tak było, miałoby ono podwyższoną temperaturę lub, po prostu, wyglądałoby na niezdrowe.

P.: Już w dwie godziny po urodzeniu moja córeczka uśmiechała się w czasie snu. Czy był to prawdziwy uśmiech, czy jedynie jakiś przypadkowy grymas?
O.: Minie parę tygodni, zanim dziecko naprawdę się do ciebie uśmiechnie. Wczesne uśmiechy, jak te u twojej córeczki, pojawiają się wtedy, kiedy dziecko jest zadowolone i rozluźnione, np. przy zasypianiu. Są to prawdopodobnie instynktowne oznaki zadowolenia.

Ruch
Odruchy

Na początku większość czynności dziecko wykonuje automatycznie, instynktownie reagując na działanie określonych bodźców. Istnieją pewne odruchy, ważne dla przeżycia, jak: oddychanie, automatyczne opróżnianie pęcherza i jelit oraz odruch głodu – zmuszający dziecko do żądania pożywienia. W miarę jak maleństwo rośnie i rozwija się, coraz więcej elementów zachowania przechodzi ze sfery odruchów pod jego świadomą kontrolę.

Inne zauważalne odruchy to mruganie i zamykanie oczu pod wpływem silnego światła oraz odruchy obronne przed bólem. Niektóre z odruchów obserwowanych u noworodka zanikną już po kilku miesiącach.

- **Odruch ssania.** Dziecko odruchowo ssie wszystko, co znajdzie się w jego buzi. Już będąc w macicy, mogło ssać swój kciuk. Mocny odruch ssania jest ważny, szczególnie w początkach karmienia.
- **Odruch szukania.** Jeżeli muśniesz czymś policzek dziecka, zwróci ono główkę w tę właśnie stronę i otworzy buzię. Jest to nazywane odruchem szukania i pomaga dziecku w odnalezieniu brodawki matczynej piersi.
- **Odruch chwytania.** Jeśli dotkniesz dłoni dziecka, to chwyci cię ono za palec. Jego uścisk jest tak mocny, że kiedy każda z jego rączek chwyci po jednym twym palcu, a ty będziesz próbowała je unosić, to okaże się, że noworodek potrafi utrzymać cały ciężar swego ciała. Odruch chwytania występuje także na powierzchniach podeszwowych stóp. Przy ich głaskaniu podkurczają się paluszki. Odruch ten zanika po kilku miesiącach, kiedy dziecko nabiera umiejętności chwytania celowego.
- **Odruch obejmowania.** Jeżeli dziecko przestraszy się hałasu czy nagłego ruchu, zareaguje na to całym ciałem w odruchu Moro, zwanym też odruchem obejmowania. Wówczas noworodek wyrzuca przed siebie rączki i nóżki, jakby chciał coś nimi uchwycić, odchyla do tyłu główkę, otwiera szeroko oczy i może płakać.

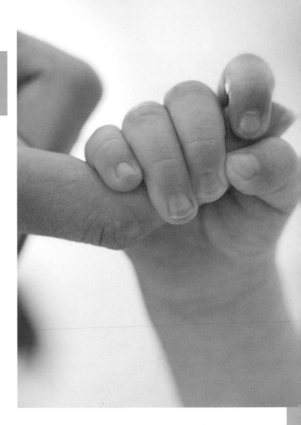

Powyżej: Noworodek ma naturalny odruch chwytania. Złapie twój palec, jeśli dotkniesz nim jego dłoni.

- **Odruch pełzania.** Noworodek położony na brzuszku przyjmuje pozycję do raczkowania. Jego nóżki podkurczają się w pobliże tułowia, tak samo, jak były ułożone w macicy.
- **Odruchy stąpania i chodzenia.** Jeśli potrzymasz dziecko w pozycji pionowej, tak aby jego stópki dotykały twardej powierzchni, zaobserwujesz odruch, w którym dziecko porusza nóżkami, jakby szło naprzód. Jeżeli nóżka dotknie czegoś, podniesie ją, jakby chciało przestąpić nad czymś. Ten odruch chodzenia zaniknie i jest zupełnie różny od sztuki świadomego, celowego chodzenia, którą dziecko opanuje dopiero wiele miesięcy później.

Zmysły

Dziecko jest bardzo chłonne i wrażliwe. Kiedy ty obserwujesz je, odkrywając w nim wszystko, co jesteś w stanie dostrzec, maleństwo z kolei doświadcza otaczającego je świata – łącznie z tym, co je najbardziej interesuje, czyli z tobą. Jego instynktowne zainteresowanie tobą jest częścią procesu tworzenia więzi emocjonalnej i pomaga w nawiązaniu bliskiego kontaktu między wami. Od momentu narodzin dziecko próbuje, używając wszystkich swoich zmysłów, zrozumieć otaczający je świat.

Noworodek w wieku trzech dni umie rozpoznać głos swojej matki wołającej go po imieniu.

P.: Co widzi moje dziecko?
O.: Noworodek całkiem dobrze i z dobrą ostrością widzi przedmioty w odległości około 25 cm. W sposób nieco bardziej zamazany postrzega te obiekty, które znajdują się dalej. Kiedy więc trzymasz dziecko w ramionach, a ono intensywnie ci się przygląda, widzi cię wyraźnie. Noworodki wykazują większą chęć oglądania twarzy ludzkiej niż czegokolwiek innego. Szczególnie koncentrują się na oczach. W 36 godzin po porodzie maleństwo potrafi już rozpoznać kształt i owal twojej twarzy – będzie

wolało patrzeć raczej na twoją twarz aniżeli kogokolwiek innego. Kiedy się poruszysz, będzie wodziło za tobą oczkami.

P.: Czy nie jest jeszcze za wcześnie na stymulowanie dziecka kolorowymi obiektami przestrzennymi?
O.: Nie. Dzieci postrzegają kolory i poszczególne cechy otoczenia. Wolą linie faliste od prostych i trójwymiarowe obiekty od obrazów płaskich. W pierwszych tygodniach życia częściej interesują się elementami czarno-białymi aniżeli kolorowymi. Zawieś nad łóżeczkiem dziecka karuzelę – poza zasięgiem jego rączek, ale w zasięgu jego wzroku. Będzie na nią spoglądało z upodobaniem.

P.: Co moje dziecko słyszy?
O.: Słuch dziecka jest dobrze rozwinięty. Słuchało ono twojego głosu już przed urodzeniem, słysząc także wiele różnych hałasów. Dziecko instynktownie odpowiada na ludzką mowę i będzie się delikatnie poruszało w jej rytm.

P.: Czemu dziecko reaguje na matkę z większym zainteresowaniem?
O.: Ponieważ głos mamy jest mu znany, będzie odpowiadało na jego dźwięk większym zainteresowaniem. Już w trzecim dniu życia noworodek będzie odwracał się raczej w kierunku wołającej go po imieniu matki aniżeli ku innym głosom. Większość matek, mówiąc do swego dziecka, używa instynktownie wyższego, czułego i miękkiego głosu – to jest ten głos, który dziecko najlepiej słyszy i lubi.

P: Czy rozpraszam uwagę dziecka, jeśli bawiąc się z nim, uśmiecham się i mówię do niego?
O.: To rozprasza uwagę dziecka na chwilę. Zostanie to zrekompensowane z nawiązką przyjemnością czerpaną przez dziecko z powodu twojego zainteresowania tym co robi. Szczęśliwe i zadowolone dziecko zostanie

Powyżej: Malutkie dzieci są zafascynowane rodzicami i są szczęśliwe, kiedy poświęca się im wiele uwagi.

jedynie zachęcone do kontynuacji przerwanego zadania.

P.: Rozmawiając bezustannie z moim dzieckiem, czuję się trochę śmiesznie. To, że nie może ono mi odpowiedzieć ani nawet zrozumieć tego, co do niego mówię, sprawia, że głupio się czuję. Co powinnam robić?
O.: To proste: tak czy inaczej rozmawiać z nim. Możesz czuć się speszona, szczebiocąc do dziecka, które nie może ci odpowiedzieć, ale bądź pewna, że mówienie do niego jest dla niego korzystne. Pamiętaj, że ono cię absolutnie uwielbia i jest zafascynowane wszystkim, co robisz. Kiedy więc mówisz do niego, a ono wsłuchuje się w ten szeroki zakres wydawanych przez ciebie dźwięków, to ich się uczy, a w końcu zaczyna samo je naśladować. Nie ma w tym nic śmiesznego, to dobra, poczciwa, staroświecka stymulacja językowa, która może przynieść dziecku jedynie wiele dobrego.

P.: Jakie smaki i zapachy odbiera moje dziecko?
O.: Już w momencie narodzin niemowlęcia zarówno jego smak, jak i powonienie są bardzo dobrze rozwiniętymi zmysłami. Preferuje ono słodki smak, jaki ma mleko kobiece. Już po tygodniu życia potrafi odróżnić zapach i smak twojego mleka od mleka innych matek. Podoba mu się mleczny zapach, co pomaga mu przygotować się do karmienia. Lubi także zapach ciała matki. Maleństwo odwraca się od nieprzyjemnego zapachu.

P.: Jak u mojego dziecka działa zmysł czucia?
O.: Skóra i odczuwanie dotyku to pierwsze elementy postrzegania zmysłowego, jakie rozwija dziecko. Zaczyna poznawać świat zewnętrzny poprzez te wszystkie nowe doznania związane z temperaturą, ciśnieniem, otaczającymi strukturami. Kiedy dotykasz swego dziecka, głaszcząc, huśtając, kołysząc i tuląc, to poznajecie się nawzajem w sposób bardzo szczególny. Dotyk bowiem jest, w pewnym sensie, najbardziej bezpośrednią formą używanego między ludźmi języka.

WIĘŹ UCZUCIOWA

Zapewnienie dziecku dobrego startu w życie

Co najmniej 40 procent całkowicie zdrowych matek potrzebuje ponad tygodnia, a czasami nawet miesięcy, by nawiązać więź emocjonalną ze swoim dzieckiem.

Kiedy możesz oczekiwać, że twoja fascynacja na widok nowo narodzonego maleństwa stanie się miłością? „Nawiązywanie więzi uczuciowej" – to określenie procesu pojawiania się całkowitego oddania swemu dziecku. Pełna więź uczuciowa z dzieckiem jest tak silna, że z radością rezygnuje się z własnego snu, dba się o zaspokojenie każdej potrzeby dziecka i chętnie odsuwa się na drugi plan własne pragnienia dopóki, dopóty dziecko ciebie potrzebuje. Ludzkie dzieci wymagają większej i dłuższej opieki niż potomstwo innych istot.

Silna więź pomiędzy tobą i twoim dzieckiem pozwala mu czuć się pewnie i bezpiecznie, zapewnia mu solidne podstawy do budowania przyszłych społecznych relacji z innymi ludźmi i uczy go zaufania do nich. Więź ta daje także dobre samopoczucie i tobie jako rodzicowi. Wspaniała jest świadomość, że twoje dziecko cię kocha i czuje się przy tobie bezpiecznie.

Oczywiście, opieka nad dzieckiem jest zajęciem absorbującym. Możesz od czasu do czasu odczuwać jego trudy. Ale możesz też uczynić bardzo wiele dla umocnienia procesu tworzenia więzi uczuciowej z dzieckiem. Co najważniejsze, staraj się być odprężona, kiedy jesteś ze swym maleństwem. Będzie ono bardziej zadowolone, kiedy wyczuje, że jesteś w jego obecności spokojna.

Niemowlęta uwielbiają zabawy fizyczne, odgrywające także wielką rolę w społecznym i emocjonalnym rozwoju dziecka. One po prostu przepadają za przytulaniem przez ciebie czy inne znane im osoby.

Wyjątkowo miłym przeżyciem dla nich jest znajdowanie się w pewnych, a zarazem delikatnych ramionach kochającej dorosłej osoby. Bliskość, ciepło i kontakt ciał, te wszystkie elementy pełnych miłości pieszczot, niezawodnie podnoszą u dziecka stopień zadowolenia i zaufania.

Więź uczuciowa
Częste pytania

P.: Czy mogę oczekiwać pojawienia się więzi uczuciowej z moim dzieckiem zaraz po jego urodzeniu?

O.: Niekoniecznie. To prawda, że wiele kobiet odczuwa ogromny przypływ miłości, trzymając po raz pierwszy swoje dziecko w ramionach. Czują jego łagodnie ciepło, rozmawiają z nim i dostrzegają jego spokojne, zawładające spojrzenie już w kilka chwil po urodzeniu. Niektóre kobiety już wcześniej odczuwają bliski kontakt ze swym maleństwem i kochają je jeszcze przed urodzeniem. Z drugiej strony, wiele kobiet początkowo doświadcza niewielu uczuć do swego dziecka. Bardzo często mijają dwa do trzech dni, zanim mama odczuje miłość do maleństwa, a czasem może minąć i kilka miesięcy, zanim to nastąpi.

P.: Jakie są przyczyny tego, że więź uczuciowa nie zostaje nawiązana z dzieckiem natychmiast?

O.: Istnieje wiele różnych przyczyn tego, że możesz nie czuć natychmiastowej więzi uczuciowej ze swym nowo narodzonym dzieckiem. Możesz być fizycznie i psychicznie wyczerpana porodem i nie mieć siły reagować na noworodka. Może dominować u ciebie uczucie ulgi z powodu zakończonego porodu i pragnienie odpoczynku. Na twoje uczucia może wpłynąć też przebieg porodu. Gdy był on długi i trudny, możesz czuć się tym zdenerwowana lub nieco zawiedziona. Jeżeli zastosowano jakieś leki, możesz być oszołomiona lub twoje dziecko może być senne albo rozdrażnione. Twoje uczucia mogą też być zmącone innymi, życiowymi dylematami np. problemami z partnerem, kłopotami z pozostałymi dziećmi lub zmartwieniami finansowymi. Bywa i tak, że kobiety różnie reagują na hormony wyzwalające uczucia macierzyńskie. U niektórych mam proces nawiązywania więzi emocjonalnej przebiega jedynie stopniowo.

P.: Czy powinnam martwić się tym, że nie mam na początku więzi uczuciowej z moim dzieckiem? Czy sprawiam mu tym przykrość?

O.: Nie powinnaś się martwić lub uważać się za zawodną matkę, jeżeli natychmiast nie poczujesz do dziecka miłości. Powstawanie więzi uczuciowej z dzieckiem nie dzieje się „natychmiast i na zawsze", ale jest uczuciem narastającym w miarę jak poznajecie się nawzajem. U matek, które nie nawiązały od razu więzi z noworodkiem (być może z powodu choroby własnej lub dziecka), miłość, która w końcu się pojawia, będzie równie mocna jak u tych, które poczuły więź wcześniej.

P.: Chociaż wcześnie poczułam więź uczuciową z moim dzieckiem, mam czasem takie dni, w których nie czuję do niego nic szczególnego. Czy jest to normalne?

O.: Od czasu do czasu matka może mieć mniej wylewne uczucia dla dziecka. Nie świadczy to o tym, że jesteś złą matką lub że musisz mieć koniecznie depresję. Po prostu oznacza to jedynie tyle, że u ciebie proces tworzenia pełnej więzi uczuciowej trwa dłużej.

P.: Czy moje dziecko będzie miało bliską więź uczuciową jedynie z tym z rodziców, z którym spędza większość czasu?

O.: Nie. Istnieje wiele dowodów na to, że dziecko jest w stanie zbudować więź emocjonalną z więcej niż jedną osobą na raz. Może pozostawać w więzi psychicznej z tobą, ale także z twoim partnerem i ze swoimi dziadkami. Każda z tych, jakże odmiennych, więzi ma dla dziecka bardzo szczególny charakter i każda z nich wnosi jakiś wkład w społeczny i emocjonalny rozwój dziecka.

Podnoszenie i trzymanie na ręku

Jedną z podstawowych potrzeb twego dziecka jest, by było dotykane i trzymane w ramionach. Maleństwo przeszło przecież ze ściśle otaczającej je macicy do przerażającej, pustej przestrzeni. Kiedy dziecko jest trzymane na ręku, czując ruch, znajomy rytm twego oddechu i bicia twego serca, uspokaja się.

Gdy bierzesz dziecko na ręce, upewnij się, że tobie samej będzie wygodnie. Jeśli ty czujesz w danej pozycji napięcie i niewygodę, ono będzie czuło się podobnie. Dopóki główka maleństwa jest podtrzymywana i czuje ono, że jest w pewnych, a zarazem delikatnych ramionach, będzie odprężone.

Upewnij się, że zawsze podtrzymujesz główkę swego dziecka, kiedy je podnosisz lub kładziesz.

Kiedy masz zamiar podnieść dziecko, mów do niego i dotykaj go, po to, by dać znać, że jesteś przy nim, i nie przestraszyć go jakimś gwałtownym ruchem. Jedną ręką podnieś nieco jego stópki, by móc wsunąć drugą rękę pod jego ciało dla podtrzymania grzbietu i główki. Następnie, z jedną ręką pod grzbietem i główką, a drugą pod pośladkami, podnieś je, nie przestając do niego mówić. Kiedy kładziesz noworodka, podtrzymuj rękami jego główkę i pośladki przy układaniu, a następnie delikatnie wysuń spod niego ręce.

Po lewej: Jeżeli zawsze starannie podtrzymujesz główkę dziecka, to nic mu się nie stanie, kiedy trzymasz je na ręku.

Podnoszenie i trzymanie
Różne pozycje

Różnorodność układów, w których można trzymać dziecko na ręku, zapewni wam obojgu większą wygodę, a dziecku umożliwi oglądanie otoczenia z różnych pozycji.

• Workowate i przypominające temblak nosidełko, używane dla noszenia malutkich dzieci, pozwala w czasie chodzenia wygodnie nosić je na jednym ręku. Główka maleństwa ma wygodne oparcie i czuje się ono bezpiecznie, spoglądając w górę, na ciebie.

• Niektórym dzieciom jest wygodniej, gdy spoczywają na twoim barku i cieszą się twoimi ruchami w czasie chodzenia. Upewnij się, że główka dziecka ma podparcie, zanim samo będzie mogło o to zadbać.

• Wiele dzieci lubi być trzymanych buźką w dół z budzącym ich zadowolenie uciskiem na brzuszek, a do tego z kojącym, łagodnym kołysaniem z boku na bok. Wstając, ułóż dziecko na swym przedramieniu twarzą w dół z pupą w zgięciu łokciowym. Drugą ręką obejmij jego klatkę piersiową, by trzymać je blisko przy sobie.

Trzymanie dziecka do karmienia piersią.
Jest pewna liczba pozycji, w których możesz trzymać dziecko do karmienia piersią. W pierwszych kilku dniach łatwiej jest karmić w pozycji siedzącej. Dla podparcia swej ręki, trzymającej dziecko, możesz położyć na kolanach poduszkę, abyś nie musiała pochylać się ku przodowi i obciążać mięśni grzbietu.

Jeżeli przeszłaś cięcie cesarskie, karmienie dziecka ułożonego na twoim brzuchu może być początkowo dość uciążliwe. Zamiast tego, podpierając się poduszkami, połóż się do karmienia z dzieckiem leżącym wzdłuż twego ciała, albo odwróconym główką w kierunku twych stóp i z nóżkami wsuniętymi pod twoją rękę. Pozycja twojego dziecka jest tak ważna, jak i twoja. Trzymaj je tak, by karczek spoczywał w twoim zgięciu łokciowym, a jego tułów był podtrzymywany przez twoje przedramię. Kręgosłup dziecka powinien być prosty, z główką ułożoną nieco wyżej niż tułów, a ono

samo powinno mieć miejsce do swobodnego odwrócenia lub odchylenia główki. Przy karmieniu nie układaj maleństwa brzuszkiem do góry, bo wtedy będzie ono musiało odwracać główkę na bok, a to niewygodne – spróbuj tylko sama przełknąć coś z głową zwróconą w bok. Najlepiej odwróć całe ciałko dziecka ku sobie, tak by jego brzuszek dotykał twego brzucha.

Jeżeli karmisz bliźnięta, spójrz także na stronę 52.

Pozycje – pięć wskazówek

1. Jeżeli siedzisz w fotelu, umieść za sobą sporo poduszek, byś była nieco pochylona ku przodowi.

2. Oprzyj stopy na niskim podnóżku lub stercie książek telefonicznych, by uda przyjęły pozycję poziomą.

3. Jeżeli dziecko energicznie wymachuje rączkami, postaraj się owinąć je, zachowując ułożenie blisko ciała.

4. Przystawiaj dziecko do piersi, a nie pierś do dziecka, w przeciwnym razie znajdziesz się w niewygodnej i męczącej pozycji, a mleko z piersi nie będzie wypływało jak należy.

5. Jeżeli masz jakieś wątpliwości co do przyjmowania właściwej pozycji, poproś o radę doradcę laktacyjnego, zanim pojawią się jakiekolwiek istotne problemy.

Podnoszenie i trzymanie
Częste pytania

P.: Moja córeczka wydaje mi się bardzo delikatna i krucha. Boję się, że kiedy ją podnoszę, mogę zrobić jej krzywdę. Czy jest to możliwe?

O.: Choć twoje dziecko wydaje się bezbronne, to jednak jest ono silniejsze, niż na to wygląda. Możesz być pewna, że nie zrobisz jej krzywdy przy podnoszeniu, jeśli tylko podtrzymasz wymagającą podparcia główkę. Co najmniej przez pierwsze cztery tygodnie życia dziecko niemal całkowicie nie kontroluje ruchów główką, więc podtrzymuj ją mocno, by się nie zwieszała.

P.: Czy mogę pozostawić noworodka w pozycji siedzącej, podpartego, ale nie podtrzymywanego przeze mnie?

O.: Powinnaś z tym poczekać do czasu, aż dziecko będzie miało co najmniej sześć tygodni. Zadbaj, by nigdy nie było ono pozostawione bez nadzoru. Dziecko nie będzie w stanie samodzielnie utrzymać się w pozycji siedzącej, więc upewnij się również, że przygotowałaś mu odpowiednio wygodne podparcie: poduszki i jaśki nadają się do tego idealnie. Staraj się jednak, by dziecko nie siedziało zbyt pionowo, bo może mu grozić upadek do przodu – na buzię. Kiedy będzie ono już w odpowiednim wieku, możesz mu kupić elastyczny leżaczek ochronny, ale wózeczek czy fotelik będą tu równie przydatne.

P.: Moje dziecko często wzdryga się, kiedy chcę je podnieść. Jak mogę temu zapobiec?

O.: Zawsze, zanim podniesiesz maleństwo, uprzedź go o swej obecności. Delikatnie dotknij i mów do niego przez kilka chwil. Przed podniesieniem dziecka pomasuj przez kilka sekund jego brzuszek i grzbiet. Zamiast podnosić je nagle i gwałtownie, staraj się zawsze robić to powoli i delikatnie.

P.: Nasza córeczka nie może się doczekać, by wziąć na ręce swego nowo narodzonego braciszka. Ma ona dopiero cztery latka. Czy mogę jej na to pozwolić?

O.: Nawet najmniejsze z rodzeństwa może wziąć na ręce noworodka, jeżeli jesteś przy tym i słu-

Powyżej: Noszenie dziecka w takim wygodnym i elastycznym nosidełku pomaga w nawiązaniu z nim więzi uczuciowej.

żysz pomocą. Zacznij od posadzenia swej córeczki w krześle z poręczami. Pokaż jej, w jaki sposób powinno się prawidłowo trzymać noworodka, zwracając szczególną uwagę na konieczność podparcia jego główki i karczku. Następnie ułóż maleństwo w jej ramionach i zachęć ją do nawiązania z nim kontaktu wzrokowego. Nigdy nie pozostawiaj tych dwoje małych dzieci samych, bowiem może to spowodować u każdego z nich zdenerwowanie i niepokój, a także inne nieszczęśliwe następstwa.

Wychowanie pozytywne   **Posługiwanie się nosidełkiem**

P.: Podoba mi się pomysł używania nosidełka do noszenia dziecka nie tylko w czasie zakupów, ale także przy pracach domowych. Czy to dobry pomysł?

O.: Dziecięce nosidełko może ułatwić tobie życie, a zarazem jest korzystne dla twojego dziecka. Jego zastosowanie jest bardzo pożyteczne. Dzięki nosidełku zapewnisz maleństwu szerszą perspektywę, niż mogłoby zobaczyć ze swego wózka. W zależności od używanego przez ciebie typu, dziecko może być umieszczone twarzą ku tobie lub odwrócone na zewnątrz. Może też siedzieć na twoich plecach lub boku. Niektóre typy umożliwiają dziecku nie tylko siedzenie, ale i leżenie.

Zalety

• **Wygoda i elastyczność.** Noszenie dziecka w nosidełku pozostawia ci obydwie ręce wolne i możesz wykonywać inne prace lub zajmować się pozostałymi dziećmi.

• **Dyskrecja.** Dziecko w nosidełku można karmić łatwo i dyskretnie, w pracy lub w miejscu publicznym.

• **Bezpieczeństwo.** Jeżeli masz dziecko, które lubi być stale trzymane na ręku, dzięki nosidełku możesz łatwo spełnić jego potrzebę, wykonując w tzw. międzyczasie inne zajęcia. Nosidełko jest szczególnie przydatne dla dzieci, które często odmawiają ssania. Przebywając w nim, dziecko staje się żwawsze i chętniej podejmuje karmienie.

• **Zadowolenie.** Maleństwo noszone w nosidełku przez co najmniej trzy godziny dziennie zwykle mniej płacze – tak w dzień, jak i w nocy.

• **Zwiększona możliwość uczenia się.** Dziecko ogląda świat w sposób podobny do twego, jest nim bardziej zainteresowane, doświadcza większej ilości doznań i słyszy więcej rozmów.

• **Więź.** Noszenie dziecka sprzyja nawiązaniu z nim więzi i w rezultacie sprawia, że czujesz się lepszą matką.

Bezpieczne stosowanie nosidełka

Choć nosidełko zapewnia większe bezpieczeństwo dziecku, bo jest ono bliżej ciebie, a tobie daje większą swobodę w wykonywaniu innych prac, zawsze powinnaś pamiętać o kilku podstawowych zasadach bezpieczeństwa:

• W pierwszym okresie życia maleństwa upewniaj się, czy jego główka ma w nosidełku odpowiednie oparcie. W czasie, kiedy przyzwyczajasz się do nosidełka, jedną lub obiema rękami podtrzymuj dziecko, sprawdzając jego ruchy podczas twojego poruszania. Gdy już przyzwyczaisz się do nosidełka, przekonasz się, że nie musisz dodatkowo podtrzymywać malucha rękami. Jeżeli chcesz nosić dziecko w czasie wykonywania prac domowych, zachowaj szczególną ostrożność w kuchni. Nie ulegnij pokusie noszenia dziecka w nosidełku, kiedy zajmujesz się gotowaniem.

• Możesz bezpiecznie spożywać posiłek, mając dziecko w nosidełku, ale wystrzegać się wówczas gorących płynów.

• Zawsze podtrzymuj dziecko, jeżeli się nachylasz. Zginaj kolana, nie zginając się w pasie, i jedną ręką podtrzymuj dziecko.

• Nie noś dziecka w nosidełku podczas jazdy rowerem, a w czasie jazdy samochodem nigdy nie używaj nosidełka zamiast odpowiedniego fotelika dziecięcego.

• Zapoznaj się z zaleceniami producenta, dotyczącymi prawidłowego zakładania nosidełka oraz dopuszczalnej dla danego typu maksymalnej wagi dziecka.

Wyposażenie
Częste pytania

Dokonując zakupów wyposażenia niezbędnego twemu nowo narodzonemu dziecku, będziesz przytłoczona niezliczoną ilością dostępnych produktów. Usłyszysz, że prawie wszystkie z nich są „podstawowe" i możliwe, że będziesz zaprzątać sobie głowę tym, których z nich naprawdę potrzebujesz, a z których możesz zrezygnować. W rzeczywistości niewiele jest takich produktów, które musisz koniecznie mieć na początek.

P.: Ile sprzętów dzieci naprawdę potrzebują? Nie jesteśmy zamożni i martwię się, że przekroczę nasze możliwości finansowe.
O.: Nie tak wiele, jak możesz sądzić. Ponadto zawsze znajdzie się sposób, by zaoszczędzić pieniądze. Możesz wypożyczyć sprzęt od przyjaciół lub krewnych, a w większości dużych miast są sklepy sprzedające prawie nową odzież i sprzęt. Zawsze przed kupnem weź pod uwagę względy bezpieczeństwa. Oszczędność jest często koniecznością, ale od czasu do czasu zrób sobie przyjemność. To cię bardzo podniesie na duchu.

P.: Jakie są ujemne strony kupowania używanego wyposażenia?
O.: Większość dostępnego używanego wyposażenia rzadko jest sprzedawana wraz z odpowiednimi instrukcjami montażu i użytkowania (czasami potrzebnymi). Może też brakować części lub niektóre elementy mogą być uszkodzone. Poza tym

Kontrolna lista wyposażenia

Czynność	Wyposażenie podstawowe	Wyposażenie do wyboru
Karmienie piersią	Wkładki laktacyjne • Biustonosz dla karmiących	Odciągacz • Krem do brodawek sutkowych • Butelki ze smoczkami do odciągniętego mleka • Sprzęt do wyjaławiania
Karmienie butelką	Butelki ze smoczkami • Szczoteczka do butelek	Sprzęt do wyjaławiania • Mieszanka dla niemowląt
Spanie	Kosz do noszenia dziecka lub łóżeczko z materacem • Naciągane na materac prześcieradło frotowe • Bawełniane kocyki	Prześcieradło nieprzemakalne • Elektroniczna niania • Ochraniacz na szczebelki łóżeczka • Śpiworek • Śpioszki

taki sprzęt może także nie spełniać aktualnych norm bezpieczeństwa. Wyposażenie, które zapewnia bezpieczeństwo dziecku, takie jak: fotelik samochodowy lub nosidełko, lepiej kupić nowe. Jeżeli zamierzasz nabyć lub dostałaś jakiś element wyposażenia, upewnij się, skąd pochodzi (od krewnych lub przyjaciół) i w jaki sposób był używany. Jeżeli masz posłużyć się łóżeczkiem dziecięcym z drugiej ręki, wskazane jest, by zakupić do niego nowy materac.

P.: Na co zwrócić uwagę, kupując wózek spacerowy?
O.: Wózki spacerowe, przydatne już od pierwszych dni życia dziecka, muszą mieć w pełni odchylane oparcie, by dziecko mogło leżeć płasko, zanim nie będzie umiało siedzieć bez podparcia. Niezbędna w nich jest uprząż zabezpieczająca, dobre hamulce i urządzenie blokujące, by zapobiec gwałtownemu i niespodziewanemu złożeniu. Ponadto powinny mieć głęboką budkę, chroniącą dziecko przed wiatrem i bezpośrednim działaniem promieni słonecznych, a także osłonę przeciwdeszczową.

P.: Jaki typ fotelika samochodowego kupić?
O.: Noworodek oraz dzieci o wadze poniżej 10 do 13 kg potrzebują fotelika ustawianego tyłem do kierunku jazdy, z zamocowaną na stałe uprzężą, zablokowanego w miejscu pasem bezpieczeństwa. Kiedy dziecko jest starsze, z wagą od 9 do 18 kg, powinno mieć fotelik ustawiony przodem do kierunku jazdy, ze stałą uprzężą, zamocowany w miejscu odpowiednim urządzeniem lub pasem bezpieczeństwa. Wszystkie siedzenia w samochodzie powinny spełniać wymogi bezpieczeństwa.

P.: Czy stosowanie elektronicznej niani jest konieczne?
O.: Elektroniczna niania zapewnia łączność pomiędzy tobą a pokojem dziecka, nawet jeżeli przebywasz akurat w ogrodzie. Nie jest ona jednak absolutnie niezbędna. Będziesz jej naprawdę potrzebowała, kiedy będąc w innych pomieszczeniach domu nie będziesz mogła usłyszeć płaczu dziecka, albo też jeśli maleństwo stanie się zestresowane brakiem natychmiastowej reakcji na jego płacz.

Czynność	Wyposażenie podstawowe	Wyposażenie do wyboru
Przewijanie	Nieprzemakalna mata na gąbce, do przewijania • Pieluszki • Wata • Chusteczki pielęgnacyjne dla niemowląt • Pojemnik na zużyte pieluchy	Zestaw do przebierania ze schowkami • Krem ochronny • Dziecięcy płyn kosmetyczny
Kąpanie	Ręczniki • Wanienka dziecięca • Wata • Mata antypoślizgowa Szczoteczka kąpielowa dziecięca	Oliwka dziecięca do masażu • Nożyczki z tępymi końcami
Podróżowanie	Fotelik samochodowy • Wózek głęboki lub spacerowy	Nosidełko

Kąpanie
Pierwsze dni

Noworodek zbytnio się nie brudzi – z wyjątkiem buzi i szyi, gdzie spływa mleko, oraz okolicy „pieluszkowej". Stąd, tak naprawdę, codzienna pełna kąpiel nie jest konieczna. Wystarcza „mycie góry i dołu": raz lub dwa razy dziennie buzi i pośladków. Kąpiel zaś urządzać jedynie co kilka dni.

Powyżej: Aby szybko umyć dziecko, używaj ciepłej wody i wacików, myjąc tylko jego „górę i dół".

Niektóre dzieci od samego początku dobrze czują się w wodzie, podczas gdy inne przez kilka pierwszych tygodni nie lubią moczyć się w wodzie. Jeśli twój noworodek wygląda na wystraszonego i płacze podczas kąpieli, można zupełnie z niej zrezygnować. W zamian umyj maleństwo gąbką, trzymając je na kolanach. Możliwe jest też, że dziecko poczuje się bezpieczniej, jeżeli będzie kąpało się wspólnie z tobą i przez cały czas będzie trzymane i podpierane.

Mycie „góry i dołu"
Dla szybkiego umycia buzi, rączek i pupy potrzebne ci będą: ciepła woda, waciki, ręcznik i pieluszki na zmianę. Używając kawałków zmoczonej waty, wycieraj oczy zawsze od zewnętrznego do wewnętrznego kącika. Używaj dla każdego z oczu oddzielnych wacików. Przetrzyj zewnętrzną część uszu i okolicę wokół nich, ale nie myj ich wnętrza, ani niczego do nich nie wkładaj. Przetrzyj pozostałą część buzi łącznie z bruzdami okolicy podbródkowej, by usunąć drażniące skórę resztki mleka. Dokładnie osusz skórę delikatnym dotykiem. Przetrzyj rączki i wysusz je. Zdejmij pieluszkę i wyczyść pupę, tak jak to robisz przy każdej zmianie pieluszki.

Umycie dziecka gąbką
Myjąc dziecko gąbką, możesz robić to na macie do przewijania lub na ręczniku położonym na kolanach. Będziesz do tego potrzebowała miski z wodą, wacików, myjki do buzi, mydła, szamponu (jeżeli będziesz myła włoski dziecka), ręcznika i pieluszki na zmianę. Umyj buzię dziecka, jak to opisano wyżej, następnie rozbierz górną część jego ciałka, podczas gdy dolna pozostaje okryta. Delikatnie namydl przednią powierzchnię odkrytego ciałka, następnie spłucz z niego mydło myjką do twarzy i starannie osusz. Sadzając dziecko i opierając je o swe ramię, powtórz te czynności na powierzchni tylnej. Jeżeli chcesz umyć dziecku włosy szamponem, to zwilż je mokrym ręczniczkiem, a potem namydl aż do piany. Dobrze spłucz ponownie, używając do tego mokrego ręczniczka. Nałóż dziecku koszulkę, a następnie rozbierz dolną część ciała i umyj okolicę „pieluszkową" (patrz str. 30). Na koniec umyj nóżki i stopy i ubierz maleństwo.

Kąpanie
Pełna kąpiel

Zanim rozpoczniesz kąpiel dziecka, najpierw przygotuj wszystkie przybory, ponieważ kiedy przystąpisz do dzieła, nie będziesz mogła odejść od maleństwa – ani na moment. Aby wykąpać dziecko, możesz posłużyć się plastikową wanienką – ustawioną w wybranym pomieszczeniu, albo użyć kuchennego zlewozmywaka lub umywalki w łazience – jeśli mają one dogodne rozmiary. Odsuń na bok wylewkę kranu lub owiń ją myjką do twarzy. Potrzebne będą takie same przybory, jak do umycia dziecka gąbką.

Nie przepełniaj wanienki wodą – prawdopodobnie wystarczy poziom wody na długość dłoni. Woda powinna być przyjemnie ciepła, nicco chłodniejsza od tej, w której chciałabyś się sama kąpać. Przed włożeniem dziecka do wody, zawsze sprawdź własnym łokciem czy ma ona mniej więcej temperaturę twojego ciała.

Najpierw zdejmij maleństwu pieluchę i umyj miejsca, które osłaniała. Następnie rozbierz dziecko, zawiń je w ręczniczek i umyj jego buzię. Malutkie dzieci wychładzają się bardzo szybko, więc utrzymuj dziecko w wodzie krótko – możesz namydlić jego włoski szamponem jeszcze przed włożeniem go do wody. Trzymaj je tak, by jego nóżki znajdowały się pod twoją ręką, twoje przedramię podtrzymywało jego plecki, a dłoń główkę. Utrzymując głowę dziecka nad wanienką, zmocz jego włoski, namydl szamponem, a następnie spłucz je.

By umieścić maleństwo w kąpieli, jedną rękę włóż pod jego ramionka tak, by twoje przedramię podpierało je, a dłoń mocno trzymała przeciwny bark i ramię dziecka. Drugą ręką, trzymając udo noworodka, podnieś jego pupę i powoli zanurzaj maleństwo w wodzie. Łagodnie przemawiaj do dziecka, uspokajając je, gdy tylko poczuje wodę.

Kiedy jedną ręką cały czas podtrzymujesz bark i ramię maleństwa, drugą ręką możesz je myć. Umyte i opłukane dziecko wyjmij z kąpieli na duży, suchy ręcznik i szybko otul nim malucha.

Osusz jego ciało zwracając szczególną uwagę na bruzdy skórne.

Pięć wskazówek dotyczących **kąpieli**

1. Zanim rozpoczniesz, upewnij się, że masz tuż pod ręką wszystko, czego potrzebujesz.
2. Na dnie wanienki umieść matę antypoślizgową lub ręcznik, aby zabezpieczyć dziecko przed ześlizgiwaniem się.
3. Miej przygotowany dzbanek z gorącą wodą, na wypadek, gdyby niezbędne okazało się podniesienie temperatury zbytnio wychłodzonej wody w wanience.
4. Trzymaj pod ręką, a jednocześnie poza zasięgiem chlapiącej wody, suche pieluszki, ręcznik i coś do ubrania.
5. Jeżeli kąpiel odbywa się w wannie, najpierw wyjmij z niej maleństwo, a dopiero później wyciągaj zatyczkę. Bulgocący hałas odpływającej wody może bowiem przestraszyć dziecko.

Kąpanie
Częste pytania

P.: Chociaż moje nowo narodzone dziecko chętnie się kąpie, to nie znosi polewania główki wodą. Co mogę zrobić?

O.: Wiele noworodków, a nawet dzieci już uczących się chodzić, nie lubi kiedy leje się im wodę na głowę. Możesz jednak zmyć dziecku włoski mokrą myjką do twarzy, albo też dłonią – polewając główkę maleństwa niewielką ilością wody, którą będziesz czerpać jak łopatką.

P.: Chciałabym myć dziecko podczas wspólnej kąpieli. Czy jest z tym jakiś problem?

O.: Nawet w przypadku bardzo małego dziecka wspólna kąpiel jest możliwa. W rzeczywistości można przy tym osiągnąć nawet pewne korzyści. Obydwoje możecie cieszyć się bezpośrednim kontaktem, a dziecko może się czuć w wodzie o wiele bezpieczniej, jeżeli jesteś przy nim i trzymasz je pewnie. Pamiętaj tylko, że temperatura wody powinna zostać przystosowana do potrzeb dziecka. Z przyczyn praktycznych lepiej będzie, kiedy to partner poda tobie dziecko, kiedy jesteś już w wannie, i będzie na miejscu, by po kąpieli odebrać je od ciebie i owinąć ręcznikiem.

P.: Czy mogę zostawić dziecko w bardzo płytkiej wodzie, kiedy przygotowuję mu nocną odzież?

O.: Woda, nawet płytka, zawsze jest niebezpieczna. Nigdy nie zostawiaj w niej dziecka bez nadzoru! Jeżeli nawet nie będzie ono mogło się przewrócić, może skręcić główkę wystarczająco, by choć częściowo zanurzyć buzię w wodzie. Co więcej, powinnaś dotykać go ręką przez cały czas kąpieli, by maleństwo czuło, że jesteś przy nim. Zanim zaczniesz kąpiel, przygotuj już jego nocną odzież i miej ją w pobliżu, w łazience lub sypialni.

P.: Moje dziecko ma ciemieniuchę, choć utrzymuję w czystości jego włoski. Jak mogę ją usunąć i zapobiec jej nawrotom?

O.: Ciemieniucha jest częstą skórną przypadłością. Na skórze główki pojawiają się suche, łuszczące się strupki, co spowodowane jest nadmierną produkcją łoju przez niedojrzałe jeszcze

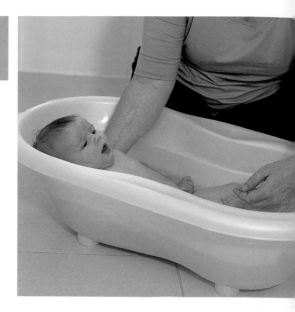

Powyżej: Aby wykąpać dziecko, możesz posłużyć się plastikową wanienką, albo użyć kuchennego zlewozmywaka.

gruczoły łojowe skóry głowy. Ciemieniucha nie jest szkodliwa, ale wygląda nieestetycznie, więc przypuszczalnie zechcesz ją usunąć. Zwykły szampon niewiele tu pomoże. Nigdy nie próbuj zrywać strupków, bo możesz uszkodzić skórę pod nimi i spowodować infekcję. By usunąć strupki, należy wetrzeć w skórę głowy oliwkę dla dzieci lub oliwę z oliwek i pozostawić ją tam na kilka godzin lub całą noc. Następnie gęstym grzebieniem można delikatnie wyczesać strupki i starannie umyć szamponem włosy. Częste mycie szamponem leczniczym może zapobiec pojawieniu się ciemieniuchy, chociaż ma ona w zwyczaju powracać.

Wychowanie pozytywne   Masaż

P.: Lubię masować moje dziecko, traktując to jako rutynową część kąpieli. Utrzymuje to ciepło jego ciała i wydaje się je uspokajać, przygotowując je do snu – szczególnie jeżeli mam przyćmione światła i przemawiam do niego uspokajająco. I choć oboje uważamy to działanie za bardzo przyjemne, to chciałabym się upewnić, że postępuję prawidłowo. Czy masowanie dziecka jest postępowaniem dobrym czy złym?

O.: Możesz nauczyć się określonych technik masażu dzieci, ale często nic nie zastąpi twego własnego odkrywania tego, co lubi twoje dziecko. Zasadniczo taki masaż wiąże się z gładzeniem dziecka i wykonywaniem tego, co nasuwa się w sposób naturalny, więc przypuszczalnie nie masz się czym niepokoić. Przy masażu powinno się unikać miejsc, w których skóra jest uszkodzona lub goi się, a także zrezygnować z masowania dziecka przez dwa do trzech dni po otrzymaniu przez nie szczepionki. Poniżej zaprezentowano parę wskazówek, które możesz uznać za użyteczne, oraz kilka ustalonych technik masażu różnych części ciała.

Techniki

• **Brzuszek.** Wykonuj masaż obiema rękami. Obszernym ruchem kołowym, dotykając z lekkim uciskiem część środkową brzuszka, a bardziej powierzchownie części boczne.

• **Grzbiet.** Masuj obiema rękami wzdłuż środkowej części grzbietu i wracaj jego bokami ku

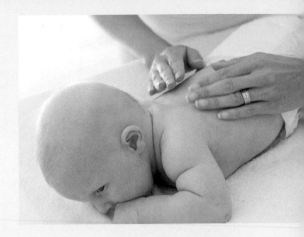

górze. Nacieraj okrężnie kciukami okolicę między łopatkami, a dłońmi okolicę krzyżowo-lędźwiową.

• **Nóżki.** Najpierw masuj ich tylne powierzchnie, a później lekko tułów – od górnej części grzbietu, aż do nóżek. Następnie masuj okrężnymi ruchami, najpierw wewnętrzne części podudzi i ud w kierunku ku górze, a potem ku dołowi powierzchnie zewnętrzne nóg.

• **Rączki.** Masuj zewnętrzną część rączek w kierunku ku obwodowi, a następnie delikatnie zrób masaż ich powierzchni wewnętrznych ku górze – do łokcia.

Pięć elementów **dobrego masażu**

1. Upewnij się, że oboje z dzieckiem jesteście rozluźnieni, a ono leży wygodnie na twoich kolanach lub na podłodze.

2. Masuj gołymi dłońmi, używając do tego niewielkiej ilości oliwki, aby przy masowaniu dłonie ślizgały się gładko po ciałku maleństwa.

3. Upewnij się, że twoje ręce są ciepłe i ogrzej

też trochę oliwkę przed jej użyciem.

4. Początkowo masuj ze stałym, delikatnym naciskiem, zwiększając go w miarę, jak odkrywasz, co lubi twoje dziecko.

5. Każdy ruch wykonuj powoli i powtarzaj go po kilka razy, zanim przejdziesz do następnego.

Przewijanie
Co jest typowe?

Po pierwszych kilku dniach, jak tylko noworodek zacznie przyjmować posiłki mleczne, możesz spodziewać się od sześciu do dwunastu mokrych pieluszek dziennie. W miarę jak dziecko rośnie, częstotliwość moczenia pieluch będzie rzadsza, ponieważ pęcherz maleństwa będzie mógł utrzymać coraz więcej moczu, zanim automatycznie się opróżni. Pierwsze wypróżnienie noworodka zawiera smółkę – ciemną substancję, która przypomina smołę i znajduje się w jelitach dziecka jeszcze przed jego urodzeniem. Przez kilka następnych dni stolce stopniowo zmienią się na typowe dla dziecka karmionego mlekiem.

Dziecko karmione piersią

Jeżeli karmisz dziecko piersią, jego stolce będą miękkie i ciastowate. Będą miały różny kolor – od typowego żółtego, po musztardowy, aż do zielonkawego. Ponieważ mleko kobiece jest przyswajane niemal całkowicie przez przewód pokarmowy dziecka, może ono wypróżniać się nawet raz na kilka dni. Jest to normalne i dopóki stolec jest miękki, nie jest to zaparcie. Jednak do rzadkości nie należy też oddawanie kilku stolców dziennie przez dziecko karmione piersią. Jest to zwykle odruchowa reakcja jelit, powodowana samym bodźcem karmienia. Biegunka, spowodowana zapaleniem żołądka i jelit, rzadko występuje u dzieci karmionych piersią. Możesz być

Pieluszki – jaki rodzaj używać?

Wybór gatunku pieluszek oznacza konieczność rozważenia wszystkich za i przeciw, a także wzięcia pod uwagę twego stylu życia.

Typ pieluszek	Argumenty za	Argumenty przeciw
Pieluszki frotowe	• **Opłacalność:** ponosisz wydatek na początku, lecz potem nie musisz już kupować kolejnych; mogą być przekazane następnemu dziecku • **Mogą być zwijane,** by ściślej otulić dziecko • **Wykonane z naturalnej tkaniny** i przyjemniejsze w użyciu • **O wiele przyjaźniejsze dla środowiska,** ponieważ do ich produkcji nie trzeba ścinać drzew i nie wymagają utylizacji	• **Bardziej nieporęczne w użyciu** w porównaniu z pieluszkami jednorazowymi i niektórymi wielokrotnego użycia • **Nieporęcznie grube w noszeniu** • **Czasochłonne pranie, składanie i sterylizacja** • **Niezbędne jest zakupienie dodatkowo** nieprzemakalnych majteczek i agrafek z zatrzaskowymi główkami

zaniepokojona jedynie wówczas, kiedy stolce są wodniste i istnieją dodatkowo inne objawy choroby.

Dziecko karmione butelką

Stolce maleństwa karmionego butelką będą przypuszczalnie bardziej uformowane, z odcieniem brązowawym, bo mleczna mieszanka dla niemowląt pozostaje dłużej w jelitach. Dziecko takie powinno wypróżnić się co najmniej raz dziennie. U dzieci karmionych butelką możliwe są zaparcia. Trzeba to jednak oceniać raczej biorąc pod uwagę twardość stolca, a nie regularność wypróżnień.

P.: Kiedy powinnam zmieniać dziecku pieluszkę?
O.: Mocz dziecka jest jasny, rozcieńczony i sterylny. Zwykle dobrze jest pozostawić dziecko w mokrej pieluszce przez chwilę, dopóki nie będzie ona zabrudzona przez stolec. Niektóre dzieci wydają się wyraźnie nie cierpieć mokrej pieluchy i wtedy należy je przewinąć od razu. Natomiast pieluchy zabrudzone przez stolec należy zmieniać natychmiast. Nie tylko dlatego,

że dziecku z kupką w pieluszce jest nieprzyjemnie, ale też pełno w niej bakterii, które reagują z moczem, tworząc amoniak. Ten z kolei podrażnia skórę dziecka i powoduje jej odparzenia.

P.: Co to są pieluszki wielokrotnego użytku?
O.: Pieluszki wielokrotnego użytku są próbą wypełnienia pewnych luk pomiędzy tradycyjnymi pieluszkami z tkanin, a jednorazowymi. Są one tańsze i bardziej przyjazne dla środowiska niż zwykłe pieluszki jednorazowe. Mogą one być używane przez kolejne dziecko. W porównaniu z frotowymi są łatwiejsze i przyjemniejsze w użyciu i ułatwiają dokładniejsze owinięcie dziecka. Można je prać w pralce i suszyć w bębnowej suszarce. W sposób naturalny schną około 24 godzin. Dostępne są różne rodzaje tych pieluszek, także w postaci jednoczęściowych, nieprzemakalnych majteczek mających elastyczne nogawki i pasek z regulowanym zapięciem na rzep – do tego wraz z miękką wyściółką i wkładką wchłaniającą. Choć niektóre z mam często wzbraniają się przed uciążliwością prania i suszenia pieluch wielokrotnego użytku, to jednak ten rodzaj wybiera coraz większa liczba rodziców.

Typ pieluszek	Argumenty za	Argumenty przeciw
Jednorazowego użytku 	• **Praktyczne,** użycie jednorazowe, bez potrzeby prania • **Dostępne w dużym wyborze,** począwszy od rozmiarów dla noworodków z niską wagą urodzeniową, aż do całonocnych pieluch dla maluchów zaczynających chodzić • **Większość można dobrze dopasować w sposób regulowany;** mają paski wielokrotnego użytku i elastyczne nogawki • **Dobrze wchłaniają,** mają wyściółkę chłonącą jednokierunkowo, co sprawia, że skóra dziecka jest sucha	• **Trzeba je stale kupować** w dość sporych i nieporęcznych opakowaniach • **Nieprzyjazne dla środowiska,** wykonane z tworzyw sztucznych, których rozpad w miejscach składowania trwa latami • **Bardziej kosztowne** niż pieluszki frotowe i wielokrotnego użytku, licząc koszty kupowania ich przez lata i dla więcej niż jednego dziecka

Przewijanie
Jak to się robi?

Do przewijania dziecka potrzebujesz płaskiej, stabilnej powierzchni. Czynność tę ułatwia wyścielana mata do przewijania, którą można przetrzeć gąbką. Możesz też użyć złożonego ręcznika, który położysz na podłodze lub na komodzie. Miej pod ręką wszystkie niezbędne akcesoria, bo nie możesz później, nawet na moment, pozostawić dziecka bez nadzoru. W zależności od stosowanego przez ciebie typu pieluszki, będziesz potrzebowała jednej na zmianę, a także wkładki, warstwy nieprzemakalnej itp. Niezbędne będą także waciki, miseczki z ciepłą wodą, emulsja dla dzieci lub oliwka, a być może także krem ochronny. Jeżeli wilgotna jest też bielizna, należy ją wymienić na suchą.

Wrażliwa skóra

Stosowanie kremu ochronnego nie zawsze jest konieczne, chyba że twoje dziecko ma bardzo wrażliwą skórę albo odparzenie (patrz str. 125). Wówczas taki krem działa zarówno ochronnie, jak i kojąco. Unikaj stosowania dziecięcego pudru, który może dostać się do płuc maleństwa z jego oddechem, a ponadto często klei się w fałdach skórnych – co prowadzi do dalszych podrażnień skóry.

Kolejne czynności

- Połóż dziecko na plecach i poluźnij jego dolną część ubranka. Jedną ręką uchwyć jego nóżki, tak aby jeden z twoich palców pozostał między nimi po to, żeby nóżki dziecka nie ocierały się o siebie. Następnie unieś je i wyjmij ubranko maleństwa spod jego pleców.
- Rozwiąż brudną pieluszkę i jeżeli jest zabrudzona, to staraj się jej czystą częścią zetrzeć z pupy jak najwięcej kupy. Następnie zwiń brudną pieluszkę i odłóż ją. Do umycia pośladków wystarcza woda. Możesz też, jeżeli uznasz to za stosowne, usunąć resztki stolca niedużą ilością płynu kosmetycznego dla dzieci.
- Jeżeli maleństwo tylko się zmoczyło, woda wystarczy do przetarcia okolic pod pieluszką. Delikatną skórę najmłodszych dzieci najlepiej przecierać miękkimi wacikami. Po kilku tygodniach będzie już można użyć do tego zwykłego papieru toaletowego.
- Narządy płciowe dziewczynki podmywaj zawsze ruchami od przodu do tyłu, by zapobiec dostaniu się bakterii do pochwy. Nigdy nie rozchylaj warg wewnętrznych sromu, by umyć go w środku, ponieważ pochwa oczyszcza się sama. Myj jedynie zewnętrzne narządy płciowe.
- Chłopcu wytrzyj do czysta penis, a następnie resztę narządów płciowych, tylko okolice odsłonięte.
- Kiedy okolica genitaliów jest czysta, unieś nóżki dziecka i umyj mu pupę. Następnie dokładnie osusz całą powierzchnię, zwracając uwagę na fałdy skórne. Jeżeli pozostaną mokre, mogą ulec podrażnieniu.

Przewijanie
Częste problemy

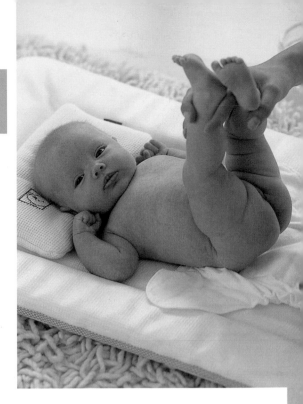

P.: Moje dziecko oddaje stolce bardzo nieregularnie. Czasami jedynie raz na trzy dni.
Ponadto są one bardzo twarde. Czy są to
zaparcia, a jeżeli tak, to co mogę zrobić?

O.: Jeżeli sądzisz, że twoje dziecko może mieć
zaparcia, podawaj mu między karmieniami przegotowaną, wystudzoną wodę. Jeżeli dziecko jest
karmione butelką, sprawdź, czy nie dodajesz do
butelek za dużo mleka w proszku. Jeżeli objawy
te nie ustępują, zasięgnij porady lekarza lub pie-
lęgniarki środowiskowej co do dalszego postępowania.

P.: Kiedy moje dziecko budzi się z płaczem,
nigdy nie jestem pewna, co mam zrobić
w pierwszej kolejności. Czy powinnam je
przewinąć, czy nakarmić?

O.: Bardzo małe dzieci zwykle budzą się z płaczem, bo są głodne. W takiej sytuacji przewija-
nie maleństwa przed jego nakarmieniem spowoduje rozpaczliwy płacz i trudności w ułożeniu go
do spokojnego karmienia. Tak czy inaczej, będzie
trzeba po karmieniu zmienić pieluszkę. Możesz
więc poczekać i przewinąć je później, kiedy
wszystko się już trochę uspokoi.

P.: Bardzo często moje nowo narodzone
dziecko musi być przewinięte po wieczornym
karmieniu. Kiedy tylko to robię ono zwykle
rozbudza się i znacznie dłużej muszę je
ponownie uspokajać. Co mogę w tej sytuacji
zrobić?

O.: Niektórzy rodzice w nocy przewijają dziecko
w połowie karmienia. Dzięki temu może ono drze-
mać w drugiej połowie karmienia i nie będzie bu-
dzone późniejszym przewijaniem. Starsze dziecko
szybko nauczy się, że kiedy już jesteś przy nim,
wkrótce go nakarmisz. Wiedząc to, będzie cier-
pliwiej znosić wykonywane w pierwszej kolejności
przewijania. Później będzie mogło już w spokoju
zostać nakarmione.

Powyżej: Wyściełana mata do przewijania jest
doskonała, bowiem każde zabrudzenie można łatwo
zetrzeć gąbką.

P.: Moje dziecko nie cierpi przewijania. Staje
się rozdrażnione i najwyraźniej uważa cały
jego przebieg za mękę. Co mogę wówczas
zrobić?

O.: Wiele noworodków nie cierpi, kiedy się je
odkrywa. Może to być w pełni zrozumiałe, bo
były przyzwyczajone do bliskiego kontaktu całego
ciała z otaczającą macicą. W czasie przewijania
przemawiaj do maleństwa i uspokajaj je. Jeżeli
jednak będzie ono się bardzo męczyć, to przewijaj
je tak delikatnie i sprawnie, jak tylko potrafisz.
Postaraj się, by szybko tę pracę skończyć,
odpowiednio je ubrać i ponownie wziąć dziecko
na ręce. Jeżeli zaczyna ono kopać nóżkami, co
znacznie utrudnia twoją pracę, pozwól mu na
to przez parę minut. Jest to bowiem dla niego
dobre ćwiczenie, a także umożliwia „wentylację"
korzystną dla okolic przykrytych zwykle pieluszką.

Ubieranie

Ubieranie dziecka, podobnie jak to bywa ze wszystkimi elementami opieki nad nim, wraz z całą jego praktyczną stroną może sprawić wiele uciechy. Z przyjemnością wybieraj ubrania dla maleństwa, a kiedy będziesz go przebierać, ciesz się zajmowaniem się nim i poznawaniem jego reakcji.

Strona praktyczna

Głównym celem ubierania jest utrzymanie ciepła. Zapewnienie dziecku wygodnego ubioru, odpowiedniego dla temperatury otoczenia, jest sprawą szczególnie ważną. Maleństwo jest w stanie utrzymywać odpowiednią ciepłotę ciała, więc nie poddawaj się tendencji do zbyt ciepłego ubierania dziecka – jest to równie szkodliwe jak ubiór niewystarczający. Jednak dzieci nie potrafią płynnie zmieniać ciepłoty ciała dla wyrównania gwałtownych skoków temperatury otoczenia. Brak tej zdolności u dzieci może wymagać od ciebie nakładania lub zdejmowania kolejnych warstw ubioru maleństwu przy przejściu z nim z pokoju do pokoju, albo w miarę zmiany temperatury otoczenia. Możesz ubierać dziecko, kiedy leży ono na wznak lub gdy siedzi ci na kolanach. Zazwyczaj nie lubi być całkiem nagie. Jeśli więc jest po kąpieli, zawiń je w ręcznik, a w innym przypadku miej je choć częściowo ubrane. Nie rób wszystkiego na raz, lecz wykonuj każdą czynność po kolei. Dziecko nie lubi ściągania odzieży przez główkę i przeciągania jej po buzi. Bądź więc ostrożna, kiedy przesuwasz nad jego twarzą wdzianko czy kaftanik. By zdjąć koszulkę, podnieś ją do góry, następnie rozciągnij otwory na ramiona i zegnij rączki dziecka w łokciach, by jako pierwsze wydobyć je na zewnątrz. Zbierz teraz koszulkę ku górze, rozszerzając otwór na główkę. Uspokój dziecko, kiedy przesuwasz koszulkę nad buzią i staraj się nie dotknąć nią jego twarzy. Zsuń teraz resztę z karczku. Kiedy zakładasz koszulkę, złóż ją w harmonijkę i rozciągnij szeroko otwór na szyjkę. Zakładaj ją teraz, opierając o tył główki i rozciągając otwór koszulki szeroko, by swobodnie przełożyć ją przez głowę. Dla założenia rękawków, włóż palce do rękawka od zewnątrz i chwyć nimi rączkę dziecka, a następnie nasuń na nią rękawek. Przy zakładaniu pajacyków dziecięcych lub rozpinanych sweterków możesz zebrać rękawek w harmonijkę, wydostać przez nią na zewnątrz rączkę dziecka, a następnie rozprostować na niej cały rękawek. By założyć dziecku pajacyk, rozepnij go całkowicie i połóż na nim dziecko. Załóż najpierw rękawki, a następnie zapnij zatrzaski na nogawkach.

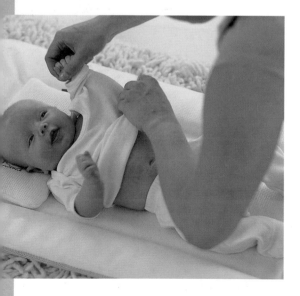

Po lewej: Ubieranie twego noworodka jest idealnym momentem, by okazać mu wiele miłości i uwagi.

Ubieranie
Częste pytania

P.: Jak mogę ustalić, czy moje dziecko ma na sobie odpowiednią ilość warstw odzieży?

O.: Mówiąc ogólnie, twoje dziecko będzie się czuło dobrze w takiej samej ilości warstw odzieży, jaką nosisz ty sama. By sprawdzić, czy jest mu ciepło, ale nie za gorąco, możesz dotknąć jego karczku lub tułowia. Dziecko powinno być w dotyku dość ciepłe, ale nie spocone. Nie sprawdzaj tego na rączkach i stópkach, które mogą być nieco chłodniejsze nawet wtedy, kiedy jest mu wystarczająco ciepło.

P.: Kiedy założyłam maleństwu miękki, wełniany sweterek rozpinany, jego skóra zaczerwieniła się. Czy to oznacza, że jest on uczulony na wełnę?

O.: Niektóre dzieci są wrażliwe na wełnę i mogą zostać nią podrażnione, ale to nie jest uczulenie. Przypuszczalnie będziesz mogła stosować wełnę, jeżeli nie pozostaje ona w bezpośrednim kontakcie ze skórą dziecka i jeżeli pod wełną nosi ono bawełnę. Ewentualnie, zamiast wełny, możesz wybrać rozpinany sweterek wykonany z włókien syntetycznych.

P.: Czy powinnam kupić mojemu dziecku butki?

O.: Nie. Stópki rosną zdrowo, kiedy nie są krępowane bucikami, a nawet drobne zniekształcenia miękkich kości we wczesnym okresie życia mogą spowodować pojawienie się problemów w okresie późniejszym. Wszystko czego potrzebuje dziecko, zanim zacznie chodzić, to skarpety lub miękkie, bardzo obszerne botki niemowlęce.

P.: Czy bezpieczne dla mojego noworodka jest wystawianie go na słońce, jeżeli posmaruję kremem ochronnym?

O.: Dzieci poniżej szóstego miesiąca życia nie powinno się, nawet na krótko, wystawiać bezpośrednio na słońce. Powinny być dobrze chronione przed słońcem przez odpowiednie ubranie i czapeczkę z szerokim rondem. Skóra twojego dziecka nie ma jeszcze odpowiedniej ilości barwnika chroniącego przed działalnością promieni

Powyżej: Skarpetki lub miękkie botki niemowlęce, a nie butki – to wszystko, czego potrzebuje dziecko, zanim zacznie chodzić.

słonecznych. Bardzo szybko opali się i ulegnie uszkodzeniom. Krem ochronny nie zabezpieczy noworodka. Nie powinien być stosowany dopóki dziecko nie będzie starsze.

Ubieranie dziecka – pięć wskazówek

1. Dla noworodka kupuj raczej rzeczy w większych rozmiarach - takich, jak dla dziecka trzymiesięcznego. Wówczas nie wyrośnie ono z nich tak szybko.

2. Nie kupuj zbyt wiele. Możesz dostać ubranka dla dziecka w prezencie, a zawsze pewne rzeczy możesz dokupić później.

3. Jednoczęściowe koszulki zapinane między nóżkami na zatrzaski zapobiegają problemom związanym z unoszeniem się koszulki i odsłanianiem dziecięcego brzuszka.

4. Kiedy gdziekolwiek wychodzisz z maleństwem, zabieraj ze sobą zawsze komplet ubranek na zmianę.

5. Dzieciom podobają się zdecydowane, jasne kolory, dlatego nie wybieraj samych tylko delikatnych, pastelowych.

Karmienie piersią

Karmienie piersią może być w pierwszych kilku tygodniach czynnością stawiającą spore fizyczne wymagania. Prawidłowe jego przeprowadzenie wymaga czasu. Możesz też mieć uczucie, że zanim skończyłaś jedno karmienie, dziecko jest już gotowe do następnego. Wiedz jednak, że proces przygotowania butelek nie jest bynajmniej ani szybszy, ani tak dogodny jak karmienie piersią – szczególnie w środku nocy. Pomyśl więc o tym jak o umiejętności, której powinnaś się nauczyć.

Jak to wszystko działa?
W każdym gruczole piersiowym znajduje się około 20 płatów, każdy z własnym systemem przewodów. Główny przewód rozgałęzia się na mniejsze, kończące się w gronach komórek produkujących mleko, zwanych pęcherzykami. Przewody rozszerzają się w małe zbiorniczki,

Powyżej: Poświęcając czas na nauczenie się karmienia piersią twego nowo narodzonego dziecka, możesz uniknąć w przyszłości wielu kłopotów.

utrzymujące niewielkie zapasy mleka, zbiegające się dalej w obrębie brodawki sutkowej. Pęcherzyki są otoczone przez włókna mięśniowe. Kiedy dziecko ssie pierś, pobudza to nerwy kończące się w brodawce. Wysyłają one sygnał do mózgu, pobudzający wydzielenie dwóch hormonów: prolaktyny i oksytocyny. Prolaktyna pobudza pęcherzyki do zwiększonej produkcji mleka. Oksytocyna pobudza skurcz włókien mięśniowych wokół pęcherzyków wyciskających mleko dalej do zbiorniczków, gdzie jest już ono dostępne dla dziecka. Im więcej dziecko ssie, tym więcej wytwarza się pokarmu.

Pięć prawd o **karmieniu piersią**

1. Kobiece mleko chroni dzieci przed biegunką, zakażeniami ucha, dróg moczowych, egzemą, cukrzycą, infekcjami dróg oddechowych i otyłością.
2. Mleko kobiece zaopatruje dzieci w substancje zwalczające infekcje i wspomagające rozwój ich systemu odpornościowego.
3. U dzieci, które przez dłużej niż trzy miesiące otrzymywały tylko mleko kobiece, stwierdzono wyższy iloraz inteligencji (IQ) niż u tych, które otrzymywały mieszankę dla niemowląt.
4. Karmienie piersią chroni kobiety przed rakiem jajnika, rakiem gruczołu piersiowego i złamaniami uda.
5. Karmiąc piersią przyspieszasz spalanie tłuszczu w swym organizmie, nagromadzonego w organizmie w czasie ciąży

Karmienie piersią
Częste pytania

P.: Dlaczego powinnam karmić dziecko piersią?
O.: Eksperci są zgodni w opinii, że mleko kobiece jest dla noworodka najlepszym pokarmem. Jest całkowicie sterylne, bogate w cenne przeciwciała i zawiera wszystkie potrzebne składniki odżywcze. Co więcej, karmienie piersią jest korzystne dla kobiet, ponieważ chroni je przed poważnymi schorzeniami (patrz str. 34, w obwódce).

P.: Jakie rozróżniamy typy mleka kobiecego?
O.: Przez pierwszych kilka dni po porodzie produkowana jest siara – bardzo bogata w białka i przeciwciała. Jest ona bardzo skondensowana. W rzeczywistości pierwszy posiłek siarą może mieć objętość łyżeczki od herbaty. Spożyta przez noworodka siara wyściela jego jelita, chroniąc je przed szkodliwymi bakteriami. Ilość siary zmniejsza się stopniowo, kiedy w dniach od trzeciego do piątego, pojawia się mleko. Od tego momentu każdy posiłek składa się z mleka fazy I i mleka fazy II karmienia. Mleko fazy I, zbierające się w zbiorniczkach piersi, pojawia się na początku karmienia. Jest go dużo i zaspokaja ono skutecznie pragnienie dziecka. Mleko fazy II pojawia się po mleku fazy I, przy końcu karmienia. Jest wysokokaloryczne, o konsystencji śmietanki, bogate w witaminy rozpuszczalne w tłuszczach – trochę jak główne danie po przekąszeniu cienkiej zupki. Dziecko potrzebuje mleka zarówno I, jak i II fazy.

P.: Jak mogę się zorientować, czy dziecko przyssało się do piersi prawidłowo?
O.: Problemy z karmieniem piersią rozpoczynają się często wtedy, kiedy dziecko nie jest odpowiednio przyssane do piersi. Jeżeli przypilnuje się tego od początku, można uniknąć przeróżnych kłopotów. Upewnij się, że buzia dziecka jest szeroko otwarta, a bródka uniesiona i przyciśnięta do piersi. Usta maleństwa powinny obejmować zarówno brodawkę, jak i jej otoczkę. Pierś powinna znaleźć się głęboko w buzi dziecka. Upewnij się: czy maleństwo leży prosto; czy zaczyna ssać natychmiast; czy po sekundzie lub dwóch przechodzi do długich, głębokich pociągnięć. Sprawdź także, czy nosek dziecka nie jest przyciśnięty piersią, w sposób utrudniający mu oddychanie w czasie karmienia.

Dziesięć wskazówek dla **osiągnięcia udanego karmienia piersią**

Sprawdź tę listę i upewnij się, że robisz wszystko co możesz, by karmienie piersią odbyło się pomyślnie.

1. Wyraźnie zaznacz w czasie porodu i w swoim planie porodowym, że chcesz karmić dziecko piersią.
2. Karm noworodka po porodzie najwcześniej, jak to możliwe.
3. Przystawiaj dziecko do piersi na każde jego żądanie – w dzień i w nocy.
4. Naucz się prawidłowego przystawiania dziecka do piersi.
5. Poproś, by specjalista ocenił twoją technikę karmienia piersią, nawet jeżeli nie masz z karmieniem problemów.
6. Unikaj podawania swemu dziecku w szpitalu mieszanki dla niemowląt.
7. Nie karm dziecka butelką przez pierwsze cztery tygodnie.
8. Nawiąż kontakt z miejscowym doradcą laktacyjnym.
9. Zapewnij sobie wsparcie swego partnera, rodziców oraz bliskich przyjaciół.
10. Bądź cierpliwa.

Karmienie piersią
Jak często?

Każda świeżo upieczona mama chce wiedzieć, ile pokarmu ma dawać dziecku. Nie ma w tym niczego dziwnego, bo noworodek przynosi ze sobą wielką odpowiedzialność, a także pragnienie, aby rósł i był zadowolony. Na szczęście, nie ma tu żelaznych, niezmiennych reguł. Kiedy karmisz butelką, wszystko jest mierzone, więc łatwo można sprawdzić dokładnie, ile dziecko zjadło. Przy karmieniu piersią nie jest to już takie proste. Niektóre dzieci domagają się karmienia co dwie godziny, inne wytrzymują po cztery godziny między poszczególnymi posiłkami.

P.: Ile mleka potrzebuje moje dziecko?
O.: Nie można określić dokładnie, ile mleka dziecko potrzebuje. Różne dzieci mają różne potrzeby i to zmieniające się w czasie. Żołądek noworodka jest wielkości dużego orzecha włoskiego lub piłki do squasha. Niewiele więc mu potrzeba, by poczuł się syty. Kiedy pojawił się u ciebie pokarm i karmienie piersią jest wdrożone, piersi powinny produkować tyle mleka, ile dziecko potrzebuje. Kiedy dziecko karmi się, to tak jakby zamawiało następny posiłek. Mleko jest produkowane, kiedy ono ssie, a jeśli maleństwo jest szczególnie głodne lub jego potrzeby wzrosły, piersi odpowiadają w miarę jego ssania dalszą produkcją pokarmu. Po jednym lub dwóch miesiącach karmienia, piersi „nauczą się" nie produkować z wyprzedzeniem zbyt dużej ilości pokarmu. Nie będą już stawały się pełne i ciężkie tuż przed karmieniem.

P.: Jak często karmić dziecko?
O.: Staraj się zacząć karmienie natychmiast po porodzie. Dziecko przez pierwsze 24 godziny

Powyżej: Karmienie piersią jest znakomitym sposobem na tworzenie więzi z dzieckiem od pierwszych dni po urodzeniu.

będzie przypuszczalnie śpiące i może potrzebować jedynie trzech karmień. Ale już od drugiego do piątego dnia może zacząć potrzebować 10 lub więcej karmień na dobę. Pomaga to w pobudzaniu produkcji mleka i łagodzeniu obrzmienia piersi, kiedy są one pełne nowego pokarmu, stwardniałe i bardzo wrażliwe. Pod koniec pierwszego tygodnia dziecko będzie przypuszczalnie wymagało karmienia osiem razy na dobę.

Lista kontrolna **karmienia**

Jeżeli odpowiedź na wszystkie poniższe pytania brzmi: „tak", twoje dziecko otrzymuje wystarczającą ilość pokarmu.

- Czy dziecko po karmieniu wygląda na zadowolone?
- Czy wypuszcza z buzi brodawkę sutkową z własnej woli i wygląda na najedzone?
- Czy moczy pięć lub sześć pieluszek dziennie?
- Czy przybiera na wadze?
- Czy jego skóra jest miękka i dobrze nawilżona?
- Czy wnętrze buzi jest różowe i wilgotne?

Karmienie piersią
Częste pytania

P.: Dlaczego moje dziecko czasem ssie pierś łapczywie, a innym znów razem odmawia jedzenia?

O.: Zastanów się, zanim zaczniesz karmić. Nie zakładaj z góry, że dziecko płacze między posiłkami, ponieważ jest głodne. Może mu być niewygodnie lub może być znudzone. Zanim zaczniesz pospiesznie przygotowywać następne karmienie, rozważ inne możliwości. Co więcej, oceń na ile ty sama jesteś odprężona. Jeżeli w czasie karmienia jesteś spięta, dziecko to odczuje i może zacząć podzielać twój niepokój.

P.: Moje nowo narodzone dziecko ma trudności z pełnym przyssaniem się do piersi. W czasie karmienia zazwyczaj wypuszcza brodawkę i ponownie ją chwyta. Jaka jest tego przyczyna?

O.: Noworodki często mają trudności z pojmowaniem istoty karmienia. Może być po prostu tak, że brakuje mu odpowiedniej siły ssania, by odpowiednio przyssało się do piersi. Jeżeli urodziło się za wcześnie, może potrzeba mu więcej czasu, by jego odruch ssania dojrzał. Noworodek może w pierwszych dniach czuć się obolały i poobijany. Staraj się siedzieć spokojnie w czasie karmienia. Możesz spróbować wycisnąć siarę, albo pierwsze mleko do wyjałowionego pojemniczka bez pokrywki i nakarmić z niego dziecko.

P.: Czemu dziecko wygina grzbiet w łuk i krzyczy, jak tylko znajdzie się przy mojej brodawce sutkowej?

O.: Jest to zjawisko znane jako „odmowa ssania piersi". Dziecko może to robić z kilku powodów. Może być zdenerwowane zbyt wolnym lub zbyt gwałtownym wypływem pokarmu. Może być również tak, że w czasie karmienia maleństwo nie może swobodnie oddychać, albo ma jakieś przykre wspomnienia z karmienia. Jeżeli sytuacja staje się poważna, tj. jeżeli dziecko nie jadło niczego np. w ciągu sześciu do ośmiu godzin – być może sama będziesz musiała wycisnąć trochę pokarmu (patrz str. 70) i podać dziecku w pojemniczku do karmienia. To da ci trochę czasu na rozwiązanie problemu i zapobieżenie przepełnieniu piersi pokarmem.

P.: Rozpoczęłam właśnie karmienie noworodka i moje piersi znacznie się powiększyły, co jest dość niewygodne. Czy jest to normalne?

O.: Nazywa się to połogowym obrzmieniem sutka – nosi też często nazwę „nawału mlecznego". Jest to spowodowane zwiększonym napływem krwi do piersi, kiedy rozpoczyna się w nich zwiększona produkcja pokarmu. Jest to zjawisko całkiem normalne i nie stanowi powodu do alarmu. Trwa to zwykle tylko przez kilka dni, ale może być bardzo bolesne. By złagodzić ból, spróbuj kilku rozwiązań: karm dziecko tak często, jak to tylko możliwe, lub sama wyciskaj trochę mleka – używając ręcznego odciągacza; między karmieniami kładź na piersi zimne kompresy w celu obkurczenia naczyń krwionośnych. Jeżeli masz przy tym objawy podobne do grypy, możesz mieć zapalenie sutka – infekcję spowodowaną przez bakterie przedostające się przez pękniętą brodawkę, lub powstałą na skutek zastoju pokarmu w przepełnionej piersi. Lekarz udzieli wówczas porady, czy możesz kontynuować karmienie piersią. Może przepisać ci antybiotyki. Dolegliwości łagodzi także położenie na bolesne miejsce rozgrzanego, wilgotnego kompresu przed każdym karmieniem.

Sen
Co jest typowe?

Wszyscy słyszeliśmy określenie „śpiący jak dziecko". Prawdą jest to, że czasami niemowlęta wydają się gotowe zasnąć o każdej porze, w każdym miejscu, gdziekolwiek! Są jednak i takie, które z kolei niepokoją się, słysząc najlżejszy odgłos, lub nie wykazują najmniejszych skłonności do spania – chociaż ty już prawie padasz ze zmęczenia. Jeżeli okoliczności snu twojego maleństwa stały się dla ciebie niezrozumiałe, może ci być pomocne, na początek, poznanie przebiegu procesu snu dziecka.

P.: Jak śpi moje dziecko?
O.: Sen każdego z nas może mieścić się w dwóch odrębnych fazach: sen z szybkimi ruchami gałek ocznych (REM) i sen z wolnymi ruchami gałek ocznych (bez-REM).

Sen REM jest stanem aktywnym i dotyczy czasu, kiedy mamy marzenia senne. Jest łatwy do rozpoznania u noworodka. Oddychanie maleństwa jest wówczas nieregularne, jego ciałko drga, a gałki oczne wykonują pod powiekami gwałtowne ruchy. Dziecko w tym stanie łatwo zaniepokoić czymkolwiek.

Stadium bez-REM można także opisać jako „sen głęboki". Jest to stan, w którym jesteśmy najbardziej odprężeni. Leżymy spokojnie z regularną akcją serca i równym rytmem oddechowym. W tym stadium bardzo niewiele jest marzeń sennych. U malutkich i nieco większych dzieci sen bez-REM jest nazywany „snem spokojnym". W tym stanie dziecko będzie oddychało głęboko i leżało bardzo spokojnie. Od czasu do czasu można dostrzec, że wykonuje ono szybkie ruchy ssania, a czasem można też zauważyć nagłe drgnięcie jego ciałka.

Powyżej: Przeciętny noworodek często śpi w czterogodzinnych ciągach zarówno w dzień, jak i w nocy.

Pięć prawd dotyczących **snu**

1. Niemożliwe jest, by noworodek miał za dużo snu.
2. Małe dzieci spędzają więcej czasu w fazie snu REM aniżeli dorośli. Sprawia to, że śpią płycej i można je łatwiej czymś zaniepokoić.
3. Maleństwa budzą się kilkakrotnie w nocy. Około dwumiesięczne dziecko potrafi już samo uspokoić się i zasnąć.
4. Blisko 70 proc. trzymiesięcznych dzieci potrafi spać nieprzerwanie od północy do ok. 5 rano.
5. W wieku około sześciu miesięcy, prawie wszystkie niemowlęta są już fizjologicznie przygotowane do przespania całej nocy.

P.: Jak wiele snu potrzebuje moje dziecko?
O.: Noworodek śpi przeciętnie 16–17 godzin na dobę, często w ciągach czterogodzinnych, trwających zarówno we dnie, jak i w nocy. U dziecka około sześciomiesięcznego liczba godzin snu obniża się do 13–14 na dobę. Noworodek nie dostrzega różnicy pomiędzy dniem i nocą, dlatego trzeba znaleźć sposób na zachęcenie go do tego, by więcej spało w nocy.

Wychowanie pozytywne **Śmierć łóżeczkowa**

P.: Podobnie jak wiele początkujących matek truchleję ze strachu na samą myśl, że moje dziecko może paść ofiarą „śmierci łóżeczkowej". Wiem, że jej przyczyny w większości przypadków są nieznane, ale czułabym pewną ulgę, wiedząc, że jest coś, co mogę zrobić dla zmniejszenia zagrożenia mego dziecka. Co możecie mi zalecić?

O.: Choć w niektórych przypadkach „śmierć łóżeczkowa", czy inaczej „Zespół nagłego zgonu niemowląt" (SIDS), może być wynikiem wypadku, infekcji albo wady wrodzonej, to ostatecznie w większości zdarzeń przyczyna pozostaje niewyjaśniona. Niemniej jednak wiemy, że najbardziej są na nią narażone dzieci poniżej szóstego miesiąca życia. Znamy też wytyczne dotyczące bezpieczeństwa, przedstawione przez Fundację Badań nad Śmiercią Niemowląt. Możesz te wytyczne stosować dla zmniejszenia ryzyka wystąpienia SIDS.

Strategia postępowania

• **Kładź dziecko spać na wznak, na płaskim materacu, bez poduszki.** Jeżeli w nocy przewróci się na brzuszek, połóż je z powrotem na wznak, ale pozbądź się poczucia, że musisz jo nieustannie sprawdzać. Kiedy maleństwo będzie już potrafiło przewracać się z grzbietu na brzuszek i z powrotem, nadal kładź je spać na wznak, jednak później pozwól mu już znaleźć własną, wygodną dla niego pozycję.

• **Staraj się, by główka dziecka pozostawała odkryta.** Układaj je w pozycji „nóżki w nogach łóżka", tzn. ze stópkami na samym końcu łóżeczka. Zmniejszy to niebezpieczeństwo jego powolnego ześlizgiwania się w dół łóżeczka, pod przykrycie.

• **Stosuj prześcieradła i kocyki zamiast kołderek.** Upewnij się, że dziecko jest w nie szczelnie zawinięte pod ramionami i nie będzie mogło wsunąć się pod nie.

• **Niemowlęta mają trudności w regulowaniu ciepłoty ciała, więc utrzymuj w pokoju dziecka temperaturę 16–18 stopni C.** W tej temperaturze maleństwo powinno mieć na sobie pieluszkę,

Podstawowe dane statystyczne

Określenie „śmierć łóżeczkowa", znane w medycynie jako „Zespół nagłego zgonu niemowląt" (SIDS), napełnia lękiem serce każdego rodzica. Chociaż liczba zgonów spowodowanych przez SIDS jest bardzo mała, różni się ona w różnych częściach świata (1 zgon na 4000 niemowląt w Finlandii i Holandii, 1 na 2000 w Wielkiej Brytanii, 1 na 700 w USA i 1 na 400 we Włoszech).

koszulkę i pajacyk oraz być przykryte dwoma lub trzema lekkimi kocykami.

• **Kontroluj temperaturę pokoju termometrem.** Umieść go w pobliżu główki dziecka, abyś mogła mierzyć temperaturę wokół jego łóżeczka, a nie w innych, odległych częściach pokoju.

• **Nie stawiaj łóżeczka w pobliżu kaloryfera, bo dziecko może się przegrzać.** Nie ustawiaj też jego łóżeczka zbyt blisko okna, ponieważ jeżeli położysz w nim maleństwo, to zimą może znaleźć się w zimnym powiewie, a latem może być przegrzane.

• **Kiedy sprawdzasz, czy dziecku nie jest za ciepło lub za zimno** zawsze dotknij raczej jego brzuszka i karczku, niż rączek lub stópek, ponieważ one mogą wydawać się lodowate nawet wtedy, kiedy maleństwo ma zbyt ciepło. Stosownie do potrzeb dziecka dołóż lub zdejmij mu warstwy okrycia.

• **Nie pozwalaj nikomu palić tytoniu w otoczeniu dziecka.**

• **Nie pozwól sobie zasnąć, kiedy leżysz z dzieckiem na kanapie.**

Sen
Karmienia nocne

Jeżeli dziecko zostało przez ciebie nauczone, że noce są do spania, to przez większość nocy będzie ono spało. A jeśli nauczone zostało także zasypiania ponownego po obudzeniu się w nocy, to większa jest szansa, że zamiast domagać się dodania mu otuchy, samo chętnie zapadnie z powrotem w sen. Tak więc warto dać się przekonać, że czas między stanami nocnego czuwania dziecka stopniowo ulega samoczynnemu wydłużaniu, w miarę jak dziecko, w sposób naturalny, przesuwa się w następny etap swego cyklicznego procesu snu. Nie dotyczy to jednak sytuacji, w której noworodek budzi się w nocy do karmienia raz lub więcej razy.

Powyżej: Przez pierwsze kilka miesięcy dziecko może budzić się regularnie w nocy do karmienia.

P.: Czemu moje dziecko budzi się do karmienia w nocy?
O.: Co najmniej przez kilka pierwszych miesięcy życia brzuszek dziecka nie może pomieścić wystarczającej na całą noc ilości pokarmu, więc maleństwo musi obudzić się na karmienie. Jednakże, w miarę jak dziecko rośnie, powinnaś zauważyć, że czas pomiędzy karmieniami stopniowo wydłuża się. Możesz nawet stwierdzić, że dziecko nagle, z własnej woli, opuściło jedno nocne karmienie.

P.: Czy zawsze powinnam nakarmić dziecko, kiedy się ono obudzi?
O.: Choć jest to prosty sposób na uspokojenie dziecka, to jednak karmiąc je zawsze wtedy, kiedy tylko się obudzi, ostatecznie możesz przekonać się, że maleństwo robi to bardziej z przyzwyczajenia niż z głodu. Zanim więc pospieszysz do niego z karmieniem, sprawdź, czy nie ma innych powodów z których dziecko się obudziło: Czy jest mokre, albo ma pełną pieluchę? Czy nie jest mu za gorąco lub za zimno? Czy może ma wzdęcie? Jeżeli karmisz dziecko wtedy, kiedy jesteś pewna, że ono tego potrzebuje, powinnaś zauważyć, że czas pomiędzy nocnymi karmieniami wydłuża się. W wieku około sześciu miesięcy dziecko zupełnie zarzuci nocne karmienia.

P.: Jak mogę pomóc dziecku spać nieprzerwanie, kiedy tylko jego brzuszek pozwoli mu obywać się bez jedzenia przez całą noc?
O.: Przy prawidłowym treningu snu, większość dzieci już po kilku tygodniach życia rozwija umiejętność spokojnego „snu nocnego", trwającego nieprzerwanie przez pięć do sześciu godzin. Jeżeli twoje dziecko już opanowało tę sztukę, to wówczas staraj się unikać ponownego karmienia w czasie tych „podstawowych" godzin snu.

Sen
Częste problemy

P.: Moje dziecko nie śpi przez całe noce, co sprawia, że ja w ciągu dnia jestem zupełnie wyczerpana. Co mogę zrobić?

O.: Małe dziecko, które w nocy pozostaje rozbudzone na dłużej niż tylko na szybkie karmienie, będzie miało bezustannie zmęczonych rodziców. Być może w nocy pragnie ono jedynie towarzystwa. Możesz spróbować wziąć je do swego łóżka – twoja obecność może je uspokoić, a w efekcie możesz mieć trochę więcej snu.

Nie ma się czym martwić, jeżeli masz takie nieskore do snu dziecko. Zamiast tego popracuj nad sposobami radzenia sobie z tym problemem. Jeśli tylko możesz, odpoczywaj w dzień i wcześnie kładź się spać. Ponieważ odpoczynek za dnia nie wyrówna jednak zarwanych nocy, spróbuj dzielić te obowiązki ze swym partnerem. W nocy na zmianę karmcie dziecko – jeżeli karmisz piersią, odciągnij i przechowaj trochę mleka. Twój partner będzie mógł podać dziecku w nocy butelkę matczynego pokarmu, abyś ty mogła mieć nieco więcej snu. Kiedy ma się małe dziecko, brak snu jest zwykle trudnym problemem. Zapewniając sobie odpowiednią pomoc, możesz uchronić się przed zapadnięciem w stan wiecznego zmęczenia lub depresji.

P.: Chociaż mój trzytygodniowy noworodek łatwo zasypia, to nie upłynie pięć minut, a on ponownie budzi się i przywołuje mnie płaczem. Co mogę zrobić?

O.: Sprawdź całą sypialnię pod względem wygody dziecka, ponieważ być może maleństwu coś przeszkadza. Temperatura pomieszczenia powinna zapewniać przyjemne ciepło – ani za gorąco, ani za duszno. Jeżeli na noc pozostawiasz włączone światło, upewnij się, że jest ono odpowiednio przytłumione. Postaraj się też, aby odgłosy dochodzące z otoczenia były jak najcichsze.

P.: Moje dziecko budzi się o piątej rano i już ponownie nie zasypia. Czy powinnam ograniczać jego sen w czasie dnia?

O.: Bardzo małe dzieci nie dostrzegają różnicy pomiędzy nocą a dniem. Jeżeli będziesz ograniczała jego sen wtedy, gdy ono go potrzebuje, zmęczy to dziecko nadmiernie i będzie mu później jeszcze trudniej zasnąć. Możesz jednak spróbować tak korygować w czasie jego dzienne drzemki, by uczyło się spać coraz mniej przy świetle dziennym. Próbuj także nie pozwalać mu na długą drzemkę przed ostatnim karmieniem dziennym.

P.: Moje dziecko w nocy nie daje się uspokoić i wówczas próbuję delikatnie kołysać je do snu. Jest to skuteczne w przypadku siostrzeńca, ale wobec mojego dziecka nie daje efektu. Co mogę jeszcze zrobić?

O.: Każde dziecko jest inne. To, co jest skuteczne w przypadku dziecka siostry, nie musi działać w przypadku twojego maleństwa. Niektóre dzieci przysypiają w czasie delikatnego kołysania lub w odpowiedzi na ciche odgłosy dochodzące z otoczenia, inne zaś czynią to wówczas kiedy są dobrze opatulone kocykiem, albo delikatnie głaskane. Kiedy próbujesz uspokoić dziecko, przygotowując je do snu, licz się z koniecznością próbowania różnych sposobów (patrz strony 78–83). Znajdziesz w końcu metodę, która będzie odpowiadała twojemu maleństwu.

Ustalony porządek czynności wieczornych, wskazujący dziecku wyraźnie zmianę czasu z dziennego na nocny, może pomóc w uzyskaniu spokojniejszych nocy.

Płacz
Co jest typowe?

Jeżeli jest to twoje pierwsze dziecko i nie miałaś uprzednio żadnego bliższego kontaktu z noworodkami, możesz nie wiedzieć, co sygnalizuje jego płaczliwe zachowanie. Dzieci są jednostkami tak indywidualnymi, jak dorośli dlatego nie możesz oczekiwać, że twoje dziecko będzie się zachowywało, jak inne dzieci. Jednakże, choć dzieci istotnie płaczą najczęściej w czasie pierwszych trzech miesięcy swego życia, to nie znaczy, że powinno się znosić bezczynnie stały płacz i marudzenie dziecka.

Powyżej: Uczenie się interpretacji rodzaju płaczu twojego dziecka wymaga nieco czasu, ale w końcu przyniesie skutek.

Płacz jest jedynym sposobem, w jaki nowo narodzone dziecko może powiedzieć, że coś mu dolega. Maleństwo samo nie jest w stanie zrozumieć natury swoich dolegliwości. Płaczem wyraża po prostu, że „jest mu źle". Miną tygodnie i miesiące, zanim zrozumie różnicę pomiędzy uczuciem głodu, chłodu czy zdenerwowania. Wówczas też upewni się, że potrafisz mu pomóc i zrobisz to skutecznie. W miarę jak odkrywa inne metody porozumiewania się, coraz mniej posługuje się płaczem. Sposób, w jaki od początku reagujesz na jego szlochy, jest częścią procesu, w którym dziecko uczy się wiary w szczęśliwe rozwiązanie problemu. Twoje postępowanie pozwala mu uwierzyć, że nie musi tak wiele płakać, byś zareagowała na jego sygnały.

Instynkt naturalny
Po paru dniach od porodu będziesz umiała już rozpoznać, kiedy płacze twoje nowo narodzone dziecko. Będziesz starała się zrobić coś, co go powstrzyma. Dzieje się tak częściowo z powodu troski o dobro i szczęście dziecka, ale także z powodu biochemicznej reakcji, następującej w twoim organizmie i pobudzającej cię do działania. Płacz dziecka jest potężnym bodźcem, powodującym u ciebie samoczynne wydzielanie hormonów stresu do krwiobiegu. Podnosi to twoje ciśnienie krwi, zwiększa częstość oddechów i napięcie mięśni. Powoduje także pewne ogólnie nieprzyjemne uczucie. Im więcej dziecko płacze, tym gorzej się czujesz.

Kiedy maleństwo zaczyna już rozpoznawać swoje potrzeby i przyjemności, a ty poznajesz jego reakcje, wówczas możesz odkryć, że potrafisz zinterpretować rodzaj płaczu dziecka. Powiązać płacz z konkretną potrzebą dziecka. Odróżnisz płacz głodnego dziecka, taki, jaki stale powtarza się, kiedy potrzebuje karmienia, od bardziej naglącego, przeszywającego płaczu, kiedy maleństwo fizycznie źle się czuje (patrz także str. 84).

Płacz
Częste pytania

P.: Jak wiele i jak płakać będzie mój noworodek?

O.: Pomiędzy narodzinami, a trzecim miesiącem życia dziecko może płakać w sumie około dwóch godzin dziennie (choć nie cały ten czas na raz).

P.: Czy w tak wczesnym wieku dziecka można już rozpoznać przyczynę jego płaczu?

O.: Noworodek nie różnicuje zbytnio swego płaczu. W miarę jak stopniowo zorientuje się, że przychodzisz do niego wtedy, kiedy płacze, jego szloch będzie coraz bardziej przypominał wołanie. Następnie będziesz słyszała różnicę pomiędzy naprawdę niepohamowanym płaczem z powodu naglącego głodu lub bólu, a płaczem zmęczonego marudy. Ponadto w ustaleniu przyczyny płaczu pomaga „mowa ciała" maleństwa: jego miny, napięcie mięśni – czy ciałko jest w dotyku napięte, czy rozluźnione, a także sposób w jaki oddycha dziecko. Będziesz stopniowo rozpoznawać, w jakim celu płacze twoje dziecko, ponieważ wiesz już, czego można się po nim spodziewać.

P.: Jak mogę pomóc memu płaczącemu dziecku?

O.: Możesz próbować rozpoznawać takie chwile, w których dziecko jest prawdopodobnie bardziej zdenerwowane, i wówczas przede wszystkim należy podjąć takie działania, które zapobiegną płaczowi. Na przykład dzieci karmione piersią dość powszechnie domagają się częstszego karmienia wieczorem, ponieważ wtedy właśnie pokarm staje się bardziej zagęszczony i pożywny. Staraj się przewidzieć, kiedy dziecko może zabrudzić pieluszkę – na przykład po karmieniu – i nie pozwól mu pozostawać zbyt długo bez przewinięcia. Niektóre dzieci płaczą wieczorem przez dwie godziny i dłużej, a inne znów bardzo krzyczą, co może wskazywać na kolkę jelitową. Wówczas powinnaś poszukać stosownej porady (patrz strony 46–49). Jeżeli dziecko jest znudzone, może potrzebować nieco więcej zabawy. Spróbuj rozweselać maleństwo jego ulubioną zabawką lub taką, która wydaje uspokajające dźwięki.

Powyżej: Choć radzenie sobie z płaczącym dzieckiem może być trudne, to etap ten nie będzie przecież trwał wiecznie.

P.: Czy można nadmiernie rozpieścić dziecko zbyt szybkim reagowaniem na jego łzy?

O.: Pozwalanie dziecku, by płakało, nie zniechęci go do płaczu. Jeżeli jest pozostawione samo sobie, staje się jeszcze bardziej nieszczęśliwe i tym mocniej płacze. Staje się niespokojne i niepewne, ponieważ nie spodziewa się nadejścia pomocy, kiedy właśnie najbardziej jej potrzebuje. W tej sytuacji, w miarę jak staje się starsze, będzie przypuszczalnie ogólnie mniej pogodne. Będzie mu brakowało pewności siebie i w rezultacie będzie w dalszym ciągu grymasić i płakać. I na odwrót. Pewne badanie wykazało, że dzieci, których rodzice reagują szybko na ich płacz w pierwszych trzech miesiącach życia, maleństwa płaczą rzadziej i przez krótszy czas niż te, których matki opóźniały swą reakcję na płacz dziecka lub płacz ten ignorowały. W wieku czterech miesięcy, dzieci doglądane natychmiast zwykle nie płaczą bezustannie, a mając rok, są bardziej niezależne i porozumiewają się na wiele innych sposobów niż tylko płaczem.

Płacz
Częste problemy

P.: Mam wrażenie, że moje dziecko płacze właściwie bez przerwy, niezależnie od tego, co zrobię lub powiem próbując je uspokoić. Czy tak będzie już zawsze?

O.: Bądź przekonana, że jest to tylko stan tymczasowy. Dzieci płaczą najwięcej w pierwszych trzech miesiącach życia, a skłonność do płaczu zmniejsza się wyraźnie w wieku powyżej jednego roku. Spójrz na ten problem dalekowzrocznie i w najtrudniejszych chwilach próbuj spokojnie stosować niektóre z zaradczych sposobów postępowania (patrz strona następna).

Powyżej: Staraj się rozluźnić, kiedy uspokajasz dziecko. Maleństwo wyczuje kiedy jesteś spięta.

P.: Moje dziecko płacze co wieczór, zanim zaśnie. Czy jest to normalne i czy powinnam coś z tym zrobić?

O.: Wiele dzieci płacze przed zaśnięciem i wielu rodziców nie bardzo wie, jak sobie z tym poradzić. Jednak tylko rodzic potrafi ocenić najtrafniej czy dziecku naprawdę coś dolega, czy też jego płacz będzie cichł i przejdzie w sen. Choć w pierwszych kilku tygodniach ocena taka jest trudna, wkrótce zaczniesz coraz lepiej interpretować płacz swego dziecka.

P.: Znaczną część dnia spędzam z moim dzieckiem sama. Wieczorem jestem już roztrzęsiona i boję się, że nie poradzę sobie z jego płaczem. Co mogę zrobić?

O.: Powinien ci ktoś pomóc. Jeśli to możliwe, niech inna osoba spędzi pewien czas z twym płaczącym dzieckiem. Może to być twój partner, ktoś z przyjaciół lub krewnych. Ktoś, komu możesz zaufać. Po takiej przerwie, nawet krótkiej, poczujesz się odświeżona i będziesz radziła sobie lepiej.

P.: Bardzo łatwo jest poczuć się winnym tego, że dziecko tak wiele płacze. Czy jestem może złą matką?

O.: Warto pamiętać, że noworodki płaczą nawet do dwóch godzin dziennie i jest to całkiem normalne. Jest to jedyny znany mu sposób porozumiewania się z otoczeniem. To, że dziecko płacze co noc, nie oznacza, że jesteś niedobrą matką. Jeżeli umiejętnie potrafisz usuwać typowe przyczyny dolegliwości dziecka, wówczas jego płacz przypuszczalnie nie wiąże się ze sposobem, w jaki się nim opiekujesz.

Wychowanie pozytywne **Wygrać z płaczem**

P.: Godzinami próbuję odkryć przyczyny płaczu mego dziecka. Kiedy właśnie sądzę, że rozpoznałam problem i poradziłam sobie z nim, dziecko zaczyna płakać na nowo. To ciężkie i wyczerpujące przeprawy. Czasem czuję, jak narasta we mnie irytacja. Co mogę zrobić, kiedy „tego wszystkiego jest już za wiele"?

O.: Ponieważ płacz dziecka tak ogromnie cię denerwuje, możesz czuć się nawet gotowa dać mu klapsa, jeżeli nie przestanie. Rzadkością jest rodzic, który nigdy nie poczuł, że jest na granicy wytrzymałości, więc za nic się nie obwiniaj. Ważne jest, żeby zdać sobie sprawę z tego stanu i opanować go, zanim uderzysz swoje dziecko. Jeżeli płacz dziecka budzi w tobie złość, to nadszedł czas, aby położyć je bezpiecznie w łóżeczku i zrobić sobie przerwę. Nie jesteś w stanie uspokoić dziecka, kiedy sama jesteś zdenerwowana i zła. Jeżeli jest to możliwe, przekaż opiekę nad dzieckiem partnerowi, zadzwoń po pomoc do przyjaciół lub zwróć się nawet do sąsiadów. Jeżeli nie ma nikogo, do kogo mogłabyś się zwrócić, spróbuj wykorzystać kilka następujących propozycji:

Sposoby postępowania:

• **Włącz jakąś muzykę w słuchawkach lub załóż sobie zatyczki do uszu.** Przytłumi to głośność płaczu i uczyni go łatwiejszym do zniesienia.

• **Wyjdź z dzieckiem na spacer.** Ruch sprawi, że poczujesz się lepiej, a wstrząsy wózka mogą uspokoić dziecko.

• **Prowadź zapiski, notując czas pojawienia się płaczu i długość jego trwania,** a także to, co próbowałaś robić i jak na to zareagowało dziecko. Po pewnym czasie będziesz mogła dostrzec, czy istnieje w tym wszystkim jakaś prawidłowość i czy sytuacja zaczyna ulegać poprawie.

• **Noś dziecko w nosidełku.** To może nie ograniczy płaczu, ale umożliwi ci pozostawanie przy dziecku, kołysanie go, a jednocześnie wykonywanie innych czynności.

• **Opatul dobrze maleństwo.** Niektórym dzieciom bardzo poprawia nastrój dość ciasne otulenie ich w kocyk, może z tego powodu, że to przypomina im niedawne szczelne zamknięcie w łonie matki.

• **Pozwól dziecku ssać twój palec lub daj mu smoczek.** Ssanie często bardzo poprawia samopoczucie dzieci ze skłonnością do kolki jelitowej.

• **Jeżeli karmisz piersią, to przez dwa tygodnie przestań pić kawę, herbatę i colę.** Obserwuj, czy spowodowało to jakąś różnicę.

Po lewej: Dla uspokojenia dziecka, spróbuj dać mu do ssania mały palec.

Kolka
Co to jest?

Nie ma jednoznacznej opinii na temat przyczyn pojawiania się kolki i sposobów jej zapobiegania. Regularne napady płaczu, które mogą trwać godzinami, zdarzają się najczęściej wieczorem. Dziecko krzyczy i wygląda na trapione dotkliwym bólem. Innym przejawem kolki jelitowej u dziecka jest podkurczanie nóżek i częste oddawanie gazów. Maleństwo będzie wyglądało na niezmiernie głodne, ale już po kilku sekundach ssania piersi może tego zaniechać i stać się jeszcze bardziej zbolałe. Może się też nakarmić, zasnąć na krótko, a następnie obudzić się z jeszcze większym krzykiem. Choć te momenty krzyku są istotnie czymś przejmującym, powodującym ogromny niepokój rodziców, dziecko pod wszystkimi innymi względami rozwija się normalnie.

Jedna z opinii mówi, że kolka jelitowa jest spowodowana niedojrzałością jelita, reagującego skurczem wywołanym przypuszczalnie nadwrażliwością na pewne pokarmy. Z drugiej strony można pominąć pokarm jako przyczynę, ponieważ ten bolesny płacz pojawia się zwykle o jednym i tym samym czasie dnia, a nie regularnie po wszystkich karmieniach. Może to być natomiast wynik napięcia – pewien rodzaj nadaktywności niedojrzałego jeszcze systemu nerwowego dziecka – co mogłoby tłumaczyć, czemu pojawia się akurat wieczorem, kiedy twoje dziecko i ty sama jesteście najbardziej zmęczeni i podatni na stres.

P.: Kiedy pojawia się kolka i czy atakuje ona każde dziecko?
O.: Ocenia się, że jedno lub dwoje na dziesięcioro dzieci miewa kolkę. Zwykle nie objawia się ona w pierwszym i drugim tygodniu życia noworodka. Dzieci doświadczają kolki w pierwszych trzech miesiącach życia. Dopóki ostatecznie nie ustąpi, może ona zanikać na całe tygodnie lub pojawiać się co pewien czas, np. jeden dzień jest spokojny, a następny z dolegliwościami. Niektóre dzieci ciągle jeszcze cierpią z powodu kolki w wieku czterech, pięciu lub nawet sześciu miesięcy.

P.: Czy powodem występowania kolki można być karmienie piersią?
O.: Trudno nieraz uwierzyć, że istnieje jakiś problem z karmieniem, kiedy dziecko przybiera na wadze, a twoje brodawki sutkowe są zdrowe. Jednak w niektórych przypadkach kolka może być spowodowana niewłaściwym przebiegiem karmienia, prowadzącym do czegoś, co nazywa się chwilowym przeładowaniem laktozą. Istnienie tego przeładowania jest znacznie bardziej prawdopodobne, jeżeli dziecko wydala wiele zielonkawych, wodnistych stolców i oddaje sporo gazów, zarówno „górą", jak i „dołem". Laktoza z mleka kobiecego jest cukrem, który musi zostać rozłożony przez enzym nazywany laktazą. Jeżeli cukier ten nie zostaje rozłożony, wówczas przechodzi do dolnej części jelita, gdzie na skutek działania bakterii ulega fermentacji, wytwarzając gazy i kwas mlekowy. Stąd oddawanie wiatrów i zielonkawych stolców.

P.: Jak powinnam zareagować, jeżeli problemem jest rzeczywiście przeładowanie laktozą?
O.: Rozwiązaniem może być zwolnienie tempa, w którym pokarm przechodzi przez jelita dziecka, dając w ten sposób więcej czasu na rozłożenie laktozy. Sposobem na osiągnięcie tego jest upewnienie się, że dziecko w czasie każdego karmienia otrzymuje odpowiednio dużą porcję bogatego w tłuszcz mleka II fazy (patrz strona 35). Jeżeli za

Powyżej: Masowanie grzbietu dziecka w czasie, kiedy leży ono na twoim kolanie, może pomóc w złagodzeniu bólu przy wzdęciu.

każdym razem karmiłaś dziecko z obydwu piersi, to istnieje możliwość, że otrzymywało ono wyłącznie mleko I fazy, rozwodniony pokarm. Wydłuż więc czas karmienia pierwszą piersią, aby upewnić się, że otrzyma ono także mleko II fazy.

P.: Jak powinnam postępować z wzdęciami?
O.: Jeden ze sposobów polega na tym, żeby spowodować przesuwanie się gazów ku górze – tak żeby dziecku się „odbiło". Można to spowodować, sadzając maleństwo na swoich kolanach, z jedną ręką w okolicy jego brzuszka, podtrzymującą mu główkę odwiedzionym kciukiem i palcem wskazującym, a z innymi palcami pod jego paszką. Już niewielki ucisk twojej ręki na jego brzuszek powinien przesunąć gazy ku górze, ale możesz jeszcze drugą dłonią naciskać jego plecki lub je pomasować. Możesz ewentualnie przełożyć dziecko przez własny bark i masować jego plecy, podczas gdy jego brzuszek jest uciskany przez twój bark. Są też inne sposoby, jak położenie dziecka wzdłuż swego ramienia lub przełożenie przez kolano – choć, może, będziesz wolała nie podejmować tych działań, zanim nie

nabierzesz wprawy w obchodzeniu się z maleństwem. Niezależnie ot tego, jaką pozycję zastosujesz, miej pod ręką kawałek gazy lub frotową pieluszkę, bo „odbiciu" zazwyczaj towarzyszy tryśnięcie kilku kropel pokarmu.

P.: Czy wzdęcie może być przyczyną kolki?
O.: Jest mało prawdopodobne, żeby samo wzdęcie było przyczyną kolki. Nie ulega wątpliwości, że krzyczące dziecko połyka masę powietrza, które może w czasie skurczu jelita zostać zablokowane w pętlach jelitowych. Dziecko poczuje się z pewnością lepiej po porządnym „odbiciu".

P.: Co powinnam robić, jeżeli moje dziecko ma regularne wzdęcia?
O.: Jeżeli sądzisz, że dziecko ma zbyt wiele gazów, a karmisz je piersią, możliwe, że maleństwo połyka powietrze w czasie karmienia. Przyczyną może być nieprawidłowe jego przyssane do piersi. Wszystko, co trzeba wówczas zrobić, to zmiana ułożenia dziecka przy karmieniu. Unikaj także stosowania butelki – dzieci karmione butelką zasysają zazwyczaj więcej powietrza w czasie ssania smoczka.

Wzdęcie

Kiedy mówimy, że dziecko ma wzdęcie, to mamy na myśli, że w brzuchu maleństwa zostało uwięzione połknięte przez niego powietrze. Znajduje się ono w przewodzie pokarmowym, w postaci małych pęcherzyków i powoduje ból. Nie jest to dokładnie to samo, co kolka. Dlatego postępowanie w tych przypadkach powinno być sprawą dość prostą. Stwierdziwszy to, należy jednak zauważyć, że niektóre dzieci zmagają się ciężko ze wzdęciami i mają z nimi większe problemy niż inne.

Kolka
Częste problemy

P.: Objawy kolki u mojego dziecka są tak przejmujące, że nie mogę uwierzyć, aby to schorzenie nie powodowało u niego żadnych szkód. Czy napady kolki naprawdę nie wywierają negatywnego wpływu na dalszy rozwój dziecka?

O.: Pomimo takich objawów, jak: nasilony płacz, podkurczanie nóżek i zaczerwienienie buzi dziecka, kolka w większości przypadków nie jest jakimś poważnym schorzeniem. W rzeczywistości, jak wykazują badania, dzieci z kolką dobrze się rozwijają, odbywając karmienia prawidłowo i normalnie przybierając na wadze. Rzeczywistym problemem, powodowanym przez tę przypadłość, jest wpływ, jaki wywiera ona na twoje codzienne życie domowe. Stres i niepokój rodziców oraz innych członków rodziny, którym trudno znieść ten stały płacz, powoduje powstanie napięcia. Jest więc ważne, by raz na jakiś czas nieco od tego odpocząć.

P.: Mam w wywiadzie rodzinnym nietolerancję laktozy. Sama na to nie cierpię, ale martwię się, że moje dziecko może nie tolerować laktozy. Co powinnam uczynić?

O.: Powinnaś starać się wyeliminować z twojej diety krowie mleko. Jeżeli dziecko nie może odpowiednio sprawnie strawić laktozy, to właśnie spożywanie przez ciebie mleka krowiego może częściowo ponosić winę za jego kolkę.

P.: Moje dziecko ma cztery tygodnie i zaczęło właśnie cierpieć z powodu kolki. Zburzyło to zupełnie codzienny, wieczorny tryb postępowania z maleństwem. Ma ono wówczas – wieczorem i w nocy – ogromne kłopoty z zaśnięciem. Jeśli nawet już zasypia, nie śpi zbyt długo. Co mogę zrobić?

O.: Niestety, jeśli dziecko ma kolkę, to tak naprawdę możesz jedynie poddać się temu i na parę tygodni zaakceptować te problemy. Kiedy dziecko pod koniec wieczoru w końcu się uspokoi, możesz sama udać się na spoczynek, by zachęcić maleństwo do spokojnego snu przez resztę nocy. Kiedy wyrośnie już ono z kolki, możesz także zacząć wreszcie wcześniej chodzić spać i układać sobie wieczór w sposób bardziej zorganizowany.

Po prawej: Dziecko z kolką w czasie płaczu, który trwa często przez kilka godzin dziennie. Wygląda na bardzo cierpiące.

Wychowanie pozytywne **Wygrać z kolką**

P.: Moje dziecko cierpi z powodu kolki. Każdego wieczoru, mniej więcej o tej samej porze, płacze żałośnie, podkurczając kolanka do brzuszka. Zawsze jest to samo: dziecko nie chce jeść i z trudem się uspokaja. Zdaję sobie sprawę, że przyczyna kolki ciągle pozostaje pewną zagadką, ale czy naprawdę muszę pozostać bezczynna?

O.: Niewiele wiemy o kolce. Niektórzy specjaliści negują nawet jej istnienie. Nie stanowi to jednak zbytniej pomocy, kiedy twoje maleństwo nagle co wieczór zamienia się w maszynkę do płakania. Ostatecznie większość dzieci wyrasta z tego w ciągu kilku miesięcy. Istnieje jednak kilka sposobów postępowania, które umożliwią ci wspieranie dziecka.

Co robić?

Jeżeli dziecko ma także inne objawy chorobowe, takie jak: wymioty, biegunka, albo jego płacz jest inny niż zazwyczaj, zasięgnij porady lekarza. Jeżeli dziecko zostało uznane za zdrowe, opracuj sobie sposób postępowania z kolką, wykorzystując sposoby dotychczas uznane za skuteczne. Jeżeli potrzebujesz w tym pomocy, spotkaj się z kołem opiekunek dziecięcych, a następnie przedstaw swój problem i uzyskaj wsparcie. Będziesz mogła w ten sposób, chociaż raz w tygodniu, mieć wolny wieczór razem ze swym partnerem.

Sposoby postępowania

• **Jedna z teorii mówi, że kolka jest spowodowana przez gromadzenie się w czasie dnia gazów jelitowych.** Możesz dziecku pomóc, podając mu środki temu przeciwdziałające, takie jak woda koperkowa.

• **Ułożenie dziecka w taki sposób, by miało ono delikatny ucisk na żołądek** (na przykład przekładając je przez swój bark lub przez kolano, twarzyczką w dół) i gładzenie go po grzbiecie. Może to być także pomocne w złagodzeniu bólu.

• **Jeżeli karmisz piersią, może warto usunąć z własnej diety te pokarmy,** które mogą być za kolkę odpowiedzialne, takie jak: czekolada, kapusta, cebula, zielona papryka i produkty mleczne.

• **Gdy dziecko jest karmione butelką, zasięgnij porady lekarskiej,** czy może w tej sytuacji pomóc zmiana mieszanki – choć jest to mało prawdopodobne.

• **Próbuj unikać wieczornego napięcia** aplikując dziecku w godzinach popołudniowych uspokajającą kąpiel, masaż, albo wychodząc z nim na spacer.

• **Zrezygnuj (chociaż z części) swych codziennych, wieczornych zajęć,** na przykład przygotowując już wcześniej posiłki, aby później nie było takiego nawału pracy.

• **Gromadź siły na wieczór,** zapewniając sobie po południu odpowiedni posiłek i drzemkę.

• **Staraj się uspokoić dziecko,** pilnując, żeby wszystkie twoje ruchy były wolne i spokojne, albo umieść je w pobliżu ogniska stałego hałasu lub wibracji – np. elektrycznego sprzętu gospodarstwa domowego, takiego jak pralka lub odkurzacz.

Zarządzanie czasem

Kiedy stajesz się matką, kilka rzeczy zostaje utraconych na zawsze. Mogą one zostać zastąpione przez inne, dające równie wiele lub nawet więcej satysfakcji. Nie znaczy to jednak, że pozbędziesz się wątpliwości czy obaw, by tak po prostu o nich zapomnieć. Jedną z tych rzeczy, które musisz puścić w niepamięć, jest twój własny wizerunek kobiety bezdzietnej, zastępując go nowym – wizerunkiem matki. Słowo „mama" różne osoby definiują różnie. Pociechą jest to, że nadal możesz pozostać młodą, inteligentną, interesującą i pociągającą. Ciągle potrzebujesz poczucia indywidualności, a nie jedynie bycia matką. Ważna jest więc także troska o to, by dopilnować, abyś miała czas na rozwijanie swoich zainteresowań i relaks.

Innym obszarem wymagającym twego przystosowania się, co zresztą może być dość trudne, jest dopasowanie się do „czasu dziecka". Będzie ci coraz trudniej zaplanować swój dzień i trzymać się ustalonego planu, w którym wiesz dokładnie, kiedy będziesz pracować, a kiedy będziesz miała czas wolny. Jesteś teraz na 24-godzinnym matczynym dyżurze na wezwanie i nie możesz z dnia na dzień przewidzieć dokładnie, kiedy będziesz potrzebna. U wielu kobiet kończy się to tym, że próbują robić kilka rzeczy na raz, ale rzadko udaje się im którąś z nich skończyć. Jest rzeczą naturalną, że czasem będzie to dla ciebie irytujące i poczujesz się rozdrażniona i niewydolna. Podejmowanie na tym etapie prób wprowadzenia jakiegoś ustalonego porządku jest zwykle nieskuteczne, bo dziecko nie zna się na zegarze. Stopniowo życie codzienne będzie nabierać pewnego rytmu, ale nigdy nie będzie on w pełni utrwalony, ponieważ potrzeby dziecka będą stale się zmieniać w miarę jego wzrastania i rozwoju. Kluczem staje się tu elastyczność. Dzięki niej będziesz mogła osiągać stan akceptacji tempa życia odpowiadającego aktualnym potrzebom i uzyskać dobrą samoocenę swej zdolności pamiętania o kilku rzeczach na raz.

Sposoby postępowania

- **Na początku nie oczekuj od siebie zbyt wiele.** Czasami kobieta, która przestaje pracować zawodowo, aby pozostać w domu z dzieckiem, sądzi, że musi sprawdzić się jako istna „nadkobieta", która utrzymuje dom w idealnym porządku, przygotowuje wspaniałe posiłki, a w międzyczasie radzi sobie jedną ręką ze wszystkimi aspektami codziennego życia z dzieckiem. Zamiast tego przyjmuj każdą proponowaną ci pomoc i poświęć czas na lepszą organizację zwiększającą skuteczność działań.

- **Pozwól, by codzienne standardy twego gospodarstwa domowego nieco się obniżyły, tak byś mogła skoncentrować się na ważniejszym zadaniu, jakim jest dbanie o własne dziecko... no i o siebie.** Są takie czynności, które każdy z nas musi wykonać, zanim będzie mógł odpocząć, a także inne, które mogą być spokojnie odłożone na później. Wyznacz czynności najważniejsze, według własnej oceny, i wykonuj z nich wymagane minimum, które cię zadowoli.

Zarządzanie czasem
Częste pytania

P.: Denerwuję się spoczywającą na mnie odpowiedzialnością za dziecko. Jest przecież tak wiele rzeczy, na których się nie znam i mogę coś źle zrozumieć. Ponadto ludzie udzielają mi odmiennych rad. Komu więc powinnam zaufać?

O.: Różnym punktom widzenia na opiekę nad dzieckiem nie ma końca, a żaden z nich nie jest jedynie słuszny lub całkowicie błędny. Różne rzeczy sprawdzają się wobec różnych rodziców i różnych dzieci. Tylko ty sama możesz ustalić, co najlepiej posłuży twemu dziecku i tobie. Możesz więc wysłuchać rad z uwagą, ale później ufaj już swojemu instynktowi i wierz we własne doświadczenie. Nie bój się prób i błędów, bo kiedy posługujesz się podstawowym zdrowym rozsądkiem, poważne omyłki są mało prawdopodobne. Dzieci są też zwykle silniejsze niż zwykło się sądzić. Nie ma takiego rodzica, który zawsze i wszystko robi dobrze, ale staramy się działać najlepiej, jak potrafimy i na szczęście to zwykle wystarcza, by mieć szczęśliwe i zdrowe dzieci.

P.: Jestem matką samotnie wychowującą dziecko i jest mi trudno radzić sobie ze wszystkim. Czy macie dla mnie jakieś sugestie?

O.: Samodzielne wychowywanie dziecka może oznaczać dodatkowe napięcie z powodu braku pieniędzy, z powodu samotności, ilości pracy do wykonania i wagi odpowiedzialności. Szukaj wsparcia u każdego skłonnego do pomocy i pozwól sobie na chwilę wytchnienia. Możesz skontaktować się z organizacjami rodziców samotnie wychowujących dzieci i sprawdzić, czy w twojej okolicy działa jakaś grupa takich rodziców. Jeżeli nie, to może mogłabyś takie koło założyć. Oprócz wsparcia moralnego, płynącego z możliwości przedyskutowania problemów z innymi rodzicami będącymi w tej samej sytuacji, możecie wymieniać się zadaniami opieki nad dzieckiem, co zapewni ci trochę wolnego czasu.

P.: Oczekiwałam, że będę miała dużo wolnego czasu, kiedy dziecko będzie spało w czasie dnia lub kiedy będzie po prostu spokojne i zadowolone. Zamiast tego ono przez większość dnia nie śpi i musi być przez cały czas noszone lub trzymane na rękach. Czy nie jest to coś dziwnego?

O.: Ciężko jest, kiedy rzeczywistość życia z dzieckiem nie odpowiada naszym oczekiwaniom. Rodzice, którzy mają zdecydowany pogląd na to, czego mogą się spodziewać, czasami zresztą oparty na doświadczeniach z ich pierwszym lub innym dzieckiem, które znali, o wiele trudniej znoszą tę rzeczywistość od tych, którzy biorą ją taką, jaka jest. Każde dziecko jest inne. Podczas gdy niektóre mają usposobienie łagodne, inne są bardziej wymagające i chcą być częściej brane na ręce i bardziej pieszczone. Także ilość snu, potrzebnego małemu dziecku, jest bardzo różna. Staraj się więc nie myśleć o przeciętnym dziecku lub dziecku idealnym, ale skup uwagę na swoim dziecku jako jednostce i na tym, co właśnie jemu jest potrzebne.

P.: Jeżeli zostawię córeczkę z moją matką, to czy może ona przywiązać się do niej, zamiast do mnie?

O.: Dziecko nie musi tworzyć więzi uczuciowych tylko z jedną osobą, ale może przywiązać się do większej liczby osób. Często najczulsza więź zostaje nawiązana właśnie z matką, jednak dziecko może także przywiązać się i do innych osób, które się nim zajmują podczas nieobecności matki. To miłe, kiedy twoja córeczka przywiązuje się do twojej matki. Oznacza to, że miała dobrą opiekę. Dopóki jednak jesteś przy dziecku w ważnych chwilach, jak wtedy, kiedy jest układana do snu, i mała jest pewna, że może ufać twojej miłości, dopóty twoja matka nie zajmie twojego miejsca w jej świadomości.

BLIŹNIĘTA

Radzenie sobie z urodzeniami mnogimi

Rodziny z bliźniętami (a nawet trojaczkami, czworaczkami i tak dalej) są coraz częstsze.

Od wczesnych lat osiemdziesiątych dwudziestego wieku nastąpił stały, coroczny wzrost liczby porodów mnogich. Nastąpiło to z chwilą, kiedy leczenie niepłodności stało się bardziej powszechne, a porody mnogie bardziej bezpieczne. Choć perspektywa radzenia sobie z bliźniętami lub trojaczkami może wydawać się przytłaczająca, nie ma powodu, dla którego nie mogłabyś poradzić sobie z nimi tak dobrze, jak z jednym dzieckiem.

Sposoby postępowania przy karmieniu bliźniąt i trojaczków

Karmienie piersią więcej niż jednego dziecka jest zajęciem bardzo wymagającym i czasochłonnym, chyba że potrafisz karmić piersią dwoje dzieci na raz. Unikanie stosowania mieszanek powinno spowodować, że twoje dzieci będą zdrowsze, co na dłuższą metę oszczędzi ci wiele czasu. W praktyce wiele matek wieloraczków stosuje karmienie mieszane: butelką i piersią, ale jeżeli jesteś zdecydowana karmić dzieci jedynie piersią, jest to możliwe do osiągnięcia.

• Spotkaj się z miejscowym doradcą laktacyjnym i uzyskaj pomoc tej osoby zarówno przed, jak i już po porodzie – proś o rady dotyczące pozycji dzieci przy podwójnym karmieniu oraz odciągania pokarmu.

• Powiedz wszystkim (a także i sobie), że obecnie, przez kilka pierwszych miesięcy,

masz zamiar skoncentrować się na dzieciach i na niczym więcej.

• Zapewnij sobie pomoc w pracach domowych, zakupach i gotowaniu, byś mogła realizować to, co zamierzyłaś.

• Od samego początku unikaj stosowania smoczków, aby w ten sposób tworzyć warunki do wytwarzania odpowiedniej ilości pokarmu.

• Wypożycz lub kup podwójny odciągacz, abyś po skończeniu przez dzieci pierwszego miesiąca życia mogła odciągać sobie pokarm, który ktoś inny będzie mógł podać dzieciom w butelkach. W ten sposób od czasu do czasu znajdziesz chwilę, by trochę odpocząć!

Bliźnięta, trojaczki i spanie

Chociaż sen bliźniąt może być początkowo bardziej niespokojny niż sen innych noworodków, ukołysanie ich do snu (tak jak i liczniejszych wieloraczków) wcale nie musi być o wiele trudniejsze. Wszystkie sposoby usypiania dzieci omówione w tej książce, mogą być równie skuteczne wobec wieloraczków (patrz strony 78–83). Jedyną istotną różnicą jest tu oczywiście to, że jedno dziecko może przeszkadzać w zasypianiu drugiemu. W większości przypadków nie powinno się to jednak zdarzać. Podobnie przecież bywa z rodzeństwem w różnym wieku, które zwykle korzysta z jednej sypialni, nie budząc się nawzajem.

Zachowanie

Problemy z zachowaniem często występują w przypadku bliźniąt identycznych (jednojajowych), szczególnie płci męskiej. Bliźniak, którego zachowanie poprawia się, kiedy jest on sam na sam z jednym z rodziców, może wysyłać w ten sposób sygnał, że potrzebuje poświęcenia mu więcej indywidualnej uwagi. Wówczas ustalony porządek dzienny powinien być tak zmieniony, by każde z bliźniąt mogło codziennie spędzić pewien czas sam na sam z rodzicem.

Bliźniaki, szczególnie bliźniaki identyczne, muszą wiedzieć, że są różne. Od najwcześniejszych dni każde z nich powinno wyglądem różnić się od drugiego. Mogą je odróżniać ubiory i indywidualne uczesanie. Powinno się zachęcać inne osoby, aby zwracały się do nich po imieniu, a nie nazywały je „bliźniakami" lub „chłopcami". W miarę jak dorastają, staje się też niezmiernie ważne, by każde z nich miało dla siebie choć trochę swojej prywatnej przestrzeni, nawet jeżeli jest to tylko jakiś kąt w pokoju.

Uzyskiwanie pomocy

Zdarzają się momenty, w których opieka nad dwojgiem lub większą liczbą dzieci w podobnym wieku zaczyna przekraczać nasze możliwości. Staraj się wtedy uzyskać tyle pomocy, ile to tylko możliwe. Istnieją organizacje charytatywne, zapewniające pomoc niedoświadczonym rodzicom, szczególnie tym z dwojgiem lub większą liczbą dzieci. Organizacje zajmujące się urodzeniami mnogimi, mogą także skontaktować ciebie z rodzicami, którzy doświadczyli już podobnych sytuacji. Nawet zwykła rozmowa z nimi o sytuacji, w której się znalazłaś, może stanowić dla ciebie znaczną pomoc.

Trzy przyczyny, **trudności z zasypianiem wieloraczków**

1. Zazwyczaj są one urodzone przedwcześnie, co oznacza, że wymagają karmienia częstszego niż inne noworodki.

2. Prawdopodobnie dzieci spędziły jakiś czas na oddziale specjalnej opieki nad noworodkami, co oznacza, że przyzwyczaiły się do tego, że są bardzo często dotykane i pielęgnowane.

3. Bardzo prawdopodobne, że w nocy maleństwa mają różnych opiekunów – nawet jeżeli są karmione piersią, ze względu na trudności w jednoczesnej opiece nad dwojgiem dzieci, może je przewijać twój partner – dlatego zajmie dzieciom trochę czasu, zanim przyzwyczają się do różnych sposobów obchodzenia się z nimi.

GENY CZY WYCHOWANIE?

Czy osobowość jest czymś z góry określonym, czy też wyuczonym?

W miarę jak dziecko rośnie i jego osobowość staje się rozpoznawalna, pojawia się też w sposób naturalny ciekawość co do źródła jego indywidualności.

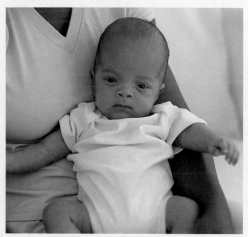

Debata nad tym, co jest ważniejsze: geny czy wychowanie, jest także próbą ustalenia pierwszeństwa dziedziczności lub wpływu środowiska. Pod określeniem „geny" rozumiemy wszystkie te, z którymi dziecko się rodzi. Wiele charakterystycznych cech fizycznych jest odziedziczonych po rodzicach (np. kolor oczu i włosów, wzrost, naturalna waga ciała), co z góry przesądza niektóre aspekty rozwoju dziecka.

W debacie tej nurt „genetyczny" argumentuje, że ponieważ wiele cech fizycznych jest dziedziczonych, to powinno to dowodzić, iż podobnie jest z wieloma charakterystycznymi cechami psychicznymi. Dlatego, na przykład, dzieci często mają tę samą osobowość i nawyki jak ich rodzice. Jeżeli więc można odziedziczyć cechy fizyczne, to przypuszczalnie cały wzorzec rozwoju dziecka jest także dziedziczony w ten sam sposób.

W odróżnieniu od tej argumentacji określenie „wychowanie" sugeruje, że wiele cech charakterystycznych jest wynikiem wpływu otoczenia dziecka, a szczególnie sposobu, w jaki jest ono wychowywane w rodzinie. Dla przykładu, błyskotliwi rodzice starają się przede wszystkim stymulować intelektualnie swoje dziecko i dlatego mają zazwyczaj bystre dzieci. Wrażliwi, czuli rodzice, uczą swoje

dzieci podobnego, opiekuńczego postępowania w towarzystwie innych dzieci. Niektórzy posuwają się w tej argumentacji jeszcze dalej, twierdząc, że żadne charakterystyczne cechy osobowości nie są dziedziczone, a każde dziecko rodzi się jako „czysta karta" czekająca na to, by jego dalszy rozwój był określany jego doznaniami.

Twoje stanowisko w tej debacie ma wpływ na twoje wzajemne relacje z dzieckiem. Jeżeli wierzysz w argumenty nurtu „genetycznego", wówczas założysz, że wrodzone cechy charakterystyczne dziecka, zdolności uczenia się i osobowość decydują o tym, jakim stanie się ono człowiekiem, a twój indywidualny wysiłek rodzica, nie ma tu większego znaczenia. Jeżeli natomiast wierzysz argumentom „wychowawczym", wówczas przyjmiesz założenie, że dalszy rozwój dziecka zależy całkowicie od sposobu, w jaki będziesz je wychowywać, i od stopnia nasilenia mobilizujących zachęt, jakich doświadczało ono w dzieciństwie. Możesz przyjąć także podejście pośrednie, uznając wagę zarówno wrodzonych uzdolnień dziecka, jak i wpływu środowiska, w jakim jest ono wychowywane.

Wzajemne relacje

Niewielu ekspertów w dziedzinie rozwoju dziecka zajmuje któreś z tych krańcowych stanowisk. Uznaje się natomiast powszechnie, że choć dziecko posiada przy urodzeniu pewien potencjał, wykorzystujący jego strukturę genetyczną, prawdziwy wpływ na jego rozwój mają wzajemne relacje pomiędzy jego wrodzonymi zdolnościami a środowiskiem, w którym się wychowuje. Debata nad tym, co ważniejsze: geny czy wychowanie, skupia się obecnie na tym względnym udziale, jaki we wzrastaniu i rozwoju dziecka ma każdy czynnik na nie wpływający. Istnieją bowiem dowody wspierające obydwie strony debaty.

Badania bliźniąt, które zostały zaadoptowane po urodzeniu i wychowane w różnych rodzinach, znalazły uderzające podobieństwa osobowości i uzdolnień obydwojga dzieci – pomimo ich oddzielnego wychowania. W dodatku znaleziono także podobieństwa pomiędzy dziećmi adoptowanymi, a ich naturalnymi rodzicami, choć dzieci te były wychowane przez inne osoby. To dodaje znaczącej wagi aspektom dziedziczności w procesie rozwoju dziecka.

Jest jednak wiele przypadków, w których nawet te charakterystyczne cechy fizyczne, które niewątpliwie zostały odziedziczone, mogą ulec bezpośrednim wpływom środowiska. Analizując np.wzrost: dziecko może mieć genetyczne możliwości osiągnięcia danego wzrostu, ale jest mało prawdopodobne, by go osiągnęło, jeżeli w latach przedszkolnych było niedożywione. Inne czynniki, takie jak stan zdrowia, ubóstwo czy wartości rodzinne, mają podobny wpływ. Dowody wskazują na to, że dzieci wychowane w rodzinie, w której normą stała się przemoc, są bardziej agresywne we wzajemnych relacjach z rówieśnikami.

Rozwój twojego dziecka jest połączeniem wszystkich tych czynników, a także ich wzajemnych relacji w każdym momencie jego życia. Stąd też wychowanie to nie jest wycofanie się i bierne czekanie, aż zacznie działać zespół czynników genetycznych. Dlatego to wszystko, co robisz dla swego rosnącego dziecka, może istotnie zmienić przebieg procesu jego długofalowego rozwoju.

Jak mogę wpłynąć na wychowanie i cechy dziedziczne dziecka?

• **Przyjmij „praktyczne" podejście.** Nikt nie jest w stanie określić dokładnie, jaki masz wpływ na dziecko, ale zdrowy rozsądek i codzienne doświadczenie powie ci, że największy wpływ wywiera na nie sposób, w jaki ty odnosisz się do niego.

• **Miej rozsądne oczekiwania.** Choć możesz mieć wpływ na proces rozwoju dziecka, jest mało prawdopodobne, byś mogła zaobserwować jakieś nagłe postępy tego rozwoju. Oczekuj raczej, że jego postępy dokonają się małymi, stałymi kroczkami, a nie będziesz rozczarowana.

• **Traktuj dziecko indywidualnie.** Owszem, ma ono tych samych rodziców i to samo środowisko rodzinne jak jego rodzeństwo, ale reaguje na to wszystko w swój własny i sobie tylko właściwy sposób. Przebieg procesu jego rozwoju nie jest całkowicie przewidywalny i może być różny u różnych dzieci.

• **Ciesz się jego osiągnięciami.** Ciesz się wszystkimi pojawiającymi się umiejętnościami i rosnącą sprawnością swego dziecka, niezależnie od tego, czy zostało to odziedziczone genetycznie, czy jest rezultatem wychowania. To da mu dobre samopoczucie i będzie je motywowało do dalszych postępów.

Problemy zdrowotne
Pierwsze badania

Wszystkie dzieci są po porodzie dokładnie badane. Lekarz, zwykle pediatra, mierzy obwód główki dziecka, bada ciemiączka (miękkie miejsca), oczy oraz buzię. Będzie także badać brzuszek, osłucha serce i płuca.

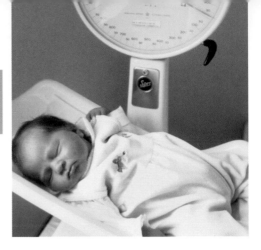

Powyżej: Pierwsze badania kontrolne dotyczą takich podstawowych elementów, jak: oddychanie, waga ciała i ogólny stan fizyczny.

Zostaną też zbadane biodra dziecka, by ocenić stan jego stawów biodrowych. Wiele dzieci, z powodu luźnych więzadeł, ma „trzaskające" bioderka, co jest wynikiem działania matczynych hormonów ciążowych, z którymi dziecko miało kontakt w macicy. Niewiele jednak dzieci jest istotnie zagrożonych rozwinięciem się u nich nadmiernie płytkiej panewki stawu biodrowego (wstęp do wrodzonego zwichnięcia biodra), co nieleczone powoduje stałe utykanie i trudności w chodzeniu. Lekarz zbada także zewnętrzne narządy płciowe dziecka, a u chłopców sprawdzi, czy obydwa jąderka są już w worku mosznowym. Jądra kształtują się bowiem w jamie brzusznej i zwykle zstępują do moszny jeszcze przed urodzeniem się dziecka. Jeżeli jąder nie ma w mosznie, lekarz odnotuje ten fakt w celu prowadzenia dalszej kontroli tego stanu.

P.: Co to jest skala Apgar?
O.: Tuż po urodzeniu dziecko jest poddawane krótkiemu badaniu kontrolnemu dla oceny stabilności jego oddechu i sprawdzenia, czy nie ma żadnych pilnych problemów zdrowotnych. W minutę po urodzeniu i ponownie po pięciu minutach ustala się punktową ocenę stanu noworodka w skali Apgar, wskazującą, na ile dziecko radzi sobie z przystosowaniem się do życia poza macicą. Jest to metoda szybkiej oceny, przez przyznawanie do dwóch punktów

za: prawidłowość akcji serca, częstość oddechów, napięcie mięśniowe, zabarwienie skóry i reakcję na bodźce. Należy zauważyć, że jeśli matka otrzymywała w czasie porodu środki przeciwbólowe, wówczas często noworodki są początkowo nieco ospałe.

P.: Co to jest test Guthriego?
O.: Dla wykonania tego badania w pierwszym tygodniu po narodzinach położna pobiera kroplę krwi dziecka z nakłucia jego piętki. Bada się następnie tę próbkę krwi w kierunku bardzo rzadkiego schorzenia genetycznego, w którym organizm dziecka nie jest w stanie dokonać rozłożenia pokarmowych składników odżywczych lub jest niezdolny do prawidłowego ich wykorzystania. Z tej próbki krwi można dokonać także innych badań, dla wykrycia takich schorzeń, jak zaburzenia czynności tarczycy i mukowiscydoza.

P.: Dlaczego noworodkom podaje się witaminę K?
O.: Tuż po porodzie otrzymasz propozycję podania dziecku witaminy K albo w iniekcji, albo w postaci kropli. Witamina ta spełnia ważną rolę w procesie krzepnięcia krwi i jest zwykle podawana rutynowo. Jej podanie jest prawdopodobnie ważniejsze dla wcześniaków i dzieci, które rodziły się z trudnościami, ale gdybyś miała jakiekolwiek pytania, najlepiej przedyskutować je z lekarzem.

Problemy zdrowotne
Opieka specjalna

Większość dzieci urodzonych o czasie jest w doskonałym stanie zdrowia. Ale w pewnych okolicznościach dziecko już od urodzenia potrzebuje specjalnej opieki lekarskiej. Noworodki ważące poniżej 2,5 kg są uważane za małe i w pierwszych dniach życia mogą potrzebować pomocy i troskliwego nadzoru.

Niektóre nowo narodzone dzieci, choć w pełni dojrzałe, są niewielkie z tej prostej przyczyny, że mają niskich rodziców. Jednak większość małych noworodków ma zbyt niską wagę urodzeniową, ponieważ albo zbyt mała ilość pożywienia docierała do dziecka przez łożysko, albo też są to wcześniaki – dzieci przedwcześnie urodzone, u których niektóre z układów nie są jeszcze w pełni dojrzałe do sprawnego działania.

W obydwu tych przypadkach dziecko może mieć trudności w utrzymywaniu właściwej ciepłoty ciała i musi być często karmione z powodu niskich rezerw cukru w organizmie – niezbędne jest też kontrolowanie zawartości cukru w ich krwi. Szczególnie u wcześniaków mogą pojawiać się także problemy z oddychaniem. Trzeba wówczas podłączyć dziecko do respiratora, który delikatnie nadmuchuje powietrze do jego płuc. Ponieważ dziecko bardzo szybko traci ciepło, zostanie również umieszczone w inkubatorze z dodatkowym ociepleniem. W niektórych przypadkach maleństwo wymagające opieki specjalnej może znajdować się w inkubatorze przy twoim łóżku. Jeżeli dziecko jest bardzo chore lub potrzebuje wyjątkowej opieki, będzie musiało zostać umieszczone na oddziale opieki specjalistycznej nad noworodkami. Na takich oddziałach wykwalifikowany personel, mający do dyspozycji wyposażenie kontrolne, może prowadzić ścisłą obserwację dziecka i w miarę potrzeby odpowiednio korygować leczenie.

P.: Jakie są przyczyny porodu przedwczesnego?
O.: Przyczyny niektórych porodów przedwczesnych ciągle jeszcze nie są znane. Możliwe, że porody te są spowodowane częstą infekcją pochwy, bakteryjnym zapaleniem pochwy. U niektórych kobiet będących w ciąży błony płodowe pękają przed terminem albo płód zaczyna rosnąć zbyt wolno (lub zupełnie przestaje rosnąć) i lekarze decydują, że dziecko będzie się lepiej rozwijało poza macicą. Może także istnieć konieczność wcześniejszego urodzenia dziecka, jeżeli łożysko nie funkcjonuje właściwie lub jeśli matka ma stan przedrzucawkowy.

W Wielkiej Brytanii mniej więcej 1 na 10 dzieci potrzebuje natychmiast po urodzeniu dodatkowej opieki lekarskiej.

P.: Jak przedwczesne urodzenie odbija się na stanie noworodka?
O.: Każde dziecko jest inne. Zwykle dziecko urodzone po 36. tygodniu ciąży może być traktowane jako dziecko donoszone i nie wymagać jakiejś specjalnej opieki. Natomiast dziecko urodzone pomiędzy 33. a 36. tygodniem może mieć pewne kłopoty – dla wielu z nich koordynacja ssania i przełykania w czasie karmienia piersią czy butelką jest zbyt trudna. Dzieci urodzone pomiędzy 28. a 32. tygodniem ciąży mają jeszcze niedojrzałe płuca, a urodzone przed 27. tygodniem wymagają wspomagania wielu układów funkcjonujących w organizmie.

Problemy zdrowotne
Kłopoty pourodzeniowe

Noworodki są podatne na niektóre niegroźne dolegliwości. Mogą one wywołać zaniepokojenie, jeżeli nie jest się na nie przygotowanym.

Waga urodzeniowa

P.: Moje dziecko ważyło po urodzeniu nieco ponad 3,5 kg, ale położna powiedziała, że na początku prawdopodobnie straci ono nieco na wadze. Dlaczego?

O.: Większość dzieci rzeczywiście traci nieco ze swej wagi urodzeniowej, zanim ponownie zacznie przybierać na wadze. Utrata średnio około 227 g (pół funta) do około jednej dziesiątej wagi urodzeniowej dziecka uważana jest za normalną. Na ten spadek wagi w większości wpływa utrata płynów. Dziecko w pierwszym dniu życia zwykle nie jest zbytnio zainteresowane jedzeniem, podczas gdy produkcja moczu u noworodka nie zmienia się. Może też potrwać dwa do trzech dni, zanim u ciebie ustali się pełne wytwarzanie pokarmu. Jednakże nie wszystkie dzieci tracą na wadze. Niektóre z nich rodzą się głodne, a ich intensywne ssanie już w pierwszym dniu może wyraźnie przyspieszyć pojawienie się matczynego pokarmu.

Wymioty i śluz

P.: Czy normalna jest sytuacja, w której noworodek w czasie pierwszego tygodnia swego życia często wymiotuje?

O.: Żołądek dziecka może, w odpowiedzi na poród, produkować wiele śluzu. Dziecko może go wymiotować przez pierwszy dzień lub dwa. Śluz ten może być podbarwiony krwią, a dziecko może nie mieć ochoty na karmienie. Śluz może również dostać się, na krótko, do dróg oddechowych, ale dziecko ma silny odruch kaszlowy i usunie go stamtąd. Połóż je tylko na boczku, jeżeli musi ten śluz wykaszleć.

P.: Moje dziecko ulewa mnóstwo pokarmu. Czy to mu szkodzi?

O.: Aby wykluczyć ewentualne problemy, porozum się z lekarzem. Prawdopodobnie odpowiedź będzie brzmiała, że nie ma się czym martwić. U małych dzieci wpust do żołądka jest bardzo rozluźniony i mleko może się z niego wydostawać z tą samą niemal łatwością, z jaką się tam dostaje. Niektóre dzieci istotnie dość obficie ulewają mleko, co, oprócz możliwości pobrudzenia, nie czyni żadnej szkody. Dopóki karmisz dziecko wtedy, kiedy jest głodne, a ono jest zadowolone, bystre i towarzyskie, możesz być pewna, że ulewanie nie szkodzi maleństwu. Dziecko w końcu z tego wyrośnie.

Pieluszki zaplamione na różowo

P.: Moje dziecko ma zaplamione na różowo pieluszki. Czy jest to normalne?

O.: Różowa plama na pieluszce jest prawdopodobnie nagromadzeniem kryształków moczanowych pochodzących z moczu dziecka i jest zjawiskiem normalnym. W przypadku dziewczynki może też pojawić się niewielka ilość krwi z pochwy jako rezultat trwającego jeszcze działania matczynych hormonów. Ustąpi to w ciągu kilku dni.

Biegunka

P.: Stolce mojego dziecka są bardzo luźne i martwię się, że ma ono biegunkę. Co powinnam robić?

O.: Dzieci karmione wyłącznie piersią zwykle oddają luźne, żółte stolce, ale są to stolce normalne i nie wskazują na biegunkę. Jeżeli jednak kupki twojego dziecka są obfite, zupełnie płynne lub podbarwione krwią, wówczas natychmiast skontaktuj się z lekarzem. Biegunka u dzieci jest zawsze groźna, ponieważ już w ciągu kilku godzin może nastąpić utrata dużej ilości płynów i dziecko może się odwodnić.

Oczy

P.: Moje dziecko ma zeza. Czy to utrzyma się na stałe?

O.: Nie powinno. Może wydawać się, że dziecko ma zeza, bo brak mu siły mięśniowej niezbędnej do panowania nad ruchami gałek ocznych. Staje się to najbardziej widoczne, kiedy dziecko jest rozluźnione i w czasie karmienia. Będzie potrafiło prawidłowo ustawiać obydwie gałki oczne, kiedy mięśnie oczne odpowiednio się rozwiną, co nastąpi w wieku około trzech miesięcy.

Kleista wydzielina oczna

U wielu dzieci już w pierwszych dniach po urodzeniu pojawia się wydzielina, która umożliwia ruchy gałek ocznych, ale może też zawierać kleistą treść. Po śnie powieki mogą być nawet całkiem nią sklejone. Takie oko powinien zobaczyć lekarz. Bardzo rzadko się zdarza, że jest to zapalenie spojówek. Zwykle jest to prawdopodobnie niedrożność kanalika łzowego.

Kanaliki łzowe są cienkimi przewodami zaczynającymi się w kąciku oka i zbierającymi łzy, które są stale produkowane dla utrzymania ciągłego nawilżenia oka. U małych dzieci może wystąpić blokada dolnego końca kanalika łzowego. Tworzy się wówczas wilgotna przestrzeń, w której mogą rozwijać się bakterie powodujące powstanie kleistej wydzieliny. Blokada kanalika łzowego w zasadzie nie wymaga leczenia, bo prawie zawsze kanalik taki udrażnia się sam. Jeżeli natomiast dziecko w wieku sześciu miesięcy ma jeszcze ciągle niedrożny kanalik łzowy, należy rozważyć leczenie u okulisty.

W oczekiwaniu na samoczynne odblokowanie się kanalika łzowego przemywaj oko, używając do tego celu wacika, zmoczonego przegotowaną i ochłodzoną wodą. Przemywaj je ruchami w kierunku od zewnętrznego brzegu oka do jego wewnętrznego kącika. Używaj dla każdego z oczu oddzielnych wacików. W razie konieczności lekarz może przepisać dziecku antybiotyk w postaci kropli do oczu, co nic wyloczy schorzenia, ale może zmniejszyć kleistość wydzieliny.

Pępowina

P.: Co dzieje się z pępowiną w okresie poporodowym?

O.: Po porodzie, kiedy pępowina przestanie być potrzebna, zostaje zwykle zaciśnięta na poziomie około 2,5 cm od brzuszka dziecka, a następnie przecięta. Po upływie około 48 godzin kikut pępowiny ulega obkurczeniu i zacisk może zostać usunięty. W czasie pierwszego tygodnia po porodzie kikut ten nadal wysycha, a jednocześnie bakterie rozmiękczają jego podstawę, aż wreszcie, gdzieś pomiędzy czwartym dniem a szóstym tygodniem, kikut pępowiny odpada, pozostawiając ślad w postaci pępka.

P.: Jak należy pielęgnować kikut pępowiny?

O.: Powinien on być czysty i suchy. Delikatne przemywanie go dwa razy dziennie ciepłą wodą jest wystarczające. Antyseptyczne środki do przemywania jedynie spowalniają odpadanie kikuta pępowiny. Bardzo korzystne jest delikatne pociąganie za ten kikut, by dokładnie przemyć zachyłek skórny wokół jego podstawy. Po upływie pierwszego dnia niewielkie pokrwawienie z okolic kikuta nie jest problemem, ale jeżeli okolica wokół niego ulegnie zaczerwienieniu, to oznacza, że mogło dojść do infekcji – wówczas najlepiej skontaktować się z położną lub lekarzem. Choć infekcje takie są rzadkie, mogą się wydarzyć. Rozprzestrzeniają się one bardzo szybko. Jeżeli okolica pępka jest nacieczona i bolesna lub pojawiają się pierwsze oznaki obecności żółtawej ropy o nieprzyjemnym zapachu, wówczas powinno się natychmiast zawieźć dziecko do lekarza.

P.: Kikut pępowiny u mojego dziecka odpadł, ale pod pępkiem jest jakieś wybrzuszenie, które uwypukla się jeszcze bardziej, kiedy dziecko płacze. Czy jest to coś nieprawidłowego?

O.: Uwypuklenie to jest przepukliną pępkową, która jest dość częsta u dzieci, ale nie jest groźna. Rozstęp pomiędzy mięśniami powłok brzusznych, przez który przechodziła pępowina, nie zamknął się w pełni. Zawartość jamy brzusznej wypycha się przez ten otwór, szczególnie wtedy, kiedy podnosi się ciśnienie wewnątrzbrzuszne, na przykład w czasie kaszlu lub płaczu. Nie jest to dla dziecka bolesne i nic nie trzeba z tym robić. Prawie wszystkie przepukliny pępkowe zamykają się samoistnie przed upływem piątego roku życia.

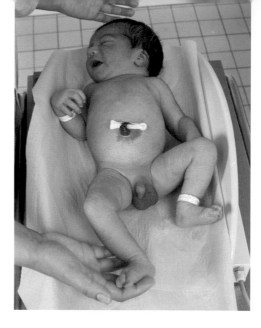

Powyżej: Po porodzie pępowina noworodka zostanie zaciśnięta przez położną lub lekarza.

Pępki wciągnięte, pępki wystające

Większość ludzi sądzi, iż sposób, w jaki została podwiązana pępowina po porodzie, ma wpływ na to, że jedne pępki są wciągnięte, a inne wystające. Tak jednak nie jest. Pępek wystający jest w rzeczywistości przepukliną pępkową. W miarę jak pępowina zaczyna wysychać, otaczające ją mięśnie brzucha zacieśniają się wokół niej, zamykając na stałe otwór, przez który łączyła się z ciałem dziecka. W niektórych przypadkach otwór ten nie zamyka się w pełni. Pod wpływem ciśnienia powstającego w czasie, kiedy dziecko kaszle lub płacze, część pępka uwypukla się na zewnątrz – co w efekcie daje wystający pępek. Pępki te mogą mieć różne rozmiary – od groszku do orzecha włoskiego. Nie są szkodliwe, ani nie wymagają pomocy lekarskiej, dopóki nie sprawiają bólu.

Skóra

P.: Czy powinnam być zaniepokojona, jeżeli u mego dziecka pojawia się wysypka?

O.: Wysypki, występujące w pierwszych dniach życia, są prawdopodobnie niegroźnymi objawami reagowania skóry na jej nowe środowisko. Skóra dziecka może reagować na swój pierwszy kontakt z odzieżą lub innymi substancjami, tworząc czerwoną, plamistą wysypkę, z małymi, białymi lub żółtymi kropkami pośrodku. Zmiany te mają wygląd pokrzywki i mogą pojawiać się i znikać szybko na różnych częściach ciała. Wysypka taka ustąpi po kilku dniach i nie wymaga leczenia. Jeżeli dziecko jest zbyt grubo ubrane lub panuje upał, może dostać potówek. W miejscach, gdzie maleństwo się poci najczęściej – na twarzy, karku, ramionkach i klatce piersiowej, a szczególnie w fałdach skórnych – pojawiają się drobne, czerwone kropki. Spłukanie potu złagodzi podrażnienia skóry, ale najważniejsze, byś upewniła się, że nie ubierasz dziecka zbyt ciepło lub nie przykrywasz go zbyt wieloma warstwami.

P.: Moje dziecko ma nieregularne, czerwone plamy na skórze – głównie na grzbiecie i brzuszku. Co powinnam zrobić?

O.: Mniej więcej połowa wszystkich noworodków ma takie objawy 2–4 dni po urodzeniu. W części środkowej każdej plamki może znajdować się mały pęcherzyk, który czasami wygląda na zainfekowany. W ciągu dwóch lub trzech dni te plamki i pęcherzyki zanikają samoistnie. Ten rodzaj wysypki, znanej jako rumień toksyczny, rzadko pojawia się u wcześniaków.

P.: Dlaczego moje dziecko ma suchą skórę?

O.: W pierwszych kilku dniach życia większość dzieci ma suchą, łuszczącą się skórę, ponieważ jej wierzchnia warstwa, która stykała się z płynem owodniowym, musi zostać odrzucona. Jest to najbardziej widoczne na nadgarstkach, okolicach kostek, dłoniach i podeszwach. Nie powoduje bólu i nie oznacza, że dziecko będzie miało później jakieś problemy skórne. Suchość ta nie wymaga leczenia, choć można smarować skórę dziecka niewielką ilością oliwki dobrej jakości, np. olejkiem migdałowym.

P.: Czy jest to normalne, kiedy noworodek ma niebieskawe stópki i rączki?

O.: Czasami niezwykły wygląd skóry noworodków jest wynikiem procesu, w którym układ krążenia dziecka przystosowuje się do samodzielnego życia. Niektóre dzieci 1–2 dni po porodzie, zanim nie poprawi się krążenie krwi w ich kończynach, miewają szaroniebieskawe rączki i stópki. Jeżeli tylko mają ciepło, ich rączki i nóżki wkrótce się zaróżowią.

P.: Policzki mego dziecka są czerwone, szorstkie i suche. Wyglądają na podrażnione i martwię się, że mogą zacząć się na nich pojawiać pęknięcia. Co mogę zrobić?

O.: Suchość skóry jest spowodowana utratą wody przez ochronną, w warunkach normalnych, barierę skórnego łoju lub olejków. Schorzenie to może mieć podłoże genetyczne lub spowodowane zostać wystawieniem dziecka na działanie zimnej, wietrznej pogody. Nienaturalnie wysuszyć skórę może także bardzo ciepłe i suche powietrze w mieszkaniach. Natomiast niektóre chemikalia w mydłach i pieniących płynach kąpielowych odtłuszczają skórę, rozpuszczając warstwę skórnego łoju. Przy pierwszych oznakach suchości skóry posmaruj ją grubo zmiękczającym i nawilżającym kremem lub jakimś kremem beztłuszczowym. Masz duży wpływ na opanowanie tego schorzenia chroniąc skórę dziecka przed wiatrem, obniżając temperaturę ogrzewania pomieszczenia, a kiedy skóra dziecka nadal jest sucha – unikając także płynów do kąpieli i mydeł.

Problemy zdrowotne
Żółtaczka

P.: Co powoduje żółtaczkę?

O.: Żółtaczka jest spowodowana nadmiarem żółtego barwnika żółci – bilirubiny – we krwi i tkankach ciała. Żółtawe podbarwienie skóry i białkówek oczu, będące charakterystycznym objawem tego stanu, jest najbardziej oczywistą oznaką schorzenia wątroby. Żółtaczka noworodków jest czymś normalnym, bo ich niedojrzałe jeszcze wątroby nie są w stanie odpowiednio szybko przetwarzać bilirubiny. Ponieważ płód potrzebuje większej ilości krwinek czerwonych niż noworodek, nadmiar tych krwinek jest rozkładany w wątrobie, a hemoglobina przetwarzana jest w bilirubinę. Ta z kolei przechodzi do jelit dla wydalenia na zewnątrz. Jeśli jest jej za dużo, przedostaje się do krwiobiegu, powodując żółtaczkę.

P.: Czy pojawi się ona u mojego dziecka, a jeżeli tak, to z jakim przebiegiem?

O.: U ponad połowy wszystkich noworodków żółtaczka pojawia się pomiędzy trzecim a piątym dniem po urodzeniu. Po następnych dwóch lub trzech dniach następuje szybka poprawa, a przez następny tydzień żółtaczka powoli zanika. W dwa tygodnie po urodzeniu większość dzieci nie ma już żółtaczki. Jeżeli tak nie jest, powinno się wykonać badanie moczu i krwi dla oceny funkcji wątroby. U dzieci karmionych piersią żółtaczka trwa nieco dłużej niż u tych, które są karmione butelką. Ten typ żółtaczki nie powoduje powstania jakichkolwiek problemów u dziecka i nie powinien utrudniać podjęcia decyzji o dalszym utrzymywaniu karmienia piersią.

P.: Jak leczy się żółtaczkę?

O.: Ważne jest, by dzieci z żółtaczką były dobrze karmione i dostawały dodatkowe płyny. Światło słoneczne może pomóc w redukcji zawartości bilirubiny we krwi. Często radzi się, aby na 10 do 20 minut przestawiać łóżeczko dziecka w pobliże okna, ale poza bezpośrednim zasięgiem promieni słonecznych. Wszelkie niepokojące problemy związane z poziomem bilirubiny we krwi twego dziecka powinny zostać sprawdzone badaniem próbki krwi, pobranej z powierzchni dłoniowej rączki dziecka. Poziom ten powinien być oznaczany codziennie, aż do momentu, kiedy się ustabilizuje lub zaczyna opadać. Jeżeli poziom bilirubiny nie obniża się tak szybko, jak należałoby tego oczekiwać, noworodek może potrzebować fototerapii.

P.: Jak działa fototerapia?

O.: Dziecko zostaje rozebrane i osłania się jego oczka, a następnie umieszcza się maleństwo pod niebieską lampą fluorescencyjną. Światło tej lampy rozkłada bilirubinę, którą dziecko może następnie wydalić. Czasami, dla zwiększenia ilości pochłanianego światła, dzieci kładzie się na specjalnych kocykach do terapii światłowodowej. To leczenie stosuje się zwykle okresowo, np. naświetlanie przez godzinę, co cztery godziny.

Po prawej: Często noworodek po urodzeniu ma żółtawą skórą, co jest spowodowane żółtaczką.

Problemy zdrowotne
„Wiotkie dziecko"

P.: Co to jest „zespół wiotkiego dziecka"?
O.: Jest wiele powodów, z których dziecko
może być nienaturalnie wiotkie. W większości
przypadków nie ma tu jakiejś podstawowej przyczyny. Dziecko po prostu wolno dojrzewa i określa się to, jako zespół wiotkiego dziecka. Badania
lekarskie nie wykazują u tych dzieci jakiejkolwiek
przyczyny ich wiotkości. Może tu występować
pewna rodzinna skłonność do opóźnionego rozwoju umiejętności siedzenia, raczkowania i chodzenia.

P.: Jak ten zespół się objawia?
O.: Dziecko od urodzenia jest wiotkie, ale wiot-
kość ta nie nasila się. Po kilku miesiącach stan
dziecka zwykle zaczyna się poprawiać i ostatecznie wyrasta ono ze stanu tej zwiotczałości.
Pozostają po nim tylko ślady w postaci nieznacz-
nego osłabienia mięśni lub nadmiernej ruchomości stawów. Wcześniaki są bardziej wiotkie niż
dzieci donoszone, ale napięcie ich mięśni narasta, w miarę jak dojrzewają.

P.: Na co powinnam zwracać uwagę?
O.: Panowanie dziecka nad ruchami i pozycją
główki może rozwijać się wolniej niż zwykle, co
sprawia, że główka maleństwa może wymagać
podtrzymywania przez dłuższy okres. W czasie
spoczynku dziecko może leżeć z rączkami i nóżkami rozłożonymi szeroko i płasko. Ponadto wykonuje ogólnie mniej ruchów niż dziecko bez tych
objawów. W wieku sześciu miesięcy dziecko
może być ciągle niezdolne do siadania, nawet
z pomocą, i do obciążania nóżek. Jeśli trzyma się
je pod ramionkami, w pozycji pionowej, to może
przejawiać tendencję do wyślizgiwania się z tego
uchwytu.

P.: Co mogę zrobić w takiej sytuacji?
O.: Niektóre z dzieci z umiarkowaną wiotkością
po prostu nie mają wystarczających możliwości
do poruszania się wokół i wzmacniania swych
mięśni. Może to na przykład dotyczyć dzieci,
które są często pozostawiane w fotelikach samochodowych. Postaraj się sprawdzić, czy dziecko
ma odpowiednio wiele możliwości do poruszn-
nia się wokół, machania rączkami i wierzgania
nóżkami – to bowiem rozwija napięcie mięśni.
W przypadku wyraźniej zaznaczonej wiotkości
możesz dowiedzieć się, jak ćwiczyć z dzieckiem
dla wzmożenia napięcia jego mięśni. I nie martw
się, jeżeli badania nie wykażą konkretnej, kryjącej
się za wiotkością przyczyny, dziecko po pewnym
czasie uzyska normalne napięcie mięśniowe.

*Maleństwo może jednak istotnie
mieć „zespół wiotkiego dziecka",
jeżeli w wieku sześciu miesięcy
jest jeszcze ciągle niezdolne
do siedzenia w pozycji
pionowej, nawet z pomocą.*

2

niemowlę

1 do 12 miesięcy

Rozwój
Pierwszy rok życia

Poszczególne dzieci bardzo różnią się między sobą indywidualnym tempem rozwoju, więc są to tylko spostrzeżenia ogólne.

Od 1 do 12 miesiąca

1 miesiąc

- **Język.** Stosuje różnego rodzaju płacz, który umożliwia rozpoznanie przyczyny dyskomfortu, np. głodu, znudzenia, zmęczenia lub dolegliwości.
- **Koordynacja ręka-oko.** Wodzi wzrokiem za przesuwanymi przedmiotami. Porusza rączkami w sposób niezbyt kontrolowany, ale potrafi włożyć piąstkę do buzi.
- **Zdolności ruchowe.** Umie nieznacznie unieść główkę podczas leżenia na brzuszku. Macha w powietrzu rączkami i nóżkami. Kiedy się przestraszy, wygina łukowato grzbiet i wyrzuca przed siebie rączki i nóżki (odruch obronny Moro).

2 miesiące

- **Język.** Używa kilku rozpoznawalnych, ale niezrozumiałych dźwięków. Obserwuje ludzki język ciała.
- **Koordynacja ręka-oko.** Zaczyna panować nad ruchami rączek, są one przeważnie otwarte, a paluszki stają się bardziej giętkie. Potrafi już trzymać przez krótką chwilę małe przedmioty.
- **Zdolności ruchowe.** Zwiększa się kontrola nad ruchami szyi, która zaczyna podtrzymywać ciężar główki. Zanikają wczesne odruchy.
- **Kontaktowość i rozwój emocjonalny.** Pierwsze uśmiechy. Może zacząć przesypiać noc.

3 miesiące

- **Język.** Poprawia się jego słuch. Kiedy słyszy niewielki hałas, samo się ucisza. Wydaje co najmniej dwa charakterystyczne dźwięki, takie jak „oooo" i „aaaa".
- **Koordynacja ręka-oko.** Wyciąga rączkę w kierunku najbliższego przedmiotu. Spogląda na obrazki w książce i próbuje ich dotknąć.
- **Zdolności ruchowe.** Sprawniej obraca się w łóżeczku. Ruchy nóżek w czasie wierzgania stają się całkiem energiczne.
- **Kontaktowość i rozwój emocjonalny.** Jest zainteresowane otaczającym światem i stara się zwrócić na siebie uwagę rodzica, kiedy jest w pobliżu. Potrafi przybrać różne miny dla wyrażenia swego nastroju.

Od 1 do 12 miesiąca

4 miesiące

- **Język.** Wyraźnie śmieje się, kiedy jest rozbawione. Wykrzykuje samogłoski dla zwrócenia na siebie uwagi.
- **Koordynacja ręka-oko.** Podczas kąpieli bawi się wodą, uderzając rączkami w jej powierzchnię. Potrafi skupić uwagę na przedmiotach bliskich i odległych tak dobrze, jak czyni to dorosły.
- **Zdolności ruchowe.** Z podparciem siedzi w pozycji wyprostowanej. Odwraca się na boki bez pomocy.
- **Kontaktowość i rozwój emocjonalny.** Lubi codzienne czynności, takie jak karmienie, kąpiel i ubieranie. Uspokaja się, kiedy mu łagodnie śpiewasz.

5 miesięcy

- **Język.** Używa przypadkowo trzech lub czterech dźwięków gaworzenia, połączenia samogłosek ze spółgłoskami, na przykład „nanana". Obserwuje twoje reakcje i może naśladować twoje miny.
- **Koordynacja ręka-oko.** Zaczyna śledzić przedmiot, który upuściło. Ma już mocny chwyt i niechętnie go zwalnia.
- **Zdolności ruchowe.** Mocno przyciska stópki do podłoża, takiego jak szczyt łóżeczka. Przemieszcza się po podłodze, turlając się i odwracając.
- **Kontaktowość i rozwój emocjonalny.** Może przywiązywać się do przytulanek lub innych przedmiotów „podnoszących na duchu", szczególnie widoczne jest to przed zaśnięciem. Może przez krótki czas bawić się samo.

6 miesięcy

- **Język.** Synchronizuje swoją „mowę" z twoją, jak gdyby w rozmowie. Wymawia więcej różnych głosek, takich jak: „f", „w", „ka", „da", „ma".
- **Koordynacja ręka-oko.** Posługuje się jednocześnie obydwiema rączkami i potrafi przekładać przedmioty z jednej rączki do drugiej. Usiłuje samodzielnie jeść, wkładając paluszkami pokarm do buzi.
- **Zdolności ruchowe.** Samodzielnie siedzi. Prezentuje pierwsze próby pełzania poprzez podciąganie kolanka do brzuszka.
- **Kontaktowość i rozwój emocjonalny.** W towarzystwie obcych osób może stać się niespokojne i zacząć płakać. Może figlarnie przytrzymywać zabawkę, kiedy usiłujesz mu ją zabrać. Odwraca się, kiedy słyszy własne imię.

Od 1 do 12 miesiąca

7 miesięcy

- **Język.** Kiedy się mówi bezpośrednio do niego, żywo reaguje. Odpowiada na takie uwagi, jak: „Spójrz na to". Zdaje się rozróżniać różnobarwny ton głosu, wyrażający radość, powagę, zdziwienie.
- **Koordynacja ręka-oko.** Odkrywa nowe sposoby bawienia się zabawkami, np. stuka nimi. Zaczyna ujmować przedmioty kciukiem i innym palcem, stosując tzw. chwyt szczypcowy.
- **Zdolności ruchowe.** Potrafi obrócić się sprawnie z grzbietu na brzuszek i z powrotem. Może już umieć pełzać.
- **Kontaktowość i rozwój emocjonalny.** Gniewa się, kiedy czegoś mu się zabroni. Lubi znane, codzienne, rutynowe czynności, takie jak kąpiel lub układanie do snu.

8 miesięcy

- **Język.** Powtarza wielokrotnie ten sam dźwięk, taki jak sylaby lub wyrazy, które wypowiadasz. Otwiera i zamyka buzię, obserwując, jak jesz, i naśladując ruch twoich szczęk.
- **Koordynacja ręka-oko.** Z wysokiego krzesełka lubi upuszczać przedmioty. Próbuje ciągnąć za sznurek przywiązany do zabawki.
- **Zdolności ruchowe.** Jest w stanie pełzać do przodu i do tyłu. Zaczyna obciążać nóżki. Jeżeli wesprze się na krześle, z pewnym wysiłkiem może unieść się do pozycji stojącej.
- **Kontaktowość i rozwój emocjonalny.** Inicjuje kontakty towarzyskie z innymi dorosłymi. Może być jednak nieśmiałe i niechętne pozwala brać się na ręce obcym. Lubi towarzystwo innych dzieci, ale nie bawi się wspólnie z nimi.

9 miesięcy

- **Język.** Wypowiada pierwsze słowa, być może niewyraźnie. Słucha, kiedy mówisz, i potrafi zrozumieć proste polecenia, takie jak: „Chodź tutaj".
- **Koordynacja ręka-oko.** Ruchy rączek są już bardziej skoordynowane. Może potrafić zbudować wieżę z dwóch klocków. Obserwuje otoczenie i interesuje się drobnymi szczegółami.
- **Zdolności ruchowe.** Podczas pełzania potrafi obrócić się dookoła. Interesuje je wspinanie się na stopnie. Kiedy jest podtrzymywane pod paszkami, wykonuje ruchy przypominające chodzenie.
- **Kontaktowość i rozwój emocjonalny.** Jest ciekawe innych dzieci i może spoglądać na nie lub je poszturchiwać.

Od 1 do 12 miesiąca

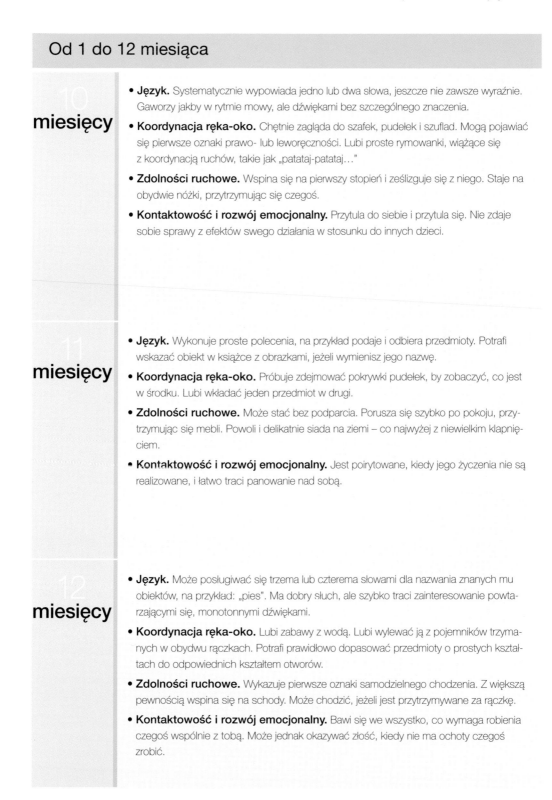

10 miesięcy

- **Język.** Systematycznie wypowiada jedno lub dwa słowa, jeszcze nie zawsze wyraźnie. Gaworzy jakby w rytmie mowy, ale dźwiękami bez szczególnego znaczenia.
- **Koordynacja ręka-oko.** Chętnie zagląda do szafek, pudełek i szuflad. Mogą pojawiać się pierwsze oznaki prawo- lub leworęczności. Lubi proste rymowanki, wiążące się z koordynacją ruchów, takie jak „patataj-patataj..."
- **Zdolności ruchowe.** Wspina się na pierwszy stopień i ześlizguje się z niego. Staje na obydwie nóżki, przytrzymując się czegoś.
- **Kontaktowość i rozwój emocjonalny.** Przytula do siebie i przytula się. Nie zdaje sobie sprawy z efektów swego działania w stosunku do innych dzieci.

11 miesięcy

- **Język.** Wykonuje proste polecenia, na przykład podaje i odbiera przedmioty. Potrafi wskazać obiekt w książce z obrazkami, jeżeli wymienisz jego nazwę.
- **Koordynacja ręka-oko.** Próbuje zdejmować pokrywki pudełek, by zobaczyć, co jest w środku. Lubi wkładać jeden przedmiot w drugi.
- **Zdolności ruchowe.** Może stać bez podparcia. Porusza się szybko po pokoju, przytrzymując się mebli. Powoli i delikatnie siada na ziemi – co najwyżej z niewielkim klapnięciem.
- **Kontaktowość i rozwój emocjonalny.** Jest poirytowane, kiedy jego życzenia nie są realizowane, i łatwo traci panowanie nad sobą.

12 miesięcy

- **Język.** Może posługiwać się trzema lub czterema słowami dla nazwania znanych mu obiektów, na przykład: „pies". Ma dobry słuch, ale szybko traci zainteresowanie powtarzającymi się, monotonnymi dźwiękami.
- **Koordynacja ręka-oko.** Lubi zabawy z wodą. Lubi wylewać ją z pojemników trzymanych w obydwu rączkach. Potrafi prawidłowo dopasować przedmioty o prostych kształtach do odpowiednich kształtem otworów.
- **Zdolności ruchowe.** Wykazuje pierwsze oznaki samodzielnego chodzenia. Z większą pewnością wspina się na schody. Może chodzić, jeżeli jest przytrzymywane za rączkę.
- **Kontaktowość i rozwój emocjonalny.** Bawi się we wszystko, co wymaga robienia czegoś wspólnie z tobą. Może jednak okazywać złość, kiedy nie ma ochoty czegoś zrobić.

Karmienie
Pierwsza butelka

Niektóre z dzieci karmionych piersią po prostu lubią pić i będą chętnie piły z butelki. Inne znów są bardzo wybredne i chcą być karmione jedynie piersią. Większość dzieci znajduje się jednak pomiędzy tymi dwiema skrajnościami. Wiele kobiet, które karmiły piersią, wspomina co najmniej kilka trudności w przekonaniu swych dzieci do pobierania pokarmu z butelki.

Najbardziej oczywistym wyjaśnieniem przyczyny tych trudności jest to, że dzieci lubią być karmione piersią. Lubią bezpośredni kontakt z ciałem matki i słuchanie bicia jej serca, a także bliskie przytulenie, jakie z tym karmieniem się wiąże. Szybko przyzwyczajają się także do zapachu i smaku mleka matki, tempa z jakim pokarm wypływa oraz kontroli, jaką mają nad tym wypływem.

Mieszanka dla niemowląt

Mieszanka dla niemowląt została tak przygotowana, by możliwie jak najdokładniej naśladowała mleko kobiece. Jest podobnie odżywcza, choć nie zawiera przeciwciał obecnych w mleku matki. Mieszanka produkowana jest na bazie mleka krowiego i zawiera węglowodany, tłuszcze, białko, minerały i witaminy, jednak trawienie jej trwa dłużej niż trawienie mleka kobiecego. Można więc się przekonać, że dzieci karmione butelką już od początku wpadają w rytm karmienia co cztery godziny. Jeżeli wybierasz mieszankę, niech cię nie kusi by wypełniać „z czubkiem" dozownik lub zbyt

mocno ubijać w nim mleko w proszku. Może to sprawić, że mieszanka będzie dla dziecka trudniejsza do strawienia. Upewnij się, że wybrałaś typ mieszanki odpowiedni do wieku dziecka. W dni upalne, jeżeli dziecko wygląda na spragnione, może popijać przegotowaną i ostudzoną wodę. Dzieci karmione wyłącznie piersią nie potrzebują dodatkowego picia, ponieważ zawartość wody w mleku kobiecym zostaje podniesiona zawsze wtedy, kiedy jest to niezbędne.

Odciąganie pokarmu

Odciąganie własnego mleka jest umiejętnością użyteczną, której warto się nauczyć. Ty odpoczniesz od karmienia piersią, a dziecko przyzwyczai się do ssania smoczka. Odciągaj pokarm rano, tuż po posiłku, kiedy czujesz się najedzona. Pokarm może być przechowywany przez cztery godziny w temperaturze pokojowej i przez dwa lub więcej dni w lodówce.

Wyjaławianie

Wszystko, czego używasz dla przygotowania mieszanki i karmienia dziecka w pierwszych czterech miesiącach jego życia, musi być uprzednio wyjałowione. Mleko jest bowiem doskonałą pożywką dla szybko mnożących się bakterii. Możesz tu użyć różnych metod, łącznie z posłużeniem się specjalnie wyprodukowanym do tego celu sterylizatorem albo też zmywarką do naczyń czy kuchenką mikrofalową. Zanim po raz pierwszy użyjesz sprzętu do wyjaławiania, upewnij się, że dokładnie przeczytałaś wszystkie zalecenia producenta.

Karmienie
Często zadawane pytania

Karmienie – pięć wskazówek

1. **Podawaj dziecku butelkę, zanim stanie się ono naprawdę głodne.**
2. **Niech butelkę podaje także twój partner lub któreś z przyjaciół po to, aby dziecko nie mogło wyczuć, czy jest to zapach matczynego mleka.**
3. **Smoczek przed użyciem zmiękcz we wrzącej wodzie – wystudź go, zanim dasz dziecku.**
4. **Zacznij od podawania małych porcji pokarmu – dziecko na początku może przyjąć jedynie około 25 ml.**
5. **Wypróbuj różne typy smoczków. Niektóre dzieci wolą smoczki miękkie, lateksowe niż te wykonane z silikonu. Zawsze sprawdź, czy wielkość otworu w smoczku jest odpowiednia dla twego dziecka.**

P.: Kiedy najlepiej wprowadzać karmienie butelką?

O.: Nie ma odpowiedniego czy nieodpowiedniego momentu do podania dziecku pierwszego pokarmu w butelce. Ekspert radzi, by nie działać w tym przypadku zbyt pospiesznie. Jeżeli zrobi się to w czasie pierwszych trzech tygodni, zanim nie ustabilizuje się jeszcze u ciebie proces karmienia piersią, możesz doprowadzić do zmniejszenia produkcji pokarmu i zdezorientowania tym swojego dziecka. Dzieje się tak, dlatego że karmienie piersią i karmienie butelką dotyczy dwóch zupełnie różnych technik ssania. Dla osiągnięcia najlepszych wyników poczekaj, aż twoje karmienie piersią odpowiednio się ustabilizuje. Działaj powoli. Najpierw wprowadź jedno karmienie butelką dziennie, potem przechodź stopniowo do dwóch karmień, a później do trzech itd. Początkowo

możesz podawać w butelce swoje mleko, tak by pokarm smakował tak samo.

P.: Jeżeli przerwę karmienie piersią, a potem zmienię zdanie i będę chciała je kontynuować, czy jest to możliwe?

O.: Tak. W zależności od długości przerwy w karmieniu odbudowa odpowiedniej produkcji pokarmu może potrwać około miesiąca. Dopóki dziecko współdziała z tobą, możesz ponownie rozpocząć karmienie piersią po każdej niemal przerwie. Im częściej przystawiasz dziecko do piersi, tym więcej pokarmu wytwarzają.

P.: Czy moje dziecko może być uczulone na mieszankę?

O.: Jest dość mało prawdopodobne, by dziecko miało reakcję uczuleniową na mieszankę. Jeśli tylko sądzisz, że ją ma, zapisz datę, objawy i rodzaj użytego produktu. Jeżeli chcesz, zastosuj inną mieszankę albo poproś lekarza, by przepisał ci mleko hipoalergiczne. Poczynając od szóstego miesiąca życia dziecka, możesz mieszać pełnotłuste pasteryzowane mleko krowie z płatkami dla dziecka lub z dziecięcymi daniami gotowymi. Nie stosuj tego jako posiłku głównego, zanim dziecko nie skończy pierwszego roku życia.

P.: Jakie inne napoje mogę podawać dziecku?

O.: Przegotowana i ochłodzona woda może być podawana dzieciom karmionym butelką od szóstego tygodnia życia. Dzieci karmione piersią nie muszą dostawać niczego dodatkowego do picia. Nie dodawaj do wody żadnych substancji smakowych ani słodzików. Od dziewiątego miesiąca życia można stopniowo wprowadzać dobrze rozcieńczone, niesłodzone soki owocowe. Dziecku poniżej drugiego roku życia nigdy nie podawaj gazowanej wody mineralnej ani wody z wysoką zawartością minerałów.

Odstawianie od piersi

W piątym lub szóstym miesiącu dziecko podwaja swoją wagę urodzeniową, a osiągając dwanaście miesięcy, może ją potroić. Mleko kobiece lub mieszanka dla niemowląt zaspokajały żywieniowe potrzeby maleństwa w pierwszych miesiącach jego życia, jednak gwałtowny wzrost i rozwój dziecka oznacza, że około szóstego miesiąca będzie już ono potrzebowało więcej substancji odżywczych niż może mu ich dostarczyć samo tylko mleko.

Kontrolowane odstawianie od piersi

Dziecko może być gotowe do odstawiania od piersi, jeżeli ma więcej niż 17 tygodni, a odpowiedzi na większość poniższych pytań brzmią: „tak".
- Czy nadal wydaje się głodne po nakarmieniu go z obydwu piersi lub po podaniu mu 250 ml mieszanki?
- Czy budzi się coraz wcześniej rano lub nawet w nocy, którą uprzednio przesypiało?
- Czy nadmiernie żuje swoje rączki lub próbuje wkładać różne rzeczy do buzi?
- Czy sprawia wrażenie ogólnie niespokojnego i marudnego?
- Czy spogląda tęsknie na to, co jesz?

Odstawianie od piersi jest procesem stopniowego przestawiania dziecka z posiłków mlecznych na miękkie przeciery i papkowate pokarmy, zanim w wieku około 12 miesięcy nie zacznie ono brać udziału w rodzinnych posiłkach.

Powyżej: Użycie miękkiej łyżeczki pomoże dziecku przystosować się do zjedzenia swego pierwszego stałego pokarmu.

Oficjalne wytyczne rządu Wielkiej Brytanii zalecają, by wszystkie dzieci do szóstego miesiąca życia były karmione wyłącznie piersią. Jeśli rodzice decydują się na wcześniejsze odstawienie dziecka od piersi, nie powinni wprowadzać pokarmów stałych przed siedemnastym tygodniem życia.

Kiedy wprowadzać pierwszy stały posiłek

Większość rodziców uważa, że dziecko jest bardziej skłonne spróbować swego pierwszego stałego pokarmu po porannym śnie. Podaj dziecku najpierw małą porcję mieszanki lub pokarm z jednej tylko piersi, by zaspokoić jego pierwszy głód. Dziecka bardzo głodnego nie da się łatwo przekonać, by po raz pierwszy w życiu spróbowało czegoś z łyżeczki. Wypełnij pokarmem do połowy małą, miękką łyżeczkę dziecięcą i podaj ją maleństwu. Nie martw się, jeżeli się okaże, że większość jedzenia wypływa z buzi niemowlęcia. Opanowanie przez dziecko umiejętności jedzenia z łyżeczki będzie wymagało nieco czasu.

Odstawianie od piersi
Pierwszy stały posiłek

Choć dotychczas dziecko było karmione na żądanie, ważne jest, aby wprowadzanie pokarmów stałych odbywało się w sposób bardziej uporządkowany. Zacznij od jednego skromnego posiłku przedpołudniowego, a dwa lub trzy tygodnie później wprowadź drugi. Po następnych dwóch lub trzech tygodniach przygotuj się stopniowo do wprowadzenia trzeciego posiłku. Niech cię nie kusi, żeby zbyt szybko zwiększać objętość pokarmów, ponieważ przewód pokarmowy dziecka potrzebuje czasu na odpowiednie przystosowanie się.

P.: Od jakiego rodzaju pokarmów najlepiej zacząć?

O.: Na pierwszy pokarm najlepiej wybrać ryż dla niemowląt sprzedawany w formie sproszkowanej. Jest on najbardziej praktyczny, ponieważ porcje podawane na tym etapie żywienia są małe. Smak i konsystencja tego pokarmu nie różni się bardzo od mleka, więc lubi go większość dzieci. Jeśli maleństwo jest z niego zadowolone, możesz próbować mieszać ten ryż z niewielką ilością przetartego jabłka. Na pierwszy pokarm zapewniający szeroki wybór różnych smaków i konsystencji nadają się też znakomicie gotowane i przetarte ziemniaki lub bataty, dynia piżmowa, pasternak, marchewka. Sprawdź także, jakie pokarmy mogą wywołać uczulenia (patrz strona 77).

P.: Co jest lepsze? Gotowanie we wrzątku czy na parze?

O.: W trakcie gotowania we wrzątku niektóre minerały i witaminy rozpuszczają się w wodzie. Przeciery przyrządzane w taki sposób mogą być jednak równie odżywcze jak gotowane na parze. Warunkiem tego jest gotowanie produktów w minimalnej ilości wody, która następnie zostanie wykorzystana do przygotowania potrawy. Produkty gotowane na parze nie oddają witamin i minerałów do wody – przygotowując przecier, by uzyskać odpowiednią konsystencję, do większości z nich trzeba będzie dodać przegotowanej wody, odciągniętego mleka kobiecego lub mieszanki dla niemowląt.

P.: Czy pokarmy przygotowane w domu są lepsze od produktów rynkowych?

O.: Obydwa te rodzaje mają swoje zalety. Kiedy sama przygotowujesz pokarm, możesz użyć sprawdzonych, świeżych składników, mających największe wartości odżywcze. Natomiast zaletą gotowych dań ze sklepu jest ich praktyczność i zmniejszenie ilości odpadów – zużywa się małe, jednorazowe opakowania. Stosowanie dodatków i środków konserwujących w gotowych produktach rynkowych bywa ograniczone, a zawartość opakowania jest kontrolowana na obecność pestycydów.

P.: Moje dziecko ma już 10 miesięcy. Czy mogę już przecierać i podawać mu w formie papki małe porcje posiłków, które spożywa reszta rodziny?

O.: Wiele z waszych potraw będzie mu przypuszczalnie bardzo smakowało, ale pokarmy dla dziecka poniżej 12 miesiąca życia nie powinny zawierać soli ani cukru. Unikaj także podawania niemowlęciu miodu i owoców morza. Pamiętaj, że młodziutkie kubki smakowe są bardziej czułe i wrażliwe, więc wyraźne, ostre smaki będą się dziecku wydawały nieznośne.

P.: Czy muszę stale wyjaławiać całe wyposażenie używane do karmienia?

O.: Nie. Wystarczy mycie całego sprzętu kuchennego w gorącej wodzie. Podstawowa higiena przygotowania posiłków, taka jak dokładne mycie rąk przed rozpoczęciem tej pracy oraz mycie wszystkich używanych owoców i jarzyn, pomoże zapewnić bezpieczeństwo.

Odstawianie od piersi
Częste problemy

P.: Moje dziecko nie chce jeść pokarmów stałych łyżeczką. Co mogę zrobić, żeby je do tego zachęcić?

O.: Jeżeli dziecko ma mniej niż sześć miesięcy, dobrze przybiera na wadze i przesypia noce, ale nie interesuje się pokarmami stałymi, może po prostu nie być jeszcze gotowe do odstawienia od piersi. Poproś o radę lekarza lub pielęgniarkę środowiskową. W przypadku starszych dzieci problem może dotyczyć samej łyżeczki albo tego, co na niej się znajduje. Przy ponownych próbach używaj innej łyżeczki lub zmieniaj jej zawartość: spróbuj rzadkiego ziemniaczanego piure albo rozwodnionego piure z dyni piżmowej. Nigdy nie wmuszaj dziecku pokarmu i nigdy nie poddawaj się pokusie, by dodać dziecięcy ryż do mieszanki w butelce. Jeżeli dziecko wygląda na wyraźnie przygnębione pierwszymi próbami podania stałego pokarmu, zrób kilka dni przerwy, po czym spróbuj ponownie.

P.: Moje sześciomiesięczne dziecko w ogóle nie smakuje stałych pokarmów. Co mogę zrobić?

O.: Dzieci sześciomiesięczne i starsze mogą odrzucać stałe pokarmy, ponieważ wypijają bardzo dużo mleka – szczególnie jeśli są jeszcze stale karmione w ciągu nocy. Porozmawiaj z pielęgniarką środowiskową o stopniowym zmniejszaniu ilości wypijanego przez dziecko mleka i zastępowaniu go wybranymi przez ciebie pokarmami. Około siedmiomiesięczne niemowlę powinno wypijać 600 ml mleka z piersi lub mieszanki dla niemowląt, a także otrzymywać pokarmy z niewielkim dodatkiem mleka krowiego.

P.: Moje dziewięciomiesięczne dziecko zjada wyłącznie różnego rodzaju piure i nie cierpi wszystkiego, co ma bardziej gruboziarnistą konsystencję. Na czym może polegać problem?

O.: Kiedy dziecko ma od dziewięciu do dwunastu miesięcy, powinno być już przyzwyczajone do jedzenia grubo siekanych potraw i kawałków surowych jarzyn. Jeśli na początku podawania maleństwu stałych pokarmów zaserwujemy mu zbyt grube kawałki jedzenia lub są w nich zbyt duże grudki, to dziecko nie będzie mogło ich przełknąć. Może się wówczas zrazić do jedzenia z łyżeczki. Jeżeli jednak będziesz czekać z takim karmieniem zbyt długo, maleństwo może stać się niechętne do przestawienia się z przecierów na bardziej gruboziarniste pokarmy. Dziecko potrzebuje czasu, by przystosować się do swych pierwszych posiłków. Podobnie jest też z przyzwyczajaniem go do stopniowej zmiany konsystencji pokarmów. Jeżeli polubi już piure, powoli zacznij podawać mu przeciery z nieco większymi grudkami. Jak tylko zacznie je jeść z zadowoleniem, podawaj mu mieszanki z gładkimi, łatwymi do gryzienia kawałkami. Kiedy zaakceptuje i tę zmianę, zaproponuj mu pierwsze pokarmy jedzone własnoręcznie – gotowane brokuły i marchewkę.

Po lewej: Dwunastomiesięczne dziecko będzie już potrafiło przy jedzeniu korzystać z pomocy własnych rączek.

Wychowanie pozytywne **Potrzeby żywieniowe**

P.: Teraz, kiedy zaczęłam odstawiać moje dziecko od piersi, martwię się, że mogę pozbawiać je niezbędnych dla jego zdrowia witamin i minerałów. Co powinnam o tym wiedzieć?

O.: Poowinnaś wiedzieć, że potrzeby twego dziecka zmieniają się z wiekiem. Około półroczne niemowlę wyczerpało już wiele z rezerw witamin i minerałów, z którymi się urodziło. Zapasy te powinnaś stale uzupełniać w podawanych dziecku odpowiednich pokarmach.

Sposoby postępowania

• Dodawaj energii zmęczonemu dziecku miniaturowymi kanapkami z serem, ciepłym napojem mlecznym, serem pokrojonym w kostkę lub plasterkami jabłka.

• Tłuszcz występujący w warunkach naturalnych w pełnym mleku, serze i innych pełnotłustych produktach mlecznych dostarcza łatwo przyswajalną energię, a także witamin A i D.

• Podawaj dziecku plasterki owoców lub kawałki surowych warzyw jako zdrową przekąskę pomiędzy posiłkami lub posiekany/przetarty dodatek do płatków śniadaniowych. Organizm nie magazynuje witaminy C, dlatego niezwykle ważne jest codzienne podawanie dziecku dużej ilości owoców i jarzyn.

• Staraj się urozmaicać dietę dziecka, stosując różne typy ziaren – włączaj ich małe porcje do każdego posiłku. W posiłek południowy podawaj owsiankę lub ciasteczka ryżowe zamiast chleba, a ryż, kuskus albo proso w miejsce makaronu.

• Błonnik jest ważny dla zachowania zdrowia jelit, ale jego nadmiar spowoduje szybkie wydalenie z przewodu pokarmowego witamin i minerałów. Podawaj dziecku pokarmy zawierające błonnik rozpuszczalny, takie jak owoce, jarzyny i płatki owsiane.

Zmieniające się potrzeby żywieniowe dziecka

do 6 miesięcy	• Mleko wciąż pozostaje dla dziecka źródłem wszystkich substancji odżywczych. • W szóstym miesiącu życia niemowlęcia wprowadzaj metodę jedzenia stałych pokarmów z łyżeczki (patrz strona 72).
6-9 miesięcy	• W tym czasie pokarm musi dostarczać dziecku mnóstwo substancji odżywczych. • Ważne stają się żelazo i cynk, bo ich zapasy zostały już zużyte. Dołącz do codziennej diety dwie porcje owoców i/lub jarzyn.
9-12 miesięcy	• Spróbuj wprowadzać trzy do czterech miniporcji owoców i jarzyn, podawanych w formie soków owocowych lub w postaci gotowanej. Jedna miniporcja pokarmów bogatych w skrobię na jeden posiłek: płatki śniadaniowe, ryż, ziemniaki lub makarony. Dwa pokarmy białkowe: mięso, ryba, jaja, soczewica, ser lub twarożek sojowy – tofu.

UCZULENIA POKARMOWE

Zdefiniowanie i radzenie sobie z uczuleniami

Uczulenie pokarmowe (alergia pokarmowa) to nadwrażliwa reakcja na substancje znajdujące się w pożywieniu, które normalnie są nieszkodliwe. Występuje dość często u małych i nieco starszych dzieci.

U niektórych maleństw prawdopodobieństwo reakcji uczuleniowej, wywołanej przez jakiś konkretny pokarm, jest większe niż u innych. Alergią najbardziej są zagrożone dzieci z rodzin, które mają w wywiadzie, np.: alergię na orzeszki ziemne, astmę, wyprysk uczuleniowy lub gorączkę sienną. Ocenia się, że jedno na dziesięcioro dzieci ma skłonności do uczuleń. Wiele z tych dzieci wyrasta z alergii w wieku około dwóch lat. Inne do końca życia pozostaną uczulone na wybrane produkty: jajka, mleko, mąkę czy też skorupiaki.

Według oficjalnych wytycznych zalecane jest, aby dzieci, które mają obciążony wywiad rodzinny dotyczący schorzeń alergicznych, były karmione piersią przez co najmniej pierwsze cztery miesiące życia (a najlepiej jeszcze dłużej), po to, by wyposażyć je w przeciwciała ochronne. Kiedy w wieku sześciu miesięcy zaczyna się odstawianie dziecka od piersi, nowe pokarmy powinny być wprowadzane pojedynczo. Jeżeli alergie występują w wywiadzie rodzinnym, może to podwajać ryzyko pojawieniu się ich u dziecka. W takich przypadkach należy zwróć się po poradę specjalistyczną do lekarza. Jeżeli sądzisz, że twoje dziecko reaguje na pewne pokarmy bólami kolkowymi,

Powyżej: Mleko i inne produkty mleczne mogą powodować bóle brzucha, jeżeli dziecko wykazuje braki laktozy.

biegunką lub wymiotami, to nawet jeżeli nie masz alergii w wywiadzie rodzinnym, poproś lekarza o radę lub skierowanie do dietetyczki dziecięcej. Nie ulegaj pokusie wyłączania z diety twego dziecka pokarmów bez uprzedniej porady specjalistycznej, bowiem ograniczona dieta może spowodować u dziecka stan niedożywienia.

Pokarmy mogące wywoływać uczulenie

Poniżej wymienione są pokarmy, które często wywołują uczulenie. Poza nimi należy też zachować ostrożność wobec: nasion sezamu i wyrobów je zawierających, produktów na bazie soi, ryb, a w szczególności skorupiaków – tych ostatnich w ogóle nie powinno się podawać dziecku poniżej 12. miesiąca życia.

• **Orzeszki ziemne i inne orzechy.** Uczulenie spowodowane jakimkolwiek typem orzechów jest najpoważniejszym rodzajem alergii, często powodującym wstrząs anafilaktyczny. W tym typie reakcji uczuleniowej dochodzi do obrzęku krtani i utrudnienia oddychania. Unikaj więc: orzeszków ziemnych, masła orzechowego i nieoczyszczonego oleju arachidowego. Jeżeli w rodzinie występowało uczulenie na orzeszki ziemne, nie podawaj ich dziecku poniżej trzeciego roku życia. Generalnie nie powinno się zresztą podawać całych orzeszków dzieciom poniżej piątego roku życia z powodu niebezpieczeństwa zadławienia się. Problemy alergiczne mogą powodować także niektóre z orzechów rosnących na drzewach. Pokarmy kupowane w sklepie, takie jak: ciastka i biszkopty, mogą zawierać śladową ilość orzeszków ziemnych.

• **Produkty mleczne.** Niektóre dzieci mają objawy niedostatku laktazy – enzymu niezbędnego do strawienia zawartego w mleku cukru i cierpią one z powodu bólów brzuszka oraz biegunek. Jeżeli poczujesz się tym zaniepokojony, zasięgnij porady lekarza. Unikaj podawania dziecku mleka krowiego, sera i masła. Artykuły te powinny być albo ograniczone, albo całkowicie pominięte przy ustalaniu diety. Zastąpić je można mlekiem sojowym i innymi produktami z soi. Jogurt może być dobrze tolerowany, ponieważ zawarte w nim bakterie produkują swoją własną laktazę. Nie podawaj nieulepszonych (lub z kartonu) gatunków mleka sojowego dzieciom w wieku poniżej dwóch lat.

• **Gluten.** Uczulenie na gluten – białko znajdujące się głównie w pszenicy – jest znane pod nazwą celiakii. Dzieci cierpią wówczas na biegunki i dolegliwości brzuszne, powodujące uszkodzenie śluzówkowej wyściółki jelit i utratę wagi ciała. Unikaj pszenicy – pod wszelką postacią, np. chleba, makaronu, ciasta i mąki – i produktów z jęczmienia, żyta i owsa. Zastąpić je możesz ciastkami ryżowymi, ryżowymi lub kukurydzianymi kluseczkami,

ryżem lub kukurydzianymi płatkami (podawanymi na śniadanie), a także gryką, prosem lub mąką z sorgo. Chleb bezglutenowy można otrzymać na receptę. Jeżeli masz w wywiadzie rodzinnym taką postać alergii, lekarz może ci doradzać stopniowe wprowadzanie płatków zbożowych i jęczmiennych od dziewiątego miesiąca życia dziecka, a produktów z pszenicy od 12. miesiąca. Oczywiście pod ścisłą kontrolą.

• **Jajka.** Dzieci uczulone na jajka mogą mieć takie objawy, jak: wysypki lub egzemy (patrz strona 176), obrzęk skóry i dolegliwości brzuszne. Unikaj: jajek (szczególnie białka), ciastek, niektórych gatunków chleba i ciast.

• **Pomidory.** Uczulenie na pomidory może objawiać się wysypką lub egzemą. Może także łączyć

się z nadpobudliwością. Unikaj: pomidorów, sosu pomidorowego (ketchupu), gotowanego koncentratu pomidorowego oraz pomidorów w puszkach. Alternatywą mogą być: siekana marchewka lub czerwona papryka. Jeżeli masz w wywiadzie rodzinnym tę formę alergii, nie wprowadzaj pomidorów do diety dziecka, zanim nie osiągnie ono wieku co najmniej dziewięciu miesięcy.

• **Cytrusy i truskawki.** Objawami są tu zwykle wysypka lub egzema. Unikaj: świeżych pomarańczy, mandarynek „Satsuma", lizaków z zamrożonego soku pomarańczowego, jogurtów owocowych i zagęszczonych soków owocowych. Zamiennie można podać banany, gruszki, śliwki, morele, owoce suszone, a do picia sok jabłkowy.

Sen
Co jest typowe?

Sen jest potrzebą uniwersalną i nie tylko rodzice stają się zrzędliwi z powodu zarwanych nocy. Badania wykazują, że dzieci, które dobrze przesypiają noc, są zwykle bardziej zadowolone w czasie dnia, podczas gdy te, które śpią marnie, są zazwyczaj rozdrażnione. Oto, dlaczego zastosowanie takich metod postępowania, które pomogą dziecku spać smacznie, przynosi korzyść i matce, i dziecku.

Wyniki badań sugerują, że u niemowląt i małych dzieci śpiących przy zapalonym świetle istnieje większe prawdopodobieństwo wystąpienia krótkowzroczności niż u tych, które śpią w ciemnościach.

Nie ma takiego pojęcia, jak „przeciętne" dziecko. Staje się to bardziej oczywiste, jeżeli ma się dwoje lub więcej dzieci. Podczas, gdy twój pierworodny – zanim zapadnie w sen – może być zadowolony, kiedy położy się go w łóżeczku rozbudzonego, i ochoczo ssa swój kciuk przez pół godziny, to twoje drugie z kolei dziecko, zanim wreszcie zaśnie, musi płakać, aż do wyczerpania. Nie istnieje także coś takiego, jak „przeciętny" rodzic. Twój sąsiad np. może upierać się, że kontrolowany płacz stanowi cały sekret udanego snu dziecka, a ty możesz po prostu nie wytrzymywać słuchania płaczu swego maleństwa i możliwe, że niewłaściwie podejdziesz do problemu. Podobny przykład: ty możesz chcieć kłaść dziecko spać wcześnie, by resztę wieczoru mieć dla siebie, a twoja przyjaciółka po całodziennej pracy może woleć, kiedy dziecko idzie spać później.

Poniżej: Przytulanie bezpiecznej, ulubionej, miękkiej zabawki może pomóc wieczorem dziecku w zaśnięciu.

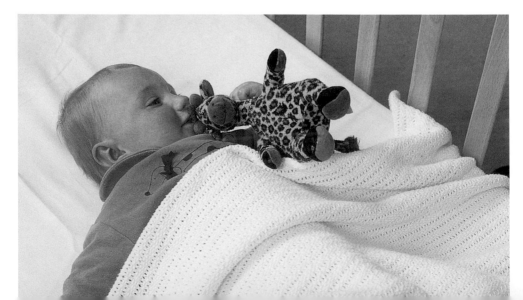

Sen
Często zadawane pytania

P.: Jak mogę stworzyć właściwą atmosferę dla spokojnego snu?

O.: Jest bardzo wiele czynników, które mogą dziecku utrudnić nieprzerwany sen. Spokój dziecka mogą zakłócać pierwsze promienie słońca, światła uliczne, a także błyski reflektorów samochodowych. Próbując temu zapobiec, można zamontować w jego oknie roletę zaciemniającą. Jeżeli codziennie rano o godz. 5.30 włącza się ogrzewanie, może (choć nie musi) mieć to związek z przebudzaniem się dziecka o tej porze. Spróbuj ustawić włączanie się ogrzewania na nieco późniejszą godzinę. Szczekające psy, silniki samochodów, inni członkowie rodziny – jest wiele hałasów, które mogą przestraszyć i obudzić śpiące dziecko. Jeśli nie jesteś w stanie zapanować nad wieloma z nich, może przeniesienie łóżeczka lub ułożenie maleństwa do snu w cichym pokoju pomoże mu spać spokojniej.

P.: Czy mam u dziecka pozostawiać na noc zapalone światło?

O.: Układanie dziecka do snu w ciemnym pomieszczeniu daje mu sygnał, że jest to bezpieczne miejsce i zmniejsza zagrożenie rozwinięcia się u niego lęku przed ciemnościami. Co więcej, organizm dziecka w ciemnościach produkuje więcej własnego, naturalnego środka uspokajającego, jakim jest melatonina – to z kolei pomaga mu w zaśnięciu. Możesz jednak uważać, że niewielkie oświetlenie ułatwia ci kontrolowanie dziecka w nocy. Ustaw więc światła tak, jak tobie wygodnie. Zrób to przed zaśnięciem dziecka, w przeciwnym razie, kiedy maleństwo obudzi się w nocy, może się zdziwić, że wszystko wygląda inaczej i to może zapoczątkować strach przed ciemnością.

P.: Czy powinnam w nocy dawać dziecku smoczek?

O.: To zależy tylko od ciebie i dziecka. Niektóre dzieci muszą coś ssać dla dobrego samopoczucia, inne zaś nie. Jeżeli nawet twoje dziecko właśnie tego potrzebuje, może samo znaleźć sobie coś do ssania, np. własny kciuk, kocyk lub ulubioną zabawkę. Możesz też przekonać się, że smoczek jest jedyną rzeczą, która je uspokaja. Powinnaś jednakże myśleć o odzwyczajaniu go od smoczka. Im dłużej dziecko ssie smoczek, tym silniejszym środkiem uspokajającym staje się on dla niego i wkrótce możesz odkryć, że musisz wstawać w nocy po kilka razy, żeby odszukać ukochany smoczek dziecka, leżący gdzieś pod kocykami. Spróbuj wprowadzić coś, co zastąpi smoczek. Przedtem jednak upewnij się, że nie ma niebezpieczeństwa, że dziecko zostanie przyduszone swoim zastępczym smoczkiem.

P.: Moje niemowlę i starsze dziecko muszą dzielić jeden pokój. Czy będą sobie nawzajem przeszkadzać?

O.: Dzieci przez całe pokolenia z powodzeniem korzystały wspólnie z pomieszczeń i nie ma powodu, by twoje nie mogły robić tego samego. Wielu z rodziców przekonuje się, że ich dzieci potrafią dobrze spać, pomimo różnych zakłóceń ze strony swego rodzeństwa. W rzeczywistości umieszczanie niemowlęcia razem z jego rodzeństwem może pomóc mu w zaśnięciu, jako że wpadnie ono w rytm ich ustalonych, miarowych oddechów. Jeśli jednak zamierzasz właśnie rozpocząć wdrażanie swego niemowlęcia do zasypiania, to może warto przenieść na kilka nocy starsze dziecko do innego pokoju, by ono z kolei nie było niespokojone.

Sen
Kształtowanie rutyny

Niemowlęta i małe dzieci bardzo lubią ustalony porządek dnia i nocy.
To pomaga im zrozumieć otaczający je świat, a także określa i nadaje kształt ich dniom. Jasno określony porządek dnia pomoże dziecku odkryć, że w ciągu codziennych wydarzeń jednym z etapów jest sen w łóżeczku. Umiejętność uświadomienia dziecku tego porządku będzie stanowiła już pewien krok do przygotowania maleństwa do dobrego nocnego snu. Możesz także utrzymywać ten ustalony porządek wówczas, kiedy gdzieś wyjeżdżacie – w ten sposób ułatwisz dziecku zasypianie w nieznanych mu miejscach.

P.: Jak mogę wdrożyć ustalony porządek dnia?

O.: Nie jest istotne, co robisz, ale ważne jest, byś wykonywała te same czynności w tej samej kolejności, każdego wieczoru (najlepiej o tej samej godzinie). Najważniejsze jest, by twój plan, dotyczący pory układania do snu, był przewidywalny i przyjemny. Powinien on mieć także za zadanie raczej uspokajanie dziecka aniżeli jego pobudzanie. Kiedy już ten codzienny rytuał zostaje odpowiednio wdrożony, wówczas możesz być trochę bardziej elastyczna. Jednak w ciągu pierwszych kilku miesięcy, staraj się konsekwentnie stosować ustalony porządek dnia.

P.: Czy mogę zmienić nawyki dziecka dotyczące snu?

O.: Tak. Możesz. Kiedy chcesz, żeby twoje dziecko dobrze spało w nocy, pierwszą rzeczą, jaką powinnaś zrobić, jest nauczenie go, że noc jest do spania. Może to brzmieć jak coś oczywistego, ale mogłabyś się zdziwić, wiedząc, jak wielu świeżo upieczonych rodziców nie dostrzega tego problemu. Łatwo można zrozumieć, w jaki sposób dochodzi do zacierania granicy między dniem a nocą. Jeżeli np. twoje maleństwo uparcie okazuje ochotę na zabawę z tobą akurat o drugiej w nocy, możesz pomyśleć, że jako matka powinnaś zrobić to, czego domaga się dziecko. Problem pojawia się po kilku kolejnych takich nocach, bowiem dziecko będzie już niecierpliwie czekało na tę swoją nocną zabawę – będzie się nawet specjalnie przebudzało.

Dobry sen – pięć wskazówek

1. **Sprawnie wykonuj nocne karmienia i przewijania – używaj jedynie przygaszonego oświetlenia; staraj się nie mówić do dziecka (jeżeli już musisz, to mów głosem cichym i bezbarwnym); nie utrzymuj z nim kontaktu wzrokowego.**
2. **Kiedy już przewinęłaś lub nakarmiłaś dziecko, nie podejmuj z nim żadnej aktywności. Połóż je wprost do łóżeczka.**
3. **Jeżeli maleństwo próbuje wciągnąć cię do zabawy, od razu kładź je ponownie spać.**
4. **W ciągu dnia zajmuj dziecko i pobudzaj jego aktywność na tyle, na ile to tylko możliwe. Takie zachowanie da dziecku znać, że dzień jest po to, by rozmawiać, bawić się i uczyć. Ponadto spowoduje to jego większe pobudzenie i sprawi, że wieczorami dziecko będzie zmęczone.**
5. **Wprowadzaj rozróżnienie pomiędzy nocnym snem a dzienną drzemką. W ciągu dnia kładź dziecko spać do torby lub kosza przeznaczonego do noszenia maleństwa, zamiast do łóżeczka. Zaciągaj zasłony na oknach jedynie w nocy.**

Gdzie dziecko będzie spało?

Miejsce	Za	Przeciw
W twoim łóżku	• Niektórzy eksperci przekonują, że jest to najbardziej naturalne rozwiązanie dla dzieci i rodziców. • To bardzo przytulne miejsce. • Ułatwia nocne karmienia, szczególnie jeśli karmisz piersią.	• Fundacja Badań nad Dziecięcą Śmiercią Łóżeczkową (FSID) kwestionuje twierdzenia, że zmniejsza to ryzyko śmierci łóżeczkowej. • Musisz przestrzegać wskazówek dotyczących bezpieczeństwa (patrz strona 39). • Niewskazane jeśli ty lub/i partner palicie.
We własnym łóżeczku	• Może zmniejszyć ryzyko śmierci łóżeczkowej. • Ułatwia reagowanie na potrzeby dziecka.	• Może zakłócać spokój, jeśli dziecko sypia płytko. • Odwleka się moment rozpoczęcia przyzwyczajania dziecka do jego własnego pokoju.
W łóżeczku, w którym długi bok jest otwarty i łączy się z bokiem twego łóżka	• Ułatwia kontrolę dziecka w nocy. • Przytulne miejsce.	• Dziecko może zostać uwięzione pomiędzy dwoma łóżkami. • Nie ma informacji o tym, by zmniejszało to ryzyko śmierci łóżeczkowej.
We własnym pokoju	• Nie ma nocnego chodzenia na paluszkach wokół dziecka. • Nie ma potrzeby późniejszego przyzwyczajania dziecka do jego własnego pokoju.	• Ryzyko śmierci łóżeczkowej jest nieznacznie większe aniżeli w jego własnym łóżeczku stojącym w twoim pokoju. • Oznacza kluczenie niepewnym krokiem do pokoju dziecięcego na nocne przewijanie i karmienie.

Decydowanie o tym, gdzie będzie spało dziecko, jest dylematem, nad którym zastanawiają się wszyscy świeżo upieczeni rodzice. Nie ma jednak jednej, właściwej odpowiedzi. Każda rodzina wypracowuje swoje własne rozwiązanie. Możesz od początku mieć bardzo jasny pogląd na to, gdzie ma spać dziecko, lub możesz przyjąć metodę prób i błędów.

Każdy z wymienionych wyżej sposobów ma zalety i wady. Najistotniejsze jest to, aby nie zaburzać snu dziecka. Którekolwiek z rozwiązań wybierzesz, nie zapominaj o przestrzeganiu podstawowych zasad zapewniających dziecku bezpieczeństwo w czasie nocnego odpoczynku (patrz strona 39).

Sen
Częste problemy

P.: Moje dziecko ma sześć miesięcy i stale budzi się w nocy na długie karmienie. Jak mogę się zorientować, czy jest ono naprawdę głodne, czy chce jedynie ssać dla lepszego samopoczucia?

O.: Jeżeli karmisz piersią, spróbuj zakończyć karmienie w momencie, kiedy stwierdzisz, że dziecko jest już nasycone i konsekwentnie usypiaj je. Dziecko po kilku nocach może pogodzić się z tą formą krótszych, sprawniejszych karmień. Zacznie samo skracać czas jedzenia, kiedy pozbawione zostanie zachęty do mile pokrzepiającego ssania.

P.: Moje dziecko, kiedy miało trzy miesiące, przesypiało noc, ale teraz, kiedy ma osiem miesięcy, jego sen jest niespokojny. W nocy bardzo się do mnie tuli. Jak mogę przywrócić ten nasz dawny, ustalony porządek?

O.: Nierzadko dziecko w wieku około ośmiu miesięcy staje się bardzo „przylepne". Wówczas bowiem zaczyna zdawać sobie sprawę, że ty i ono samo to nie ta sama istota, ale dwie różne osoby. Jest to pewien etap mogący trwać kilka miesięcy, znany jako „lęk przed rozdzieleniem". W końcu dziecko odkryje, że chociaż je chwilowo opuszczasz, to go przecież nie porzucasz. Tymczasem jednak nastaw się na to, że ponowne wdrażanie dziecka do regularnego snu zajmie ci trochę czasu. Jeżeli niemowlę zwykle dobrze sypia, będzie chciało równie silnie jak i ty powrócić do tych dobrze przesypianych nocy. Zrobi to, kiedy tylko poczuje się wystarczająco pewne siebie.

Pięć sposobów **układania dziecka do snu**

1. Kiedy już położyłaś maleństwo do łóżeczka i powiedziałaś mu „dobranoc", już do niego nie wracaj – wymaga to mocnej determinacji. Jest to metoda skuteczna w przypadku niemowląt, jednak może nie działać tak dobrze wobec trochę starszego dziecka – dla niego może być zbyt szokująca. Jeżeli więc maleństwo staje się wówczas zbyt gwałtownie pobudzone, powinnaś spróbować zastosować inną spośród wymienionych poniżej metod.

2. Pozwól dziecku płakać coraz dłużej, zakładając, że w końcu podda się i zaśnie. Metoda ta może przynieść efekt po kilku nocach, ale początkowo zabierze sporo czasu.

3. Wielokrotnie zapewniaj dziecko, że jesteś tuż obok, a jednocześnie uparcie nalegaj, że nadszedł już czas na sen. Rezultaty takiego postępowania widoczne są zwykle w ciągu tygodnia, ale początkowo jest to zadanie czasochłonne.

4. Kładź dziecko do łóżeczka wraz z pocałunkiem i obietnicą, że wrócisz za minutę, by pocałować je jeszcze raz. Powracaj systematycznie zanim maleństwo nie zaśnie, stopniowo wydłużając przerwy pomiędzy kolejnymi pocałunkami. I ta metoda przynosi efekt w ciągu tygodnia, ale początkowo jest pracochłonna.

5. Połóż dziecko w łóżeczku i siedź cicho przy nim, kiedy zasypia. Stopniowo, przez kilka następnych dni, siadaj coraz dalej od łóżeczka, aż znajdziesz się poza pokojem, w którym dziecko zasypia. Jest to metoda najbardziej delikatna, jednak może zabrać dużo więcej czasu niż poprzednie.

Wychowanie pozytywne **Gdy masz już dość**

P.: Tracę tak wiele snu, że zaczynam mieć o to żal do mego dziecka. Martwię się, że mogę próbować zrobić mu jakąś krzywdę. Co powinnam robić, kiedy czuję, że tracę nad sobą panowanie?

O.: Większość z nas jest w stanie utrzymywać swoją aktywność przez kilka zarwanych nocy, ale kiedy takie zakłócenia utrzymują się nadal, może wówczas powstać prawdziwy problem. Zmęczenie przechodzi w stan wyczerpania i możesz zdać sobie sprawę, że wykazujesz objawy podobne do depresji: zobojętnienie, ale i niepokój oraz gwałtowność reakcji.

Te negatywne odczucia mogą być najmocniejsze we wczesnych godzinach rannych, kiedy znowu rozpoczynasz „walkę" z zanoszącym się płaczem dzieckiem, które nie zamierza zasnąć. Niezależnie od tego, jak bardzo czujesz się podenerwowana lub nawet zdesperowana, NIGDY nie potrząsaj dzieckiem – badania wykazały, że nawet pojedyncze takie potrząśnięcie może spowodować stałe uszkodzenie mózgu.

Jeżeli nie potrafisz opanować swoich odczuć, koniecznie zwróć się do kogoś o pomoc: obudź partnera lub zatelefonuj do krewnych, przyjaciół, sąsiadów albo pod numer telefonu zaufania. Możesz nie chcieć niepokoić innych ludzi w samym środku nocy, ale bądź pewna: oni woleliby stracić nocny wypoczynek, pomagając tobie, niż dowiedzieć się dopiero rano o tym, że byłaś bezradna, pozostawiona sama sobie.

Rozwiązania doraźne

Jeżeli czujesz, że znalazłaś się u kresu wytrzymałości, spróbuj następujących rutynowych czynności:

• Połóż dziecko w jego łóżeczku i wyjdź z jego pokoju, zamykając drzwi – nic mu się nie stanie, jeżeli popłacze samotnie przez kilka minut.

• Przygotuj sobie jakiś bezalkoholowy napój (jest ważne byś zachowała pełną kontrolę nad sobą). Usiądź w miejscu, gdzie nie słychać płaczu dziecka, i siedź w ciszy, zanim się nie uspokoisz.

• Nie wracaj do dziecka, zanim nie poczujesz, że możesz się nim ponownie odpowiednio zająć.

Rozwiązania długoterminowe

Staraj się znaleźć sposób, by zaradzić problemowi niedoboru snu, zanim osiągnie on punkt krytyczny:

• Kiedy dziecko przysypia w ciągu dnia, odsypiaj zaległości również i ty.

• Pozwól partnerowi przejąć wieczorem opiekę nad dzieckiem. W tym czasie będziesz mogła się przespać.

• Odciągnij sobie trochę pokarmu i podziel się z partnerem nocnymi karmieniami.

• Poproś o pomoc (lub wynajmij kogoś do pomocy): świeżo upieczeni dziadkowie będą przypuszczalnie zachwyceni szansą pieszczenia twego dziecka przez kilka godzin, podczas gdy ty będziesz mogła przespać się.

Płacz
Co jest typowe?

Wszystkie dzieci płaczą od czasu do czasu, choć niektóre więcej niż inne. Płacz jest sposobem dziecka na poinformowanie, że jest ono czymś zmartwione: na przykład, że jest mu niewygodnie, że odczuwa ból, zimno, głód, zmęczenie, znudzenie lub pragnienie. Zanim będzie ono mogło posłużyć się mową, łkanie jest jego naturalnym sposobem komunikowania się. Początkowo dziecko kwili jedynie wtedy, kiedy odczuwa głód lub ból. W miarę upływu miesięcy płacz staje się coraz bardziej różnorodny i pełen wyrazu. Noworodek będzie wylewał łzy każdego dnia w sumie przez około dwie godziny. Czas codziennych szlochów dziecka w czwartym lub piątym miesiącu życia zmniejsza się o połowę.

Dlaczego dzieci płaczą?

Dziecko potrafi płakać na różne sposoby, by wyrazić różnorakie nastroje i odczucia. Stopniowo rodzice potrafią rozróżnić jeden rodzaj płaczu od drugiego, co umożliwia zaspokajanie różnych potrzeb dziecka. To uwrażliwienie pomaga wzmacniać emocjonalną więź między wami i tworzyć bliski związek.

• **Nakarm mnie.** Płacz spowodowany głodem jest automatyczną odpowiedzią wszystkich dzieci na to odczucie. W większości przypadków jest to jeden z tych rodzajów płaczu, które zaczynają się w miarę cicho, a następnie stają się coraz głośniejsze. Od czasu do czasu pojawiają się kilkusekundowe przerwy, kiedy dziecko przełyka duże porcje powietrza, ale płacz ten jest nieustający.

• **Przewiń mnie.** Dziecko nie lubi leżeć w brudnej pieluszce i wierci się, by dać ci znać o swojej niewygodzie. Jego płacz nie jest wtedy zbyt przenikliwy, ponieważ jego cierpienie nie jest aż tak duże. Od czasu do czasu może przestać łkać, ale zacznie znowu i nie przestanie, dopóki go nie przewiniesz w czystą pieluszkę.

• **Baw się ze mną.** Dziecko wymaga pobudzania. To prawda, że potrafi do pewnego stopnia zabawiać się samodzielnie, ale rzeczywiście potrzebuje tego, żeby się z nim bawić, mówić do niego i nawiązywać z nim kontakt. Kiedy jest znudzone, jego płacz zwykle przypomina krzyk. Nie jest to łkanie pełne smutnego przygnębienia, a raczej głośny hałas, mający zwrócić twoją uwagę.

• **Kiedy wszystkiego jest już za wiele.** Zmysły dziecka mogą zostać łatwo przeładowane bodźcami przez wszystkie otaczające je widoki i dźwięki. Może to nastąpić nawet w wyniku przemawiania do dziecka, patrzenia na nie, brania na ręce i kołysania. Często zdarza się to pod koniec dnia. Zauważasz wówczas, że kiedy podnosisz dziecko, jego ciało usztywnia się, a maleństwo odpycha się rękoma oraz nóżkami i, być może, płacze jeszcze mocniej.

Badania wykazały jednak, że wiele dzieci płacze bez bliżej określonego powodu.

Płacz
Często zadawane pytania

P.: Kiedy matka opuszcza pomieszczenie, w którym znajduje się dziecko, ono zaczyna płakać. Czy jest to normalne?

O.: Tak się z pewnością dzieje w przypadku bardzo małego dziecka. W czasie pierwszych kilku miesięcy jego życia potrzeba poczucia bezpieczeństwa, płynącego z kontaktu z kochającym opiekunem, ma wprost wyjątkowe znaczenie. Dziecko może płakać, dlatego że nie widzi matki lub jej nie słyszy, albo dlatego że chce być wzięte na ręce i poczuć otuchę płynącą z jej obecności. U nieco starszego dziecka podobny płacz jest zwykle spowodowany lękiem przed rozstaniem (patrz strona 171).

P.: Jak najlepiej postępować z dzieckiem płaczącym z powodu przeciążenia nadmierną liczbą bodźców?

O.: Staraj się zmniejszyć aktywność działań prowadzonych w otoczeniu dziecka. Przyciemnij pokój, nie utrzymuj z dzieckiem kontaktu wzrokowego i nie przemawiaj do niego. Wydawaj jedynie monotonne, ciche dźwięki, takie jak „szszsz...", lub coś sobie cicho nuć. Zamiast trzymać, czy kołysać dziecko na rękach, raczej ułóż je wygodnie, a jeżeli już go dotykasz, łagodnie połóż na nim dłoń, by przekazać mu odczucie spokoju i bezruchu. Dziecko będzie może potrzebowało kilku minut płaczu, aby w ten sposób uwolnić się od napięcia, więc pozostawienie go na chwilę samego może być nawet korzystne.

P.: Czy dzieci mogą płakać z powodu przykrego napięcia psychicznego, a jeżeli tak, to jaki jest najlepszy sposób postępowania w takim przypadku?

O.: Dzieci zaczynają okazywać swą frustrację już w wieku około sześciu miesięcy. Wykazują one bardzo mocne dążenie do opanowania coraz to nowych umiejętności. Mogą być zdenerwowane, kiedy chcą osiągnąć następny etap, który jednak przekracza jeszcze ich możliwości. Powiedzenie im „nie" jest także dla nich frustrujące i może prowadzić do łez. Najlepszą rzeczą, jaką możesz wówczas zrobić, by przede wszystkim zażegnać rozżalenie dziecka, to taktowne oferowanie pomocy, np. kiedy nie udaje się mu postawić prosto zabawki. Jeżeli jednak dziecko nadal nie przestaje płakać, bo po prostu nie potrafi czegoś zrobić, możesz też odwrócić jego uwagę przez podsunięcie mu do zrobienia czegoś innego, interesującego. Jest to również sposób na aktywne zajmowanie się dzieckiem zamiast zbyt częstego mówienia mu „nie".

P.: Ponieważ moje dziecko poprzez płacz nie jest w stanie przekazać mi wprost, co mu dolega, boję się, że mogę przeoczyć coś bardzo ważnego, np. skąd mogę wiedzieć, czy nie płacze ono z bólu?

O.: Zwracaj uwagę na sposób, w jaki dziecko łka: płacz z bólu jest zwykle raptowny, często głośny z następującą po nim ciszą, w której dziecko nabiera powietrza, aby wydać następny krzyk. Płacz chorego dziecka jest zwykle mniej intensywny i może być cichy i jęczący. Istnieje wiele przyczyn, dla których małe dziecko może odczuwać ból: może mieć na przykład kolkę jelitową, wzdęcie lub problemy związane z ząbkowaniem. Może uderzyło się zabawką lub o znajdujący się blisko przedmiot. Jeżeli odnalazłaś przyczynę, zrób wszystko, co tylko możesz, by ukoić dziecko. Jeżeli jego płacz brzmi niepokojąco i sądzisz, że maleństwo może być chore, skontaktuj się z lekarzem.

Płacz
Częste problemy

P.: Nie wydaje mi się, abym była w stanie nauczyć się odróżniania znaczeń poszczególnych typów płaczu mojego dziecka. Wszystkie inne matki są chyba w tym lepsze ode mnie. Gdzie tkwi błąd?

O.: Nie robisz absolutnie żadnych błędów. To tylko tak się wydaje, że wszyscy wokół wiedzą lepiej, czego chce twoje dziecko. W rzeczywistości są oni przypuszczalnie tak samo tego niepewni, jak i ty. Miej więc nieco więcej zaufania do siebie. Jedyną metodą na zdobycie umiejętności dokładniejszej interpretacji płaczu dziecka jest droga prób i błędów. Staraj się je uspokoić i zaobserwuj, co się następnie stanie. Czasami odniesiesz od razu sukces, innym znów razem uspokojenie dziecka będzie wymagało kilku prób. Jest to normalny proces uczenia się, przez który przechodzą wszyscy rodzice.

P.: Czasem moje dziecko płacze tak bardzo, że jestem pewna, iż robi to jedynie po to, żeby mnie zdenerwować. Czy rzeczywiście może tak być?

O.: Powinnaś traktować płacz dziecka z pełną uwagą. Żadne dziecko nie płacze „ot, tak sobie", albo tylko po to, żeby zdenerwować swoich rodziców. Bez względu na to, jak bardzo jesteś już znużona kolejnym napadem płaczów lub krzyków dziecka, ono naprawdę próbuje coś ci powiedzieć.

P.: Niezależnie od tego jak często pozostawiam dziecko z opiekunką, kiedy wychodzę, ono zanosi się płaczem i wpatruje się we mnie w sposób wzruszający. Co mogę zrobić, żeby złagodzić jego płacz?

O.: Jeżeli tylko poradzisz sobie z tymi trudnymi momentami w sposób zdecydowany, ale pełen

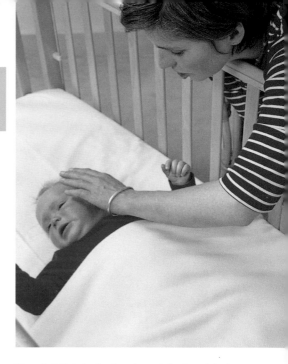

Powyżej: Położenie nieruchomej dłoni na dziecku, które stało się nadmiernie pobudzone, może być pomocne w jego uspokojeniu.

miłości, wówczas przekonasz się, że jego płacz zacznie stopniowo zmniejszać swoje nasilenie. Jeżeli jednak w momencie, kiedy dziecko zaczyna płakać, robisz wokół niego całą masę zamieszania, ten pełen łez epizod będzie się powtarzał. Dlatego, kiedy wchodzi opiekunka, najlepiej przytulić dziecko krótko i pocieszająco, a następnie założyć płaszcz i wyjść bez niepotrzebnego ociągania się.

P.: Jeżeli mój synek denerwuje się, kiedy pozostawia się go z opiekunką, czy nie będzie lepiej, jeśli wyślizgnę się z domu po cichu, kiedy on właśnie nie patrzy?

O.: To może być skuteczne na początku, ale twoje dziecko szybko zorientuje się w twojej strategii i stanie się bardzo niespokojne nawet wtedy, kiedy nie masz najmniejszego zamiaru wymknąć się z domu. Lepiej będzie dla ciebie, żebyś się z nim pożegnała, przytuliła, dodała otuchy, a następnie po prostu wyszła i to tak, żeby widziało, że wychodzisz.

Wychowanie pozytywne **Radzenie sobie ze łzami**

P.: Poradzono mi, żebym swoje pięciomiesięczne dziecko pozostawiała samo, kiedy płacze, bo w przeciwnym razie nauczy się ono płakać dla zwracania na siebie uwagi. Jest to sprzeczne z tym, co mówi mi wewnętrzny instynkt. Jest mi bardzo trudno ignorować płaczące dziecko. Zamiast tego zwykle przytulam je za każdym razem, by nie czuło się samotne i zaniedbane. Jaką więc należy przyjąć metodę postępowania przy uspokajaniu dziecka?

O.: Z całą pewnością będziesz otrzymywać sprzeczne rady na temat uspokajania płaczącego dziecka i choć zwykle łatwiej jest uspokoić noworodka, to w miarę jak dziecko rośnie, będziesz musiała przygotować się na pewną elastyczność postępowania. Czasami lepiej będzie pozostawić je samo, kiedy indziej natomiast potrzebuje ono właśnie przytulenia. Zrób to, co wydaje ci się najlepsze.

Ważne jest jednak, byś zawsze wtedy, kiedy już decydujesz się na pocieszanie dziecka, konsekwentnie posługiwała się tą samą metodą postępowania, zanim zmienisz ją na inną. Trwaj przy jednej, zanim nie staniesz się zupełnie pewna, że nie wywiera ona wpływu na płacz dziecka. Nie możesz też nie doceniać jego uzdolnień. Dla przykładu, nauczy się ono szybko, że płacz i krzyk mogą być skutecznymi sposobami na przyciągnięcie twojej uwagi, a więc zawsze warto odczekać pewien czas, zanim się na nie zareaguje. Tą też drogą dziecko będzie się uczyło radzić sobie samo z istniejącą sytuacją: jeżeli płacze z nudów, małe opóźnienie w twoim przyjściu do niego pomoże mu nauczyć się, jak samemu poszukać możliwości zabawy.

Sposoby postępowania

Spróbuj następujących sposobów uspokajania płaczącego dziecka:

• **Ruch.** Proste działanie w postaci delikatnego kołysania dziecka tam i z powrotem w ramionach lub w jego wózeczku może mieć skutek uspokajający. Czasami maleństwo przestanie płakać, jak tylko zmienisz jego pozycję w łóżeczku.

• **Może przestać płakać, jeżeli utrzymywane jest delikatnie, ale zdecydowanie w ciepłej kąpieli.** Przytulenie dziecka do siebie może mieć ten sam skutek. Jeżeli jest ono naprawdę bardzo pobudzone i nie chce być podnoszone, niech leży w swoim łóżeczku, a ty gładź delikatnie jego policzki i czółko.

• **Będziesz bardzo zdziwiona tym, jak ogromny wpływ na uspokojenie maleństwa ma twój śpiew** – to na dźwięku twego głosu, jego pełnym miłości tonie i znanym rytmie słów koncentruje ono swoją uwagę. Niektóre dzieci lubią obecność stałego hałasu w tle, takiego jak odgłosy pracującej pralki.

• **Rozrywka.** Czasami można opanować łzy płaczącego dziecka, przysuwając blisko niego zabawkę. Jego zainteresowanie nią sprawia, że momentalnie zapomina ono o swej niedoli i równie szybko przestaje płakać.

Ząbkowanie

Ekscytujące jest, kiedy zauważasz pierwszy maleńki, wyrzynający się ząbek twojego dziecka. Te „mleczne" zęby będą wymagały opieki i regularnego szczotkowania (patrz strony 96–97).

U większości dzieci pierwszy ząbek wyrzyna się od około czwartego do szóstego miesiąca życia. W niektórych przypadkach ząbek pokazuje się bez jakichkolwiek sygnałów poprzedzających. Czasem możesz zauważyć niewielką wypukłość na dziąśle lub czerwoną plamkę na nim i na policzku. W ciągu dnia lub dwóch pojawia się ząbek. Jednakże, niektóre dzieci mają spore dolegliwości w czasie ząbkowania.

Jakie są charakterystyczne oznaki?

• Ból. Dziecko może wykazywać oznaki odczuwanego bólu i złego samopoczucia.

• Rozdrażnienie. Dolegliwości związane z ząbkowaniem mogą sprawić, że dziecko jest marudne i niecierpliwe, a na dzień lub dwa przed pokazaniem się ząbka, może wydawać się bardziej „przylepne" niż zwykle.

• Czerwony policzek. Możesz zauważyć czerwonawą plamkę na policzku dziecka.

• Ślinienie się. Nadmiar śliny, produkowany w czasie ząbkowania, powoduje ślinienie się dziecka.

• Przygryzanie i żucie. Dziecko może przygryzać i żuć wszystko, co znajdzie się w pobliżu jego buzi.

• Obrzękłe dziąsła. Sprawdzaj jego dziąsła w poszukiwaniu nieznacznych nacieczeń i obrzmiałych miejsc.

• Budzenie się. Dziecko może budzić się w nocy z płaczem, nawet jeżeli dotychczas te noce przesypiało.

• Podniesiona temperatura. Dziecko w dotyku może wydawać się nieco cieplejsze niż zazwyczaj – może mieć nieznacznie podwyższoną temperaturę.

• Podrażnienie pośladków. Nie wiadomo dokładnie dlaczego, ale niektóre dzieci są w czasie ząbkowania bardziej podatne na odparzenia pośladków i mogą także oddawać luźne stolce.

Jak wyrzynają się mleczne ząbki?

Zwykle jako pierwsze wyrzynają się dwa przednie, dolne ząbki, a po nich szybko pojawiają się dwa przednie górne. Cała ta czwórka znana jest jako siekacze przyśrodkowe i używana jest do gryzienia. Jako następne pojawiają się zęby po obydwu stronach siekaczy przyśrodkowych, często jednocześnie. Są to siekacze boczne. Następne w kolejności są cztery zęby tylne – pierwsze zęby trzonowe. Dwa z nich wyrzynają się w szczęce dolnej, a po nich dwa następne w szczęce górnej. To są zęby, których dziecko będzie używało do żucia, i dlatego mają one płaskie, rozcierające pokarm powierzchnie. Następnie w obydwu szczękach wyrzynają się dłuższe, ostro zakończone zęby – kły. Na koniec, zupełnie z tyłu dziecięcej buzi, wyrzyna się następny zespół czterech zębów trzonowych, podnosząc ogólną liczbę zębów mlecznych do 20.

Ząbkowanie czy choroba?

Kiedy dziecko jest gorące i rozdrażnione, łatwo można odnosić te objawy do ząbkowania. Ale choć prawdą jest, że ząbkowanie może spowodować dolegliwości i rozdrażnienie, to tak naprawdę nie powoduje ono choroby. Jest więc ważne, by potrafić rozpoznać, że dziecko jest niezdrowe i zadziałać właściwie. Jeżeli cierpi ono z powodu jakichkolwiek objawów opisanych na stronach 120–127 dopilnuj, by udać się z nim na badanie do lekarza.

Ząbkowanie
Często zadawane pytania

Powyżej: Ząbkujące dziecko może żuć wszystko, cokolwiek znajdzie się w pobliżu jego buzi. Może się obficie ślinić i mieć czerwone policzki.

P.: Co mogę uczynić dla złagodzenia bólu przy ząbkowaniu?

O.: Można spróbować kilku sposobów: masuj delikatnie palcem dziąsła dziecka (uprzednio umywszy ręce); nakarm maleństwo szybko piersią; spróbuj pocierać mu dziąsła żelem lub płynem stosowanym przy ząbkowaniu (do sześciu razy dziennie); możesz przecierać dziąsła także topniejącą kostką lodu. Podanie dziecku dawki paracetamolu dla dzieci może także pomóc, szczególnie wówczas, kiedy ma ono również nieznacznie podniesioną temperaturę. Sprawdź jednak dobrze na opakowaniu wysokość dawki stosowną dla wieku twego dziecka.

P.: Czy smoczek może tu pomóc?

O.: Ssanie, gryzienie i żucie czegoś może pomóc w złagodzeniu dolegliwości dziecka związanych z ząbkowaniem. Do przydatnych przedmiotów można tu zaliczyć smoczek, ale ograniczaj jego użycie tylko w porze snu i drzemek dziecka, ponieważ długotrwałe używanie smoczka może skutkować wysuniętą szczęką górną i wystającymi do przodu zębami. Do innych skutecznie działających urządzeń należą wypełnione wodą gryzaki, które można przechowywać w lodówce, oraz chrupkie przekąski, takie jak grzanki i lekko podgotowana marchewka lub plasterki jabłka – jeżeli dziecko jest w odpowiednim do tego wieku (patrz: Odstawianie od piersi, strona 75).

P.: Czy mogę mieć jakiś wpływ na to, jak lub kiedy będą się rozwijać ząbki mojego dziecka?

O.: Wszystkie pierwsze ząbki dziecka znajdują się w jego szczękach już przed urodzeniem i również w tym okresie zaczynają się też formować ząbki stałe. To, kiedy zęby wyrzynają się, jest sterowane genetycznie i żadne elementy diety lub codziennych nawyków nie mają większego wpływu na termin rozpoczęcia ząbkowania. Sposób żywienia ma natomiast wielki wpływ na zdrowie i siłę uzębienia – począwszy od właściwej, bogatej w wapń diety stosowanej przez matkę jeszcze w okresie ciąży, aż do odpowiedniej diety dziecka stosowanej przez całe jego dzieciństwo.

Język
Co jest typowe?

Stosowany przez dziecko język zmienia się tak szybko w ciągu pierwszych dwunastu miesięcy życia, że trudno dostrzec wszystkie kluczowe zmiany. Pod koniec pierwszego roku życia maleństwo przekształciło się z dziecka niemówiącego w aktywnego uczestnika rozmów, który ma już za sobą swoje pierwsze, wyraźnie wypowiedziane słowo.

Dziecko posługuje się językiem na dwa sposoby. Pierwszy polega na słuchaniu dźwięków, które do niego docierają i ich interpretacji, to język odbioru. Drugi to język wyrażania:

dziecko okazuje swoje uczucia poprzez wydawanie dźwięków, w sposób umożliwiający mu komunikowanie się z tobą.

Przyjmuje się, że język odbioru znacznie wyprzedza u dziecka jego język wyrażania. Innymi słowy, w danej chwili rozumie większą liczbę słów, niż jest w stanie wypowiedzieć. Np. uśmiecha się, kiedy słyszy swoje imię, choć nie potrafi go jeszcze samo wymówić. Ta różnica pojawia się, dlatego że rosnące dziecko słyszy już język wokół siebie na długo przedtem, zanim staje się dostatecznie dojrzałe, by mówić, i wystarczająco ośmielone, by odpowiadać.

Co dziecko potrafi?

2–5 **miesięcy**	• Maleństwo wydaje powtarzające się samogłoskowe dźwięki bez znaczenia, czyniąc to zwykle wtedy, kiedy jest spokojne i zadowolone. Nazywamy to gruchaniem lub głużeniem.
5 **miesięcy**	• Teraz niemowlę potrafi już wydawać szerszą gamę dźwięków, znaną jako gaworzenie przypadkowe, głównie dzięki temu, że odpowiednio dojrzał do tego zarówno jego głos, jak i oddychanie.
5–10 **miesięcy**	• Gaworzy teraz w bardziej kontrolowany sposób, prawie tak, jakby brało udział w rozmowie z tobą. Może przejawiać tendencję do regularnego używania tej samej serii dźwięków, takich jak: „papapa", „mamama", „bababa".
10–12 **miesięcy**	• Pod koniec pierwszego roku życia maleństwo wydaje takie dźwięki, jakby mówiło. Spogląda na ciebie poważnie i zmienia ton głosu. Jeszcze nie używa jakichkolwiek rozpoznawalnych słów.
12 **miesięcy**	• Około dwunastego miesiąca życia dziecka, twoje serce zabije mocniej z podniecenia, kiedy usłyszysz wypowiedziane przez nie pierwsze prawdziwe słowo.

Język
Często zadawane pytania

P.: Moje dziecko bardzo lubi kąpiel i ożywia się, kiedy zaczynam je rozbierać. Teraz zauważyłam, że staje się pobudzone już wówczas, kiedy otwieram szafkę, sięgając po ręcznik kąpielowy – jeszcze zanim zacznę je rozbierać. Może ono naprawdę już wie, że to jest początek kąpieli?

O.: Mowa ciała dziecka – te energiczne ruchy rączek i nóżek – sygnalizują jasno: „jestem ożywiony, bo za chwilę włożysz mnie do kąpieli". Jest to oznaka jego zwiększonej zdolności dostrzegania powiązań pomiędzy poszczególnymi zdarzeniami. Dziecko jest wprawdzie jeszcze małe, ale już zaobserwowało, że przygotowania do kąpieli nie zaczynają się dopiero od momentu rozbierania go, ale są jeszcze wcześniejsze etapy, np. wyjmowanie ręcznika z szafki. Stąd mowa jego ciała wyraża pobudzenie.

P.: Czy moje sześciomiesięczne dziecko potrafi odróżnić mój głos od głosów innych osób?

O.: Jest niemal pewne, że potrafi ono odróżnić twój głos od wszystkich innych głosów, które słyszy. Twoje dziecko spędziło z tobą tak wiele czasu i jest tak mocno związane z tobą emocjonalnie, że twój głos ma dla niego specjalne znaczenie.

P.: Czy ssanie smoczka może mieć jakiś wpływ na mowę?

O.: Ssanie smoczka nie wywiera korzystnego wpływu na rozwój mowy i języka dziecka. Uniemożliwia mu ono odpowiednio aktywne posługiwanie się mięśniami ust, warg i języka dla wytwarzania dźwięków. Nie jest szkodliwe używanie przez dziecko smoczka od czasu do czasu, szczególnie, kiedy maleństwo jest czymś zaniepokojone lub chce się zdrzemnąć, ale długotrwałe korzystanie ze smoczka może powstrzymywać dziecko od wydawania tych wszystkich bardzo ważnych dźwięków gaworzenia, będących zalążkiem mowy.

P.: Czy ma sens mówić do dziecka „po dziecinnemu"? Wiele osób używa w rozmowie z dzieckiem określenia „szu-szu" zamiast wyrazu „pociąg" albo „hau-hau" zamiast „pies". Czy ja też powinnam?

O.: Decyzja w tej sprawie należy do ciebie. Niektórzy argumentują, że nie ma sensu uczyć dziecka takiego zdrobnienia, jak np. „króliczek", bo i tak będzie ono w końcu musiało zastąpić je słowem właściwym – „królik". Inni jednak popierają posługiwanie się językiem dziecięcym, przekonując, że jest on dla dziecka bardziej zrozumiały, dlatego jest pewnym korzystnym etapem w procesie rozwoju języka dziecka. Sporadyczne stosowanie języka dziecięcego nie przyniesie mu żadnej szkody.

P.: Zauważyłam, że kiedy pokazuję się przy łóżeczku, moje dziecko często jest przestraszone, nawet wtedy, kiedy zbliżając się, przemawiałam do niego. Dlaczego?

O.: Może w tym momencie nie dość dobrze słyszeć. Dziecko zwykle wykorzystuje wiele sygnałów, by przygotować się na widok kogoś, kto ma za chwilę pojawić się w jego polu widzenia. Odgłosy kroków tej osoby i dźwięk jej głosu są dobrymi sygnalizatorami. Jednym z możliwych sposobów wytłumaczenia takiego zachowania twego dziecka jest przypuszczenie, że nie słyszy ono odpowiednio wyraźnie tych wszystkich odgłosów. Udaj się z wizytą do lekarza, by przebadać stan słuchu dziecka.

Język
Stymulowanie

W wieku około czterech do sześciu miesięcy, dziecko przechodzi od używania wydłużonych, samogłoskowych dźwięków do wyraźniejszego gaworzenia. Staje się aktywniejszym uczestnikiem rozmów, które z nim prowadzisz, sprawiając wrażenie, że chce podjąć dyskusję.

Powyżej: Śpiewanie rymowanek w czasie zabawy z dzieckiem pomoże maleństwu dowiedzieć się więcej na temat mowy.

Kiedy dziecko będzie już miało od siedmiu do dziewięciu miesięcy, dostrzeżesz w wydawanych przez nie dźwiękach pewną prawidłowość. Może zacząć regularnie używać tej samej sekwencji dźwięków, a nawet stosuje ją w tych samych sytuacjach. To jest jasny sygnał, że jego gaworzenie nie jest przypadkowe tylko kontrolowane i używa pewnego rodzaju języka w sposób coraz bardziej celowy.

Jak mogę zachęcić dziecko do rozwoju umiejętności mówienia?

• **Rób przerwy w mówieniu do dziecka** lub po zadaniu mu pytania – tak samo, jak robisz to podczas rozmowy z dorosłym. To pomoże dziecku w zrozumieniu pojęcia kolejności zabierania głosu w rozmowie.

• **Umacniaj jego umiejętność słuchania** przez wywoływanie różnych dźwięków, w różnych częściach pokoju. Za każdym razem, kiedy powodujesz jakiś hałas, poczekaj, aż dziecko się odwróci i popatrzy na ciebie. Pochwal je, kiedy tak zareaguje.

• **Czytaj mu bajki z uczuciem i wyrazem.** Dla przyciągnięcia jego uwagi zmieniaj barwę głosu.

• **Kiedy wychodzisz na dwór,** opowiadaj mu o rzeczach, które go otaczają. Mów o kolorze trawy lub o rozmiarach autobusu. Jeżeli dziecko patrzy właśnie na coś konkretnego, przedstaw mu swoje objaśnienie.

• **Jak tylko dziecko zaczyna gaworzyć, wybierz jakiś wypowiedziany właśnie przez nie zestaw dźwięków,** np. „la", i powtórz normalnym, zwykłym tonem. Użycie przez ciebie tego samego odgłosu bardzo wzmocni dobre samopoczucie dziecka.

• **Podawaj mu nazwy wszystkich używanych właśnie przez ciebie przedmiotów gospodarstwa domowego.** Wyniki badań psychologicznych wskazują, że dziecko w wieku dziewięciu miesięcy może w rzeczywistości rozumieć o wiele więcej niż przypuszczamy. Zapytaj je: „Gdzie jest piłka?" i obserwuj jego oczy. Jeżeli rozumie pytanie, zacznie się rozglądać za wspomnianym przedmiotem.

• **Pokazuj dziecku pojedyncze obrazki,** a kiedy na nie spogląda, podawaj mu nazwę przedstawionego na nich obiektu. Rób to jednak nie dłużej, niż przez kilka minut dziennie.

Język
Pierwsze słowa

W wieku około dziesięciu miesięcy dziecko czasami potrafi już wypowiedzieć swoje pierwsze słowo. Jest to wielki krok naprzód. Oznacza, że maleństwo zaczyna już być w stanie posługiwać się mową w sposób umożliwiający mu zrozumiałe i dokładne komunikowanie się z tobą. Wypowiedzenie przez twoje dziecko pierwszego słowa daje także początek bardzo szybkiemu wzbogacaniu zasobu jego słownictwa w ciągu następnych kilku lat.

P.: Moje dziecko jest już bardzo bliskie wypowiedzenia swego pierwszego słowa. Jak mogę je zachęcić, by wykonało ten milowy krok?

O.: Daj mu przykład: wyraźnie wypowiadaj wyrazy, aby mogło je naśladować. Jeżeli tylko zauważysz, że maleństwo stale używa tego samego dźwięku dla opisania określonej osoby lub przedmiotu, zachęcaj je, wypowiadając słowo, o które chodzi dziecku, np. kiedy na widok swojej babci mówi coś w rodzaju: „gaga" – ty możesz powiedzieć: „Tak. Dobrze. To jest babcia.". Chociaż użyte przez dziecko wyrażenie i twoje słowo mogą wydawać się całkiem różne, dziecko może pomyśleć, że są one takie same. Wyrazy przez ciebie wymawiane stanowią dla niego wówczas przykłady do naśladowania.

P.: Czy moje dziecko wypowie swoje pierwsze słowo wcześniej, jeżeli będę je zachęcała do powtarzania za mną wyrazów?

O.: Nie powinnaś zmuszać maleństwa do wypowiadania jego pierwszego słowa. W tym wieku dźwięki wydawane przez dziecko powinny być zupełnie spontaniczne, a nie wymuszone. Nie powinny wynikać z obawy, iż będziesz z niego niezadowolona, jeżeli nie przemówi.

P.: Moja przyjaciółka śpiewa rymowanki swojemu synkowi, choć on nie może jeszcze śpiewać ich razem z nią. Czy to ma sens?

O.: Roczne dziecko potrafi zapoznać się ze słowami i melodią. Będzie nawet próbowało je „zaśpiewać" na swój własny sposób. Takie działanie poszerza umiejętności słuchowe maleństwa, ucząc jednocześnie, że mówienie odbywa się w sposób uporządkowany, a nie jest tylko przypadkową serią dźwięków.

P.: Moim ojczystym językiem nie jest polski. Chciałabym uczyć moje dziecko komunikowania się w obydwu językach. Czy to może zdezorientować dziecko?

O.: Dzieci mogą być dwujęzyczne. Łatwiej jest dziecku nauczyć się różnych języków, jeżeli są one mu przedstawiane przez różne osoby. Ty możesz do niego mówić w swoim języku ojczystym, a ojciec niech mówi do niego jedynie po polsku. Dziecko może wówczas zacząć mówić nieco później niż przy nauce tylko jednego języka. Ponadto może obydwa języki na początku nieco mieszać, co nie przeszkadza w bardzo szybkim ich przyswojeniu.

P.: Czy mogę oczekiwać, że moje roczne dziecko będzie reagowało na podstawowe polecenia?

O.: W momencie, kiedy dziecko wypowiedziało swoje pierwsze słowo, potrafi rozpoznawać bardzo wiele dźwięków – nawet całe zdania. Chociaż nie umie ono odpowiedzieć na nie w pełni, prawdopodobnie zareaguje na podstawowe polecenia. Spróbuj poprosić je w czasie karmienia, by podało ci łyżeczkę. Nagrodź pozytywną odpowiedź uśmiechem albo przytuleniem. Jeżeli natomiast dziecko nie zrozumie, powtórz prośbę, a następnie podnieś łyżeczkę, by mu ją pokazać.

Język
Częste problemy

P.: Czasami uświadamiam sobie, że instynktownie mówię do dziecka krótkimi zdaniami, robiąc długie przerwy między poszczególnymi zwrotami i przesadnie modulując barwę głosu, której nie używam w rozmowach z dorosłymi. Czy to nie będzie miało złego wpływu na sposób, w jaki będzie mówiło dziecko?

O.: Ten sposób mówienia jest znany jako „język rodziców". Psycholodzy odkryli, że przemawianie z umiarem do dzieci tym typem języka może pomóc w rozwijaniu ich umiejętności językowych. Jest jednak ważne, by nie mówić do nich stale w ten sposób, ponieważ nie dajemy im wówczas dobrego wzorca językowego, na którym mogłyby kształtować własne umiejętności językowe.

Powyżej: Mówienie do dziecka, nawet wtedy, kiedy jest jeszcze bardzo małe, pomaga pobudzać rozwój jego późniejszych umiejętności językowych.

P.: Nie rozpoznaję w dźwiękach wydawanych przez moje dziecko głosek naszego języka. Ma ono dziewięć miesięcy. Może nieuważnie się wsłuchuję?

O.: Psycholodzy badający gaworzenie dzieci z wielu różnych krajów dokonali niezwykłego odkrycia – otóż bez względu na pochodzenie dzieci zazwyczaj posługują się tym samym zestawem dźwięków gaworzenia. W czasie pierwszego roku życia dzieci przestają używać dźwięków, których na co dzień nie słyszą, a coraz częściej posługują się tymi, które słyszą regularnie w rozmowach osób je otaczających. Tak więc twój synek przestanie wkrótce używać tych dźwięków, które wydają się ci obce, a zacznie używać wyłącznie tych, które są częścią jego języka.

P.: Mój synek ma już prawie dziewięć miesięcy. Jestem pewna, że jego mowa rozwija się wolniej niż jego siostrzyczki, kiedy była w tym samym wieku. Czy jest to normalne?

O.: Wyniki badań sugerują, że, mówiąc ogólnie, chłopcy na każdym etapie rozwoju kształtują mowę wolniej niż dziewczęta. To jest jednak tylko pewna tendencja i nie musi oznaczać, że jest tak w przypadku każdego chłopca. Stąd jednak wniosek, że szybsze opanowanie mowy przez twoją córeczkę jest normalne.

P.: Moje 10-miesięczne dziecko, kiedy do niego mówię, reaguje często z pewnym opóźnieniem na mój głos. Czasem nie reaguje w ogóle. Czy może ono źle słyszeć? Czy będzie to zaburzało sposób, w jaki uczy się ono mówić?

O.: Zwolnione reakcje mogą z pewnością wskazywać na trudności w słyszeniu, co z kolei może spowodować opóźnienie rozwoju mowy dziecka. Może to bowiem oznaczać, że rosnące dziecko nie słyszy dźwięków, które samo wydaje, ani tych, które kierują do niego inni. Dziecku, któremu brakuje tej wczesnej stymulacji słuchowej, nauka mówienia przychodzi trudniej niż maleństwu sły-

Powyżej: Spędzanie z dzieckiem czasu na pokazywaniu mu książeczek z obrazkami, pobudza rozwój jego mowy.

szącemu normalnie. Gdy masz związane z tym wątpliwości to zasięgnij porady lekarza.

P.: Zauważyłam, że kiedy moje dziecko pokazuje gestami, że chce czegoś, a ja szybko nie zrozumiem o co mu dokładnie chodzi – to łatwo się poddaje. Co powinnam zrobić?

O.: Niektóre dzieci są bardziej zdeterminowane, by się porozumieć niż inne. Osobowość odgrywa także pewną rolę w mowie ciała. Wygląda na to, że twój mały chłopiec nie jest przygotowany do podjęcia dalszego wysiłku, jeżeli od razu nie zrozumiesz jego sygnału. Postaraj się zachęcić go do podjęcia tego wysiłku ponownie, pytając: „Czy chcesz to?" – pokazując mu przy tym różne przedmioty. Możesz wówczas odkryć, że jeśli wykażesz się cierpliwością i wytrwałością, maleństwo odpowie ci tym samym – będzie cierpliwe i wytrwałe, zanim nie zrozumiesz w pełni tego, co próbuje tobie przekazać.

P.: Moje dziecko powiedziało swoje pierwsze słowo, ale jestem zawiedziona, bo nie było to ani „mama", ani „tata". Czy nie jestem śmieszna reagując w ten sposób?

O.: Najważniejsze jest to, że dziecko wypowiedziało swoje pierwsze słowo, a nie to, jakie ono było. Są dwa powody, dla których często pierwszym słowem dziecka jest „mama" albo „tata". Pierwszym powodem jest to, że rodzice zachęcają swoje dziecko do powiedzenia tych właśnie słów wielokrotnie mu je powtarzając, a drugim motywem może być to, że dla dziecka słowa te są łatwe do wypowiedzenia. Prawdopodobnie twój zawód wynika z błędnego przekonania, że może to oznaczać, iż twoje dziecko nie kocha was aż tak bardzo, jak sądziłaś. Całkowicie i zdecydowanie pozbądź się tej myśli. To czy dziecko wypowiedziało jako pierwsze swoje słowo „mama" lub „tata", czy też nie – nie ma jakiegokolwiek związku z siłą emocjonalnej więzi dziecka z wami.

W zasadzie wszystkie dzieci kształtują swoje umiejętności mówienia w ten sam sposób: używają jako części składowych tych samych „klocków", w tej samej kolejności i zwykle w tym samym czasie.

ZĘBY

Jak o nie dbać

Mleczne ząbki dziecka spełniają podstawową rolę w zapewnieniu prawidłowego podłoża dla wykształcenia się jego późniejszego, stałego uzębienia.

Zęby mleczne muszą utrzymać się przez długi czas. Pierwszy ząb wyrzyna się, kiedy dziecko ma około sześciu miesięcy. Minie około sześciu lat, zanim wypadnie i zostanie zastąpiony przez ząb stały. Dziecko będzie prawdopodobnie traciło mleczne zęby mniej więcej w tej samej kolejności, w jakiej się one pojawiały. Będzie się to odbywało stopniowo i długo – pomiędzy szóstym a dwunastym rokiem życia. Najlepsze szanse na wyposażenie dziecka w mocne uzębienie w zdrowej jamie ustnej daje prowadzona od samego początku właściwa pielęgnacja mlecznych ząbków.

Dlaczego zęby mleczne mają duże znaczenie?

Z trzech powodów. Po pierwsze, pozwalają one zachować odpowiednią przestrzeń poszczególnych miejsc przeznaczonych do wzrastania w nich zębów stałych. Jeżeli jednego zęba mlecznego zabraknie, może być konieczne noszenie przez dziecko aparatu korekcyjnego zapewniającego zachowanie miejsca dla zęba stałego. Po drugie, kiedy dziecko przechodzi do jedzenia pokarmów stałych, to w miarę rozwoju umiejętności gryzienia, żucia i rozcierania pokarmów jego mleczne zęby stają się coraz ważniejsze. Po trzecie, odpowiednia troska o uzębienie mleczne pomoże zapewnić dziecku zdrową jamę ustną, w której pojawi się końcowe uzębienie stałe. Proces zapalny w zębie mlecznym może uszkodzić także ząb stały, który rozwija się w tym miejscu w szczęce. Zęby odgrywają także ważną rolę w prawidłowym rozwoju umiejętności mówienia.

Rozpoczęcie czyszczenia zębów

Kiedy tylko się pojawi pierwszy ząbek twojego dziecka, musisz go czyścić regularnie dwa razy dziennie, rano i wieczorem. W miarę, jak dziecko staje się starsze, może chcieć aktywnie uczestniczyć w czyszczeniu ząbków. Powinnaś umacniać wszelkie przejawy jego zapału. Ważne jest jednak, aby pamiętać, że to ty ciągle powinnaś czyścić ząbki swojego dziecka. Jeżeli tylko dziecko ci na to pozwoli, kontynuuj mycie zębów aż do piątego roku jego życia.

Czyść zęby prawidłowo

Stosowanie odpowiedniej techniki czyszczenia ząbków dziecka może mieć zasadniczy wpływ na skuteczność tej czynności. Celem jej jest pozbycie się możliwie największej ilości osadów nazębnych, bez uszkodzenia przy tym dziąseł lub samych zębów. Należy w czasie czyszczenia stosować delikatny, równy nacisk. Czyszczenie zbyt mocne może przez cały czas ścierać szkliwo zębów, więc zachęć dziecko do czyszczenia dłuższego, ale nie tak mocnego.

Prawidłowa technika czyszczenia zębów:

1. Rozpocznij tę czynność od zewnętrznych powierzchni ząbków górnych, zaczynając od tylnych trzonowych, a następnie stopniowo przesuwaj się ku przodowi i na drugą stronę. Trzymaj szczoteczkę tak, by jej włosie znajdowało się pod niewielkim kątem do linii dziąseł. Wykonuj delikatne, okrężne ruchy tylko nad jednym lub dwoma ząbkami na raz.

2. Następnie czyść wewnętrzne powierzchnie górnych ząbków, posuwając się od tyłu ku przodowi i na drugą stronę. Trzymaj teraz szczoteczkę pionowo i używaj tylko jej przedniej (a nie całej) powierzchni włosia. Wykonuj ponownie delikatne, okrężne ruchy.

3. Na koniec umyj powierzchnie żujące ząbków, trzymając szczoteczkę płasko, tak by równocześnie czyścić rowki i naturalne szczeliny zębów trzonowych.

4. Powtórz wszystkie te czynności, czyszcząc ząbki szczęki dolnej.

Niechętny czyszczeniu ząbków?

Wiele dzieci rozpoczynających chodzenie, będzie robiło z mycia ząbków prawdziwe „pole bitwy". Poniższe wskazówki mogą pomóc załagodzić zaistniałą sytuację:

- Myj swoje zęby w tym samym czasie, kiedy dziecko myje swoje.
- Udawaj, że widzisz jeszcze w jego buzi resztki pokarmu, które należy usunąć.
- Umieść lustro na poziomie główki dziecka, aby mogło widzieć się w czasie mycia ząbków.
- Pozwól jemu samemu wybrać nową, atrakcyjną dla niego albo ulubioną szczoteczkę.
- Posłuż się laleczką, pacynką jako „przyjacielem", który będzie pomagał w myciu ząbków.
- Po zakończeniu mycia zawsze komplementuj jego pięknie, błyszczące i czyste ząbki. Pochwal je za to, że było grzeczne.

Oprócz regularnego mycia zębów dwa razy dziennie, jedną z najważniejszych rzeczy, jakie możesz zrobić, by utrzymać w zdrowym stanie ząbki twego dziecka, to sprawić, by unikało ono słodkich pokarmów i napojów.

Koordynacja ręka-oko
Co jest typowe?

Świat jest dla twego małego dziecka miejscem fascynującym. Pragnie ono nauczyć się przecież tak wiele i tak wiele rzeczy chce odkryć. W czasie pierwszego roku życia jego głównymi narzędziami badawczymi są: wzrok i dotyk. Maleństwo spędza więc czas na obserwowaniu otaczającego je świata, czasami przyjmując informację tak, jak ją dostrzega, a czasami wyciągając rączkę, by bezpośrednio zaangażować się w to rozpoznawanie – łącząc często działanie wzroku i dotyku. To właśnie koordynacja współpracy ręki i oka zabiera mu tak wiele czasu.

Dziecko nie będzie jeszcze rozumiało konsekwencji swych działań. To dlatego na przykład z taką radością ściąga ci ono okulary z nosa i skręca je z zapałem, aż się rozlecą. Jego zachowaniem kieruje autentyczna ciekawość, nic więcej. Ważne jest, by, nie tracąc panowania nad sobą, nałożyć pewne ograniczenia na poczynania badawcze maleństwa. Jeżeli będziesz stale się złościć na dziecko, ryzykujesz spowodowanie powstania u niego obawy przed sięganiem rączkami i badaniem otoczenia. Ta sama przestroga dotyczy spraw bezpieczeństwa. Badanie wszystkiego wokół to jego główna zabawa przez pierwszy rok życia. W związku z tym dziecko w swym upartym dążeniu do poznawania, ponosi ryzyko zadławienia się, wymiotów lub zjadania brudów. Stale miej je na oku, aby być pewnym, że jest ono bezpieczne.

Co dziecko potrafi zrobić?

4–5 miesięcy

- Potrafi ono, tak jak dorosły, skupiać wzrok zarówno na przedmiotach bliskich, jak i odległych. Ma już mocny chwyt i nie lubi tego uścisku zwalniać. Zaczyna bawić się rączkami i nóżkami.

6–8 miesięcy

- Około szóstego miesiąca potrafi już przekładać przedmioty z rączki do rączki. Bawi się zabawkami w sposób już bardziej celowy niż tylko branie ich do buzi. Próbuje karmić się, wkładając palcami pokarm do ust.

9–10 miesięcy

- Potrafi już wykonać paluszkami chwyt szczypcowy, aby brać do buzi takie pokarmy, jak groszek lub rodzynki. Umie zbudować wieżę z dwóch klocków i lubi bawić się zabawkami jeżdżącymi po podłodze.

11–12 miesięcy

- Zdejmuje pokrywki z pudełek, by zobaczyć co jest w środku. Może przewracać stronice książki. Potrafi też dopasować przedmioty prostych kształtów do otworów podobnego kształtu w zabawce sortującej.

Koordynacja ręka-oko
Częste pytania

P.: Czy mogę bezpiecznie zostawić w łóżeczku dziecka kilka zabawek, by maleństwo mogło się bawić nimi, kiedy tylko zechce?

O.: Jeżeli tylko jest pewne, że zabawki te są dla dziecka bezpieczne, dobrze jest zostawić kilka z nich przy boku łóżeczka. Oprócz spoglądania na nie, dziecko będzie też mogło po nie sięgnąć. Maleństwo prawie na pewno budzi się rano o wiele wcześniej niż byś sobie tego życzyła, a ze stertą zabawek w zasięgu ręki może ono bawić się samo, bez twojego zaangażowania. Korzystne jest, aby już od początku stwarzać mu warunki dla takiego rodzaju niezależności.

P.: Moje sześciomiesięczne dziecko bez względu na to, jak wiele zabawek ma pod ręką, zamiast nimi się zająć, bardzo często wpatruje się we mnie, kiedy zabieram się do codziennych zajęć domowych. Czy jest to normalne?

O.: Napełnianie czy opróżnianie pralki może wydawać ci się nudne, ale twoje małe dziecko lubi obserwować, jak poruszasz się po domu przy takich zajęciach. Powinnaś pozwolić dziecku obserwować się przy takich codziennych pracach, a jeśli to tylko możliwe, powinnaś też ułożyć je w takiej pozycji, by mogło widzieć cię bez przeszkód.

P.: Moje dziesięciomiesięczne dziecko nie zawsze potrafi wykonać to, co sobie postanowiło. Czy powinnam mu wówczas pomóc, czy też może to zakłócić jego postępy w nauce?

O.: Z pewnością powinnaś zaproponować mu jakieś rozwiązania. Jeżeli widzisz, że utknęło ono na jakimś ćwiczącym koordynację zadaniu (na przykład przy wkładaniu przedmiotu danego kształtu do odpowiedniego otworu zabawki sortującej), możesz zaproponować mu inne sposoby wykonania tej czynności. Bądź przy nim, kiedy wypróbowuje twoje propozycje. Pochwal maleństwo, kiedy mu się uda.

Po prawej: Zabawki i przedmioty różnych kształtów i rozmiarów mogą pomóc w usprawnianiu panowania dziecka nad rączkami.

P.: Moja siostrzenica w wieku siedmiu miesięcy potrafi już jeść paluszkami, podczas gdy moja córeczka, starsza od niej o miesiąc, nie opanowała jeszcze tego chwytu szczypcowego. Czy powinnam martwić się jej wolniejszym rozwojem?

O.: Unikaj wszelkich porównań. Każde dziecko jest inne i mogłabyś równie dobrze odkryć, że twoja siostrzenica jest bardziej zaawansowana w procesie koordynacji ręka-oko niż twoje dziecko, nawet gdyby były one obydwie w tym samym wieku.

Koordynacja ręka-oko
Stymulacja

Koordynacja ręka-oko rozwija się
u dziecka bardzo dynamicznie pomiędzy
czwartym a szóstym miesiącem życia.
Maleństwo zaczyna wtedy coraz żywiej
reagować na ciebie i całe otoczenie.
W jego patrzeniu i dotykaniu pojawia się
coraz więcej działania celowego.
Dziecko staje się aktywnym badaczem
otoczenia, posługując się koordynacją
ręka-oko – w sposób coraz bardziej
skoncentrowany i opanowany.

W czasie, kiedy dziecko ma od siedmiu do dziewięciu miesięcy, jego zdolność do samodzielnego siedzenia jest trwale ustalona. Może ono
podejmować już dość pomyślne próby poruszania się po podłodze, raczkując: zrobi niemal

wszystko, by chwycić w rączkę to, co by akurat
chciało. Pomimo zwiększającej się niezależności
dziecka, najbardziej cieszy je zabawa, w której ty
bierzesz udział. Na wszelkie sposoby wycofuj
się jednak na nieco dalszy plan i dawaj mu spo-
sobność samodzielnego badania otoczenia, ale
przy tym stale pamiętaj, że ono ciągle cię potrzebuje.

**Jak mogę stymulować u mego dziecka
rozwój jego zdolności koordynacyjnych
ręka-oko?**

• Proś je, by spoglądało na przedmioty, które nie
znajdują się tuż przy nim, ale są jednak w zasięgu jego wzroku.
• Jeżeli dziecko w czasie jedzenia, próbuje
chwycić butelkę lub łyżeczkę – pozwól mu na to
(jednak sama jej nie puszczaj). Możesz czasami dać
maleństwu jakieś jedzenie do rączki, jako przekąskę.
• Pozwól mu sięgać do obrazków w książce.
Jeżeli dziecko chce popatrzeć z bliska na te obrazki
w książeczce, o których właśnie mu opowiadasz,
pozwól, by samo chwytało jej grube, kartonowe
strony.
• Kiedy oboje z dzieckiem siedzicie razem,
wskaż palcem na coś w pokoju i powiedz:
„Popatrz na to". Podąży ono wówczas wzrokiem
po linii od twojej ręki do wskazywanego przedmiotu.
Następnie poproś dziecko, aby teraz ono wskazało
nazwany przez ciebie przedmiot w pokoju.
• Przekazuj mu bezpośrednie polecenia dotyczące koordynacji ręka-oko, dla przykładu, powiedz mu łagodnie: „Daj mi ten kubeczek".

Po lewej: Zachęcaj dziecko do badania otoczenia
rączkami, podając mu do zabawy bezpieczne dla
niego przedmioty gospodarstwa domowego.

Zabawki przydatne rosnącemu dziecku

Wiek	Zabawka/Czynność	Ćwiczona umiejętność
4-6 miesięcy	Miękka książeczka z opowiadaniami	• By zachęcić dziecko do odwracania stron.
	Miękka mata do zabawy	• Aby dziecko mogło sięgać po małe zabawki i przewracać się bez potłuczeń.
	Miękkie klocki i małe, różnokształtne drewienka	• Po to, by nauczyć dziecko trzymania rzeczy w obydwu rączkach równocześnie. Na początku złapie je tylko na chwilkę i upuści, ale z czasem będzie trzymać je coraz dłużej. Można także za pomocą tych przedmiotów pokazać dziecku, jak przekładać przedmioty z ręki do ręki.
7-9 miesięcy	Małe klocki	• Ćwiczenie chwytu szczypcowego. Dziecko może stosować chwyt kciukiem i palcem wskazującym jak parą szczypczyków. Małe przedmioty mogą mu wypadać, ale w miarę ćwiczenia chwyt będzie coraz bardziej sprawny.
	Zabawka na kółkach i na sznurku	• By dzięki zabawce pobudzać proces zrozumienia związków przyczynowo-skutkowych. Pokaż dziecku, jak możesz na siedząco dosięgnąć dalszej zabawki, pociągając za przywiązany do niej sznurek. Poleć, by dziecko zrobiło to samo.
	Instrumenty muzyczne, kubeczki i garnuszki z drewnianymi łyżeczkami	• Sposób na rozwijanie koordynacji drogą zabawy. Możesz ustawić przed dzieckiem rządek kubeczków i poprosić je, by uderzało kolejno każdy z nich. Kiedy już opanuje tę umiejętność, zachęcaj je, by uderzało w kubeczki na chybił trafił.
10-12 miesięcy	Plastikowe miseczki	• Dla rozwijania kontroli dziecka nad rączkami podczas przelewania wody z jednego naczynia do drugiego.
	Pudełka i kubeczki z pokrywkami	• Aby dalej rozwijać zręczność. Możesz włożyć coś do pudełka lub kubeczka, żeby grzechotało, kiedy dziecko potrząsa tym kubeczkiem. Nie będzie ono mogło powstrzymać swej ciekawości i wkrótce zdejmie pokrywkę.
	Kostki do układania Zestaw miseczek, wchodzących jedna w drugą	• Przygotowanie do wykonania bardziej złożonego zadania – ułożenia przedmiotów według ich rozmiarów. Dziecko będzie przypuszczalnie musiało tu trochę poćwiczyć, ale powinno potrafić umieścić dwie lub trzy miseczki, jedna w drugiej.
	Książeczki dla małych dzieci z tekturowymi „kartkami"	• Dla rozwijania umiejętności odwracania poszczególnych stron. Na tym etapie, dla oddzielenia stron od siebie, dziecko będzie posługiwało się obydwiema rączkami.

Koordynacja ręka-oko
Częste problemy

P.: Moje pięciomiesięczne dziecko chwyta wszystko, na cokolwiek spojrzy – łącznie z przedmiotami gospodarstwa domowego. Czy powinnam te rzeczy usuwać z jego zasięgu, czy właśnie podawać mu je?

O.: Najlepiej usuwać możliwe pokusy, szczególnie, jeśli mogą stanowić niebezpieczeństwo lub są cenne. Czy ci się to podoba, czy nie, będziesz zapewne musiała zmienić sposób organizacji zajęć domowych tak, aby uwzględnić rosnące umiejętności twego dziecka w dziedzinie koordynacji ręka-oko. Jest przecież o wiele łatwiej usunąć całkowicie z jego zasięgu jakąś kruchą ozdobę, niż stale się martwić, że dziecko może dostać ją w swoje rączki. Kiedy tylko zrozumie słowo „nie", możesz zacząć je uczyć, czego nie powinno dotykać.

P.: Cóż jeszcze mogę zrobić, by zapewnić dziecku bezpieczeństwo?

O.: Chwal je, kiedy stosuje się do zasad bezpieczeństwa. Nie ma dla dziecka silniejszej motywacji do trzymania się zasad odnoszących się do dotykania czegoś, jak właśnie twoja aprobata. Dziecko będzie promieniało radością, kiedy przytulisz je w nagrodę za to, że nie podeszło za blisko do gorącego grzejnika.

P.: Moje dziecko ma osiem miesięcy i złości się, kiedy nie może ukończyć układanki. Co powinnam zrobić?

O.: Reaguj spokojnie na tę frustrację. Kiedy dziecko nie radzi sobie z koordynacją ręka-oko i wybucha złością, nie pozwól sobie i ty na zdenerwowanie. Zrób, co tylko możesz, aby je uspokoić, a następnie zaproponuj, by spróbowało jeszcze raz. Jeżeli ponownie zrobi to nieskutecznie, odłóż układankę.

P.: Moje sześciomiesięczne dziecko nie interesuje się zabawkami. Nie wysila się, by sięgnąć po którąś z nich. Czy dzieje się z nim coś niedobrego?

O.: Dzieci różnią się stopniem nasilenia chęci poznawania otoczenia. Jedne są bardziej gotowe do działania, inne mniej. Jeżeli twoje dziecko należy do osób, które nie sięgają po zabawki i nie są zbyt

Po lewej: Dawanie dziecku zabawek, by bawiło się nimi w czasie kąpieli, jest dobrym sposobem na umacnianie koordynacji ręka-oko, a do tego stanowi dla niego niezłą rozrywkę.

Powyżej: Takie zabawki jak ten sortownik kształtów stanowią dobry sposób na usprawnianie u dziecka koordynacji ręka-oko.

chętne do badania otoczenia, wówczas bądź przygotowana na przynoszenie mu zabawek, delikatne wkładanie ich w jego rączki i wspólną z nim zabawę. To powinno zwiększyć motywację dziecka. Sprawdź także czy ma ono zabawki odpowiednie do swego etapu rozwoju (patrz strona 101).

P.: Czy jest sens oczekiwać, by moje dziecko bawiło się po cichu? Ono naprawdę lubi robić wiele hałasu.

O.: Oczywiście! Przecież nie masz zamiaru zniechęcać go do zabawy, tylko nauczyć, że bawiąc się, musi brać pod uwagę inne osoby. Teraz jest na to równie odpowiedni moment, jak każdy inny. Jeżeli dziecko spowoduje jakiś szczególnie głośny hałas, mów do niego cicho i poproś, żeby było bardziej delikatne.

P.: Czy nie jest jeszcze zbyt wcześnie, by memu trzymiesięcznemu dziecku wprowadzać ograniczenia, mówiąc mu, czym wolno mu się bawić, a czym nie?

O.: Dziecko jest jeszcze bardzo małe, ale możesz

zastanowić się nad ustaleniem dla niego pewnych zasad dotyczących dotykania. Staraj się ostrzegać dziecko przed małymi przedmiotami. Dziecko i tak lubi wkładać je do buzi, chociaż jest coraz bardziej świadome niebezpieczeństw, jakie to może stwarzać. Jak tylko będzie trochę starsze i bardziej ruchliwe, ustal pewne zakazane dla niego miejsca w domu. Zdecyduj też, których przedmiotów nie pozwalasz mu badać (na przykład porcelanowych bibelotów, gniazdek i innych artykułów elektrycznych), i powiedz dziecku, by ich nie dotykało. Będziesz przypuszczalnie musiała powtarzać to szkolenie jeszcze wiele, wiele razy.

P.: Wydaje się, że moje dziecko ledwo podejmie jakąś czynność, a po chwili traci nią zainteresowanie. Sądzę, że zbyt łatwo się poddaje. Czy jest coś, co mogłabym zrobić w tej sytuacji?

O.: Jeżeli sądzisz, że dziecko poddaje się zbyt łatwo, zachęć je dyplomatycznie do ukończenia zadania, ale nie zmuszaj go do tego. Staraj się też dać mu sama dobry przykład. Pokaż dziecku swoje zmagania z podobnym zadaniem, dokonywane z uśmiechem, na przykład przelewanie wody z dzbanka do kubka.

P.: Niezależnie od tego, jak często pokazuję memu synkowi, w jaki sposób wkładać klocki o różnych kształtach do odpowiednich otworków pojemniczka, on ciągle nie może sobie poradzić ze wszystkimi. A czy powinien?

O.: Małym paluszkom niewiarygodnie trudno poradzić sobie z zabawkami sortującymi klocki poszczególnych kształtów. Twój synek przypuszczalnie radzi sobie z klockami w kształcie koła i kwadratu, ale nie z tymi bardziej skomplikowanymi. Daj mu czas na odkrycie rozwiązań.

Ruch
Co jest typowe?

Wiele z niezwykłych zmian zachodzących w kontrolowaniu własnych ruchów wydaje się następować u dziecka spontanicznie w miarę jego fizycznego, szczególnie neurologicznego dojrzewania. Weźmy za przykład sześciomiesięczne dziecko: bez względu na to, jak wielu ćwiczeniom w chodzeniu podda się je nie będzie ono miało, w tym wieku, koordynacji ruchów nóżek i tułowia umożliwiającej chodzenie.

Istnieją jednak dowody na to, że ćwiczenia mają istotny wpływ. Dziecko, któremu dano wiele sposobności do raczkowania, będzie przypuszczalnie w tym sprawniejsze niż dziecko, które z takiej formy aktywności zwolniono. To samo dotyczy poruszania się w górę i w dół schodów. Być może najlepszą przyjętą strategią, gdy chodzi o zachęcanie dziecka do aktywności ruchowej, jest pamiętanie o tym, że tempo rozwoju fizycznego i neurologicznego ma tu wielki wpływ, a także, że to właśnie w pewnych dziedzinach aktywności ruchowej tempo to będzie ograniczało efekty ćwiczeń ruchowych.

Co dziecko potrafi zrobić?

4–6 miesięcy

- Umie już siedzieć z podparciem w prostej pozycji, odwracać się z boku na bok i przemieszcza się po podłodze poprzez turlanie i obracanie.

6–7 miesięcy

- Potrafi siedzieć samodzielnie, nie potrzebując do tego jakiejkolwiek podpórki, i demonstruje pierwsze próby raczkowania. Przewraca się też sprawnie z jednego boku na drugi i z powrotem.

8–9 miesięcy

- Daje radę już wstawać, trzymając się krzesła, i raczkować do przodu i do tyłu. Próbuje także wspinać się na schody.

10–11 miesięcy

- Stoi na własnych nóżkach, podtrzymując się czegoś, ale w krótkim czasie będzie stało samodzielnie. Wchodzi na pierwszy stopień schodów i potrafi zsunąć się z niego z powrotem.

12 miesięcy

- Demonstruje pierwsze oznaki samodzielnego chodzenia i pewniej wspina się na schody. Może chodzić, jeżeli trzymasz je za rączki.

Ruch
Częste pytania

Powyżej: Pomagając dziecku, kiedy uczy się ono stawiać swoje pierwsze kroki, zwiększa się wówczas jego pewność siebie.

P.: Czy mogę uszkodzić nóżki dziecka, kiedy zginam je i prostuję w celu ich wzmocnienia?

O.: Dopóki robisz to delikatnie, bez sprawiania jakichkolwiek dolegliwości, ćwiczenie to będzie prawdopodobnie korzystne dla mięśni nóżek dziecka. Nie forsuj jednak maleństwa. Jeżeli te ruchy nóżek będziesz wykonywała bardzo łagodnie, a przy okazji serdecznie przemawiała, przypuszczalnie będzie to dla dziecka świetna zabawa.

P.: Czemu moje pięciomiesięczne dziecko trzyma zwykle nóżki ponad materacem łóżeczka, podczas gdy przedtem trzymało je zazwyczaj bezpośrednio na nim?

O.: Jest to skutek rozwoju mięśni jego nóżek i faktu, że nie jest już tak bierne. Trzymanie nóżek w powietrzu, w ten właśnie sposób, jest dla niego wygodniejsze i może się też ono swobodniej poruszać wokół, bez uderzania w cokolwiek. Poza tym lubi się bawić swoimi palcami u nóżek!

P.: Czy powinnam powstrzymywać dziecko przed wierceniem się na wszystkie strony w czasie kąpieli?

O.: Najważniejszą dla ciebie sprawą powinno być zachowanie bezpieczeństwa dziecka, ale jeżeli trzymasz je pewnie, możesz pozwolić mu wiercić się i pluskać. Odczuwanie oporu, jaki nóżkom dziecka stawia ciepła woda, połączone z hałasem chlapania, działa na dziecko pobudzająco.

P.: Czy moje 11-miesięczne dziecko poczuje się zmuszane do zrobienia pierwszego kroku, jeżeli nagle puszczę jego rączkę i zostanie ono pozostawione samo w pozycji stojącej?

O.: Teoretycznie mogłoby to skłonić dziecko do chodzenia, ale jest bardziej prawdopodobne, że to je przestraszy. Takie radykalne gesty mogą przynieść odwrotny skutek i spowodować, że następnym razem dziecko będzie już mniej gotowe do tego, by ci zaufać.

P.: W jakim wieku powinno być dziecko, bym mogła zabrać je na pływalnię?

O.: Kiedy tylko dziecko otrzymało już pierwszy komplet szczepień, możesz je zabrać na publiczną pływalnię. Temperatura wody i otoczenia powinna być odpowiednio ciepła, jednak nawet wówczas dziecko może się bardzo szybko wychłodzić, więc czas trwania kąpieli powinien być krótki. Zapoznawaj maleństwo z wodą, trzymając je na rękach i stojąc w otaczającej cię wodzie, a kiedy dziecko jest odprężone, pozwól mu unosić się na wodzie w położeniu na grzbiecie, podtrzymując je przy tym.

Ruch
Stymulacja

Przypuszczalnie najbardziej znaczącą zmianą w dziedzinie aktywności ruchowej u dziecka w wieku około czterech do sześciu miesięcy jest umiejętność siedzenia wymagająca coraz mniejszej pomocy, a u niemowlęcia około szóstego miesiąca życia możliwe, że nawet samodzielna.

Jak tylko umiejętność siadania została w pełni opanowana, przychodzi kolej na usprawnianie dolnej części ciała dziecka. Ponieważ wczesne etapy raczkowania pojawiają się pomiędzy siódmym a dziewiątym miesiącem życia, maleństwo znajduje całkiem nowe sposoby na przemieszczanie się po domu. Poprawa poczucia równowagi i koordynacji ruchów ciała dziecka, połączona z rosnącą siłą jego tułowia, bioder i nóżek zostały ukierunkowane na ten ostatni okres pierwszego roku jego życia, kiedy dziecko będzie już naprawdę mogło postawić pierwsze samodzielne kroki. A jeśli nawet maleństwo nie zaczęło jeszcze chodzić w dwunastym miesiącu życia, będzie już w tym czasie niemal na pewno bardzo za- awansowane w osiąganiu tego celu.

Jak mogę pobudzać kształtowanie sprawności ruchowej mojego dziecka?
• Spędzaj czas z nim na zabawach ruchowych, takich jak łagodne kołysanie dziecka trzymanego pewnie w ramionach.
• Stosuj proste ćwiczenia rozwijające mięśnie grzbietu, klatki piersiowej i karku. Połóż wyprostowane dziecko na podłodze i klęknij przy jego stópkach. Pozwól mu złapać twoje palce wskazujące, a kiedy tylko jego rączki zacisną się na nich, unoś dziecko nieco z ziemi.
• Kiedy dziecko leży na brzuszku, połóż jego ulubione zabawki tuż przy nim, ale poza zasięgiem jego rączek. Teraz, kiedy maleństwo już wie, że potrafi się do nich zbliżyć, będzie zdecydowanie próbowało ich dosięgnąć.
• Chodź po pokoju, kiedy mówisz do niego, aby odwracało główkę w ślad za tobą.
• Około dziewiątego miesiąca życia dziecka powinnaś już móc postawić je w pozycji stojącej i pozwolić, by stało, trzymając się niskiego stolika lub solidnego, ciężkiego krzesła.
• Daj mu czas na poruszanie się w chodziku.
• Kiedy potrafi już pewnie stać, chwyć je za rączki i powoli się cofaj. Może ono wówczas spróbować wykonać kroczek do przodu.
• Jak tylko dziecko zaczyna krążyć po pokoju, wykorzystując do tego meble, stopniowo poszerzaj odstępy pomiędzy nimi, aby musiało teraz niemal rzucać się do następnego sprzętu.

Potrafię się turlać

Kiedy niemowlę ma około czterech miesięcy, przekręca się już z boku na bok. Jest to niezwykły pokaz koordynacji, obejmujący głowę, szyję, tułów, biodra, rączki i nóżki dziecka. Maleństwo może zmienić pozycję ciała bez czekania na ciebie, co ogromnie umacnia jego niezależność. Dziecko potrafi się teraz także przewrócić, zupełnie samodzielnie, z grzbietu na brzuszek. Ta zauważalna już siła ciała dziecka daje mu większe możliwości badania i odkrywania otoczenia, jak również pokazuje, że niemowlę staje się stopniowo przygotowane do siadania, raczkowania i wreszcie – do chodzenia.

Ruch
Rozwój koordynacji

Pod względem tempa rozwoju aktywności ruchowej każde dziecko jest inne. Ogólnie rzecz biorąc, zdolność dziecka do panowania nad ruchami własnego ciała rozwija się w pierwszych 12 miesiącach jego życia w dwóch odmiennych kierunkach:

• **Od główki w dół.** Dziecko uzyskuje kontrolę nad górną częścią swego ciała wcześniej niż nad dolną. Na przykład: może już samodzielnie podnosić główkę zanim mięśnie jego grzbietu będą na tyle mocne, by dziecko mogło samodzielnie siadać, a z kolei umiejętność siadania opanuje dużo wcześniej niż chodzenie.
• **Od klatki piersiowej na zewnątrz.** Niemowlę uzyskuje kontrolę nad środkową częścią swego ciała wcześniej niż zacznie panować nad swymi rączkami i nóżkami, i tak np. może unieść klatkę piersiową z podłoża, zanim będzie potrafiło precyzyjnie sięgać po coś rączkami, a także będzie potrafiło podnieść coś palcami rączki wcześniej niż będzie w stanie kopnąć piłkę stópką.

Ich własne sposoby

Pewnym zdumiewającym aspektem aktywności ruchowej dzieci jest to, że choć większość z nich mija kolejne kamienie milowe rozwoju fizycznego mniej więcej w tym samym czasie (np. większość potrafi samodzielnie siadać w wieku około sześciu miesięcy), to istnieje duże zróżnicowanie sposobów osiągania każdego z tych etapów.

Raczkowanie i chodzenie stanowią tu dwa dobre przykłady. Twoje dziecko może być jednym z tych, które lubią raczkować, dotykając podłogi rączkami i kolankami, podczas gdy dziecko twej najlepszej przyjaciółki, będące

Powyżej: Około dziewięciomiesięczne dzieci mogą już wspinać się na stopnie, ale będą wymagały nadzoru stojącej za nimi osoby.

w tym samym wieku, być może woli raczkować z pupą uniesioną wysoko i kolankami nie dotykającymi podłoża. Obydwa maleństwa raczkują, tyle że na swoje własne, odrębne sposoby. Są nawet takie dzieci, które tak bardzo nie lubią raczkować, że zupełnie tym się nie interesują i przechodzą bez większych zakłóceń od siedzenia do chodzenia, prawie nie raczkując w tzw. międzyczasie. To samo dotyczy chodzenia. Twoje dziecko mogło przechodzić od siadania, poprzez raczkowanie, a następnie stawanie do chodzenia. Są jednak takie dzieci, które od razu przechodzą etap pośredni, polegający na stopniowym przesuwaniu pupy, tj. kiedy siedząc na podłodze unoszą pośladki i opuszczają je, przesuwając się przy tym do przodu.

Ruch
Częste problemy

P.: Moje czteromiesięczne dziecko przewraca się z brzuszka na plecy, ale nie potrafi przewrócić się z powrotem. Czy dzieje się z nim coś niedobrego?

O.: Z twoim dzieckiem nie dzieje się nic złego. Maleństwo w tym wieku potrafi zazwyczaj przewracać się z brzuszka na grzbiet, ponieważ jest to łatwiejsze niż inne sposoby zmiany pozycji.

P.: Moje sześciomiesięczne dziecko rozwinęło umiejętność czegoś w rodzaju raczkowania, ale bez unoszenia brzuszka z podłogi. Martwię się, że jest ono może zbyt słabe. Czy powinnam w jakiś sposób ćwiczyć jego mięśnie?

O.: Jest bardziej prawdopodobne, że jego ruchy raczkowania, nie są jeszcze wystarczająco dojrzałe. Poprawi ono swoje umiejętności samoczynnie. Upewnij się jednak, że dziecko ma odpowiednio wiele okazji do leżenia na brzuszku na podłodze, aby mogło ćwiczyć raczkowanie.

P.: Ponieważ moje dziecko upadło kilkakrotnie przy próbach chodzenia, teraz już więcej tego nie próbuje. Co powinnam zrobić?

O.: Daj mu trochę czasu na odbudowanie wiary we własne zdolności do poruszania się. Odkryjesz, że jego naturalne dążenie do samodzielnego chodzenia ponownie pojawi się po kilku dniach, kiedy tylko trochę pozbiera się po poniesionej małej porażce. W tym czasie nie zmuszaj go do chodzenia.

P.: Teraz, kiedy moje dziecko raczkuje, używam bramki zamykającej mu wstęp na schody. Maleństwo jest jednak tak nimi zafascynowane, że zawsze rusza prosto w ich kierunku. Obawiam się, że może mieć jakiś

Powyżej: Dzieci pomiędzy 10 a 11 miesiącem życia potrafią stać na obydwu nóżkach, trzymając się ciebie dla podparcia.

wypadek, kiedy dostanie się na nie bez nadzoru. Kiedy mogę zacząć uczyć dziecko wdrapywania się na schody?

O.: Dzieci uwielbiają wspinać się. Kiedy twoje maleństwo umie raczkować, jest już także w stanie wdrapywać się na schody. Dobrze jest więc uczyć je tego teraz, na wypadek gdyby znalazło jakieś niestrzeżone schody. Stojąc tuż za nim, pozwól mu raczkować po nich w górę. Gdybyś kiedykolwiek odkryła, że dziecko właśnie wspina się na schody, nie wołaj i nie rozpraszaj go, bo to może spowodować upadek, ale po prostu stań za nim po cichu. Kiedy już jesteś na schodach poniżej, pokaż mu, jak z nich zejść raczkowaniem do tyłu. Dziecko będzie nadal raczkowało po schodach, nawet jeszcze jakiś czas po tym, jak nauczy się chodzić.

P.: Moje dziecko ma dziewięć miesięcy. Martwię się, że pewnego dnia zrobi sobie krzywdę, kiedy próbuje podciągać się ku górze. Jak mogę je chronić?

O.: Jedynym sposobem, w jaki dziecko może opanować nowe umiejętności ruchowe, jest podejmowanie przez nie nowych wyzwań, a w tych sytuacjach zawsze istnieje niewielkie ryzyko urazów. Zamiast ograniczać jego aktywność ruchową, bądź blisko przy nim w czasie jego prób.

P.: Podczas gdy inne dzieci robią w czasie dnia wrażenie żwawych i aktywnych, moje maleństwo przez większość czasu tylko siedzi. Czy dzieje się z nim coś niedobrego?

O.: Pamiętaj, że chodzenie wymaga nie tylko dobrej równowagi i odpowiednich ruchów ciała, ale także ogromnej pewności siebie. Często właśnie ten brak wiary w siebie powstrzymuje dziecko przed zrobieniem pierwszego samodzielnego kroku – ono po prostu się boi, że upadnie. Dlatego właśnie potrzebuje od ciebie cierpliwości i pomocy. Zrób wszystko, co możesz, by odprężyć je i zachęcić do chodzenia. Spraw, by się go nie bało, w przeciwnym razie dziecko będzie wolało pozostawać w bezpiecznej pozycji siedzącej.

P.: Moje dziecko wybucha płaczem, kiedy tylko nie może dosięgnąć tego, co chce. Co mogę zrobić?

O.: Gdy chodzi o aktywność ruchową, ambicje twego dziecka przewyższają jego możliwości.

Po prawej: Dzieci, nawet kiedy postawiły już swoje pierwsze kroczki, mogą jeszcze przez pewien czas raczkować.

Innymi słowy, stawia ono sobie zbyt trudne cele i wcale nie jest zadowolone, kiedy zwycięża rzeczywistość. Uspokój dziecko, dodaj mu otuchy i bądź skłonna podać mu do rączki ten powód rozpaczy. Kiedy następnym razem usłyszysz jego jęki rozczarowania, staraj się je uspokoić, zanim osiągnie punkt krytyczny.

P.: Ponad miesiąc temu moja mała córeczka zrobiła kilka samodzielnych kroczków, ale teraz wydaje się, jakby zapomniała to wszystko i wróciła do raczkowania. Czy jest to normalne?

O.: Rozwijanie nowych umiejętności nie postępuje w tempie miarowym, ale raczej zrywami. Jest rzeczą normalną, że dziecko ma przypływ energii i dokonuje czegoś nowego, a później kontynuuje ćwiczenie tej czynności i nie przechodzi do następnego etapu, zanim jej w pełni nie opanuje, a czasami w ogóle jej zaprzestaje, bo skupia się na czymś innym. Twoja córeczka nie zapomniała, jak się chodzi, ale może odłożyła to na później, bo właśnie próbuje czegoś innego. Kiedy będzie gotowa, przypuszczalnie zadziwi cię, stając nagle na obydwie nóżki.

Rozwój emocjonalny
Co jest typowe?

Choć każde dziecko jest inne, ze swoim własnym, szczególnym i niepowtarzalnym zestawem cech osobowych, psycholodzy określili trzy główne typy usposobienia małych dzieci.

Pierwszy z nich to dziecko „łatwe", które radzi sobie chętnie i pogodnie z nieznanymi dotąd doświadczeniami. Bawi się ochoczo nowymi zabawkami, regularnie sypia, jada i łatwo przystosowuje się do wszelkich zmian. Natomiast dziecko „trudne" jest jego dokładnym przeciwieństwem. Opiera się ono wszelkiemu ustalonemu porządkowi, często płacze, potrzebuje wiele czasu, aby zostać nakarmionym, i sypia niespokojnie. Jest też jeszcze typ: dziecko, które „wolno się rozkręca" – raczej mało wymagające i bierne. Nie włącza się aktywnie do niczego i czeka, by świat przyszedł do niego. Możesz, prawdopodobnie, zaobserwować u swego dziecka elementy wszystkich tych trzech typów! Zarówno osobowość dziecka, jak i jego umiejętności współżycia z ludźmi są konsekwencją połączenia tych cech charakterystycznych z efektami metod, jakimi było wychowywane w dzieciństwie.

Jak zachowuje się moje dziecko?

4–5 miesięcy	• Dziecko zaczyna posługiwać się różnymi minami dla zwrócenia czyjejś uwagi. Może też okazywać zawstydzenie w towarzystwie obcych osób. W tym wieku może już przywiązać się do przytulanki lub innej, poprawiającej nastrój zabawki.
6–7 miesięcy	• W wieku sześciu miesięcy będzie figlarnie przytrzymywało zabawkę, w momencie kiedy usiłujesz mu ją zabrać. Jest świadome słownych pochwał i okazywanego mu zachwytu. Lubi codzienne czynności, takie jak kąpiel lub układanie do snu.
8–9 miesięcy	• Rozpoczyna nawiązywanie kontaktów z innymi dorosłymi i interesują je jego rówieśnicy. W zatłoczonych miejscach będzie się kurczowo do ciebie przytulało.
10–11 miesięcy	• Będzie już teraz zarówno przytulało do siebie, jak i przyjmowało przytulenia. Uwielbia wspólne zabawy, takie jak „a kuku!", i bardzo szybko przechodzi z nastrojów pozytywnych do negatywnych.
12 miesięcy	• Roczne dziecko lubi te wszystkie zabawy z tobą, które polegają na wzajemnym oddziaływaniu na siebie. Kiedy znajdzie się w grupie mieszanej, woli bawić się z dzieckiem własnej płci.

Rozwój emocjonalny
Częste pytania

P.: W jakim wieku moje dziecko powinno już nawiązać ze mną więź emocjonalną?

O.: To zależy całkowicie od ciebie i twego dziecka. Może to trwać różnie: od kilku dni do kilku miesięcy, a w niektórych przypadkach nawet dłużej (patrz strony 16–17). Badania wykazały jednak, że dziecko, które do około czwartego miesiąca swego życia nie nawiązało jeszcze tego typu solidnej więzi ze swym dorosłym opiekunem, będzie prawdopodobnie miało przez całe życie trudności z funkcjonowaniem w społeczeństwie.

P.: Czy powinnam karcić swoje dziecko, jeżeli zachowuje się ono niewłaściwie?

O.: Próbuj je raczej zachęcać do dobrego zachowania, bez wpadania w pułapkę stałego karcenia go, kiedy tylko zrobi coś złego. Jest bowiem bardziej prawdopodobne, że nauczy się ono właściwego postępowania, jeżeli będziesz mu wyjaśniać, co powinno robić, zamiast ganić je za to, czego robić nie powinno.

P.: Czy jest prawdą, że jako niemowlęta chłopcy są zwykle trudniejsi w wychowaniu od dziewcząt?

O.: Nie ma zbyt wielu dowodów badawczych dla poparcia tej opinii. Powszechnie przyjęta prawda brzmi, że w wieku niemowlęcym chłopcy istotnie są zwykle bardziej śmiali i przedsiębiorczy niż dziewczynki, ale może tak być i z tej przyczyny, że rodzice pozwalają chłopcom zachowywać się w ten sposób, podczas gdy odwodzą zwykle swoje małe córeczki od przejawiania takiego pełnego temperamentu zachowania.

P.: Czy powinnam pozwolić mojej córeczce na trzymanie łyżeczki przy posiłkach? Potrafi ona przy tym ogromnie nabałaganić.

Powyżej: W miarę jak dziecko rośnie, zacznie uwielbiać wspólne z tobą zabawy.

O.: Robi bałagan, bo nie potrafi prawidłowo posługiwać się łyżeczką, ale jedyną drogą do nauczenia jej tego jest właśnie praktyka. Staraj się nie stłumić w dziecku pragnienia samodzielności, chociaż sama mogłabyś nakarmić je szybciej. Pozwól trzymać córeczce łyżeczkę przynajmniej przez pewien czas.

P.: Czy w miarę jak moje dziecko staje się starsze, powinnam do niego mówić więcej i w sposób bardziej „dorosły"?

O.: Powinnaś z pewnością zwiększyć swoje oczekiwania dotyczące kontaktowości dziecka. Mogłaś nie oczekiwać jakiejkolwiek sensownej reakcji na twoje wypowiedzi, gdy dziecko było całkiem malutkie, jednak teraz właśnie jest odpowiedni moment, by dać mu możliwość zareagowania. Kiedy więc mówisz do niego, pozostaw mu pewną pauzę, by mogło pogaworzyć w odpowiedzi. Kiedy zadajesz mu pytanie, takie jak „Czy chcesz jeszcze pić?" – zamiast bezpośredniego podania mu tego picia, szukaj najpierw odpowiedzi w wyrazie jego twarzy, ruchach ciała lub wydawanych dźwiękach. Twoja zachęta spowoduje, że maleństwo zda sobie sprawę z tego, iż musi zareagować.

Rozwój emocjonalny
Stymulowanie

Na płaszczyźnie kontaktów towarzyskich umiejętności dziecka zwiększają się w miarę wzrastania jego potrzeby przebywania z innymi. Zaczyna ono coraz wyraźniej zdawać sobie sprawę z obecności innych osób wokół i posługuje się pozasłownymi sposobami komunikacji, aby nawiązać z nimi kontakt. Uwaga innych wyraźnie mu służy.

Niezależnie jednak od tej ochoty przebywania w towarzystwie, jego pewność siebie w tej dziedzinie pozostaje bardzo krucha. W momencie kiedy dostrzeże kogoś obcego, może równie dobrze wybuchnąć płaczem i wykazywać oznaki strachu przed rozstaniem, jeżeli sądzi, że masz zamiar pozostawić je samo z kimś innym (patrz strona 86). Kiedy dziecko ma około siedmiu miesięcy, jest już towarzysko bardziej otwarte i podejmuje aktywne próby odpowiadania innym osobom. Około 10 do 12 miesiąca życia główne, charakterystyczne cechy emocjonalne dziecka są już wyraźnie i mocno zaznaczone. W większości sytuacji można już prawdopodobnie przewidzieć jego zachowanie, ale narastająca u dziecka świadomość otaczającego je świata powoduje u niego czasowe zahamowanie rozwoju jego towarzyskości. Jego przywiązanie do ciebie staje się bardziej intensywne, a pragnienie przebywania z innymi na tym etapie życia nieco się obniża.

Jak mogę stymulować rozwój emocjonalny dziecka?

• **Pozwól dziecku bawić się razem z jego rówieśnikami.** Nawet jeżeli nie będzie się z nimi bawiło, a tylko siedziało i patrzyło na nie. Te dzieci będą dla niego bardzo interesujące. Obserwuje ono ich poczynania i uczy się z tych obserwacji.

• **Rozmawiaj z innymi osobami w obecności dziecka.** Twoje maleństwo musi nauczyć się, że język jest kluczowym elementem większości wzajemnych relacji między ludźmi. Obserwowanie twojej rozmowy ze spotkanymi ludźmi dostarcza dziecku dobrego przykładu do naśladowania.

• **Dodawaj mu otuchy, kiedy jest nieśmiałe wobec nieznanego dorosłego.** Kiedy dziecko zasłania się, bo mówi do niego ktoś obcy, weź je za rączkę, przytul i powiedz, żeby się nie bało. Dodanie przez ciebie otuchy pomoże mu pokonać ten spadek pewności siebie.

• **Stale okazuj dziecku miłość.** Ciągle okazywanie dziecku, że je kochasz i cenisz, zwiększa jego pewność siebie. Chłonie ono każdą kroplę rodzicielskiej miłości, którą mu proponujesz, i odpowiada na nią, zachowując się wobec ciebie z miłością.

• **Nie szczędź mu pochwał.** Twoja słowna pochwała i aprobata znaczą dla twego dziecka bardzo wiele. Działają one jako zachęta do utrwalania tego, za co je pochwalono. Pochwały zwiększają także jego poczucie własnej wartości.

• **Zatrudnij opiekunkę, abyś mogła wyjść z domu bez dziecka.** Oprócz korzyści dla ciebie, płynących z możliwości samodzielnego wyjścia z domu, jest to także dobre dla twojego dziecka. Przyzwyczaja się ono bowiem do opieki ze strony kogoś innego, szybko się do tego przystosuje i będzie zadowolone z tego tymczasowego układu.

Rozwój emocjonalny
Pewność siebie

Fundamenty do budowania poczucia wiary w siebie u dziecka wznoszone są w czasie pierwszego roku jego życia. Dziecko może być jeszcze bardzo małe, ale już ma poczucie tego, co potrafi i czego nie umie zrobić. Na stopień jego pewności siebie mają wpływ jego osiągnięcia. Choćby wówczas, kiedy w wieku czterech miesięcy uda się mu sięgnąć i uchwycić zabawkę, która przyciąga jego uwagę, albo kiedy mając roczek, stawia swój pierwszy krok. Sposób, w jaki inne osoby reagują na dziecko, wywiera wpływ na stopień jego pewności siebie: twoja miłość, pochwała i zainteresowanie, wszystko to pobudza u twego dziecka wiarę w siebie.

To, co daje przewagę

Wyniki badań psychologicznych sugerują, że zwykle dziecko ma bardzo mocną wiarę w swoje umiejętności. To dlatego właśnie chce ono poznawać otoczenie i odkrywać nowe obszar, wierząc, że żadne wyzwanie nie przekracza jego możliwości.

Będzie na przykład próbowało sięgać po nową zabawkę, która przyciąga jego uwagę. Będzie próbowało przesuwać ciało po podłodze, kiedy chce dostać się na drugą stronę pokoju. Będzie też próbowało porozumieć się z tobą, choć nie potrafi jeszcze mówić. Jego wiara w siebie może zostać uszczuplona przez doświadczenie. Im częściej nie udaje mu się czegoś osiągnąć, tym bardziej wiara w siebie będzie się obniżać.

Co możesz zrobić, by pomóc?

• Ciepłe, pełne miłości przytulenie dziecka jest podstawowym sposobem, w jaki mówisz dziecku, że je kochasz. Tego właśnie rodzaju kontakt z tobą pobudza jego wiarę w siebie.

• Jeżeli wybucha irytacją, nie mogąc czegoś zrobić, zapewniaj je, że wkrótce nauczy się tego.

• Rozdzielaj poszczególne wyzwania na pomniejsze etapy, z którymi będzie łatwiej dać sobie radę.

• Unikaj oczywistych pułapek. Jeżeli dostrzegasz, że dziecko zmierza ku rozczarowaniu niepowodzeniem, spróbuj je odwieść od tego rodzaju czynności, zanim ją na dobre podejmie.

Pewność siebie – pięć prawd

1. Poczucie pewności siebie wywiera znaczące działanie na rozwój dziecka, ponieważ wpływa na jego motywację, dążenie do osiągania celu i na jego kontakty z innymi osobami.
2. Dziecko, które wątpi w swoje możliwości pokonania stojących przed nim wyzwań, nie będzie nawet próbowało bawić się nową zabawką.
3. Maleństwo z niskim poczuciem własnej wartości jest niepewne swych własnych osiągnięć, dlatego jest też mniej prawdopodobne, że podejmie z zapałem jakieś nowe wyzwania.
4. Dziecko, które doświadcza pozytywnych reakcji ze strony otaczających je osób, będzie miało dobre samopoczucie.
5. Niski poziom zaufania we własne siły sprawia, że dziecko ma mniej radości życia, woli odgrywać bardziej bierną rolę. Może mieć trudności w okazywaniu miłości i przyjmowaniu jej oznak od innych. Wyzwanie i ryzyko wywołują raczej jego strach, niż chęć do działania.

Rozwój emocjonalny
Częste problemy

Powyżej: Niektóre dzieci uczą się szybko, że płacz przyciąga uwagę rodziców.

P.: Czemu moje dziecko zazwyczaj marszczy brwi? Kiedy ludzie je widzą, mówią że wygląda, jakby było w złym humorze, a ono w rzeczywistości jest przez większość dnia bardzo pogodne.

O.: To znakomicie pokazuje, że dopóki sama dokładnie nie poznasz reakcji własnego dziecka, nie zawsze możesz dokładnie zrozumieć znaczenia, wyrazu jego twarzy. Ponieważ rodzicielskie doświadczenie podpowiedziało ci, że jest ono ogólnie szczęśliwym i zadowolonym dzieckiem, to wiesz dokładnie, że jego marszczenie brwi nie wskazuje rozdrażnienia. Prawdopodobnie zmarszczone czółko jest wskaźnikiem zainteresowania oraz koncentracji dziecka i jest jego zwykłym sposobem skupiania uwagi. Odkryjesz zresztą, że posługiwanie się przez nie tym wyrazem twarzy minie w miarę dojrzewania dziecka. Kiedy inne jego mięśnie mimiczne staną się mocniejsze, jego zmarszczone brwi będą pojawiać się rzadziej.

P.: Moje pięciomiesięczne dziecko jest niezwykle wymagające. Wydaje się żądać, bym bawiła się i rozmawiała z nim w każdej minucie dnia. Czy wyrządzę mu krzywdę, jeżeli od czasu do czasu zignoruję te jego oczekiwania?

O.: Nie, wprost przeciwnie. Rozwój emocjonalny i towarzyski dziecka wymaga po części, by utrwalało ono w sobie elementy samodzielności i radzenia sobie bez twojej nieprzerwanej, bliskiej obecności. Jeżeli biegniesz do niego za każdym razem, gdy tylko woła cię z powodu swego znudzenia, twoje dziecko nigdy nie nauczy się, jak ma bawić się samo. W tym okresie jego życia staraj się dopilnować, żeby były takie chwile, w których jest ono pozostawione w łóżeczku dla samodzielnej zabawy. To umocni jego samowystarczalność.

P.: Czasami, kiedy bawię się z moją sześciomiesięczną córeczką, odkrywam, że robię coś, co ją złości. Co powinnam zrobić?

O.: Nie ulegaj jej chwilom irytacji. Jeżeli twoja córeczka od czasu do czasu wpada w złość, nadal mów do niej oraz baw się z nią i tak. Jeżeli zostawisz ją samą, kiedy ma jakieś humorki, jej rozdrażnienie będzie przypuszczalnie trwało znacznie dłużej.

P.: Moje dziecko ma osiem miesięcy, ale ciągle jeszcze łatwo uderza w płacz. W jaki sposób mogę uczynić je bardziej odpornym?

O.: Przypuszczalnie płacze tak łatwo, bo jest to skuteczny sposób zwrócenia twojej uwagi. Zacznij ignorować niektóre epizody jego płaczu, chyba że jesteś pewna, iż dzieje się coś naprawdę niedobrego.

P.: Moje dziecko ma dopiero dziewięć miesięcy, ale już wydaje się mieć ogromne wahania nastroju. Czy jest to normalne?

O.: Dzieci bardzo różnią się od siebie w swojej wrażliwości i nastrojach. Być może twoje dziecko jest jednym z tych, których postępowanie staje się bardzo teatralne, gdy przychodzi do wyrażania emocji. Wyniki badań psychologicznych sugerują, że wiele z tych istotnych cech charakteru, widocznych już w pierwszych miesiącach życia dziecka, są cechami dosyć stabilnymi. Na ogół pozostają one u dziecka na resztę jego życia, więc naprawdę musisz mu pomóc nauczyć się, by kontrolowało własne emocje.

P.: Moje dziesięciomiesięczne dziecko przez całe miesiące używało smoczka i zaczynam się martwić, że nigdy nie uda mi się go od niego odzwyczaić. Czy to może zaburzyć jego rozwój emocjonalny?

O.: Stosowanie smoczka nie oznacza, że dziecko jest lękliwe lub nieśmiałe. Nie ma związku pomiędzy korzystaniem ze smoczków we wczesnym dzieciństwie a późniejszą niestabilnością emocjonalną – przeciwnie, wyniki badań wskazują, że dzieci, które stały się bardzo przywiązane do smoczka, są często bardziej pewne siebie, kiedy zaczynają uczęszczać do szkoły.

P.: Moje dziewięciomiesięczne dziecko, choć jeszcze nie mówi, nie ma trudności w dawaniu mi znać, że jest bliskie wybuchu irytacji. Jak mogę mu pomóc w tym, by uwolniło się od tych napięć i nie dostawało napadu złości?

O.: Uczucie frustracji jest w tym wieku zjawiskiem częstym, a ponieważ dziecko nie potrafi jeszcze wyrazić swego wewnętrznego napięcia słowami, jedynym sposobem rozładowania swego rozdrażnienia jest dla niego język ciała. Jesteś już zapewne świadoma tego, jakie to sytuacje często prowadzą do jego frustracji. Obserwuj więc dziecko w takich właśnie okolicznościach i staraj się rozładowywać jego zły humor, zanim się nadmiernie nasili. Na przykład odwróć jego uwagę, gdy widzisz, że „walczy" z zabawką,

Po prawej: Od około siódmego miesiąca życia niektóre dzieci stają się nieśmiałe wobec obcych i trzeba im dodać wiele otuchy, aby odzyskały pewność siebie.

Bezpieczeństwo w domu

Dziecko, któremu nigdy nie przydarzają się jakiegokolwiek rodzaju wypadki, należy do rzadkości, bo otaczający świat, inni ludzie i same dzieci nie są przecież całkowicie przewidywalne. Większość z tych zdarzeń to tylko niewielkie incydenty, np. upuszczenie jakiegoś przedmiotu na dziecko albo przewrócenie się dziecka.

Chronienie dziecka jest jednym z najważniejszych zadań rodzica, a ryzyko poważnego wypadku musi być zawsze brane pod uwagę. Do poważnych wypadków z udziałem dzieci dochodzi bardzo często i choć wykluczenie wszelkiego ryzyka nie jest możliwe, to tych najcięższych wypadków dałoby się uniknąć przy właściwej opiece.

Powyżej: Nie pozwalaj przebywać dziecku w kuchni w czasie, kiedy jesteś zajęta i nie możesz go przypilnować.

P.: Jakie są najczęstsze zagrożenia dla dziecka, zanim zacznie raczkować?

O.: Istnieje kilka takich codziennych sytuacji, które mogą spowodować potencjalną krzywdę dziecku. Nieumocowany dywanik lub zagracona podłoga mogą być przyczyną twojego potknięcia właśnie w momencie, kiedy niesiesz dziecko. W efekcie obydwoje możecie upaść, albo możesz na maleństwo wylać coś gorącego. Szkodliwe może być też ułożenie dziecka do zabawy lub snu zbyt blisko źródła ciepła lub w bezpośrednim świetle słonecznym. Nie polegaj na sprzęcie pozyskanym z drugiej ręki. Całość nowego wyposażenia powinna spełniać wszelkie wymogi bezpieczeństwa.

P.: Przed czym szczególnie powinnam mieć się na baczności, kiedy moje dziecko potrafi już raczkować?

O.: Musisz starać się myśleć z wyprzedzeniem o jego rosnących możliwościach. Nie potrwa długo, a dziecko, by zaspokoić swoją ciekawość, będzie w stanie wdrapać się na meble lub wykaże się wystarczającą zręcznością, żeby otworzyć zakrętkę małego słoika. Usuń z zasięgu jego rąk wszystkie łatwo tłukące się przedmioty. Upewnij się, że wszystkie lekarstwa i środki do utrzymywania czystości są przechowywane w niedostępnych dla dzieci szafkach. Zrezygnuj z leżących na podłodze i zwisających z półek przewodów elektrycznych. Instaluj barierki ochronne zarówno u dołu, jak i u szczytu klatki schodowej, a wokół źródeł otwartego ognia stosuj ochronne ekrany.

Kuchnia jest najbardziej niebezpiecznym miejscem w domu, dlatego przygotuj dziecku kojec ustawiony w narożniku pomieszczenia lub barierkę ochronną w drzwiach. Kiedy jesteś zapracowana, dziecko nie powinno plątać ci się pod nogami.

P.: Czy istnieją jakieś określone wytyczne dotyczące bezpieczeństwa, a odnoszące się do łóżeczek dziecięcych?

O.: Tak. Łóżeczko dziecięce musi być, przede wszystkim, wystarczająco głębokie, by dziecko nie mogło wydostać się na zewnątrz. Odległość od powierzchni materaca do górnego brzegu poręczy łóżeczka powinna wynosić co najmniej 50 cm. Przestrzeń pomiędzy brzegiem materaca, a ścianą łóżeczka nie powinna przekraczać 3 cm, a odległość między szczebelkami – 6 cm. Sprawdź też, czy zatrzaskowe zamki opuszczanego boku łóżeczka są odpowiednio mocne, by wytrzymać napór dziecięcych rączek. Jeżeli stosujesz miękką wyściółkę boków łóżeczka, dopilnuj, by jej troczki były zawiązane krótko, żeby dziecko nie mogło zaplątać w nie paluszków. Każdy materac czy pościel powinny być wykonane z materiałów przepuszczających powietrze – na wypadek, gdyby główka dziecka została uwięziona wewnątrz. Nigdy nie używaj poduszki dla dziecka poniżej 12 miesiąca. Zamiast kołderki, którą dziecko może nóżkami przesunąć sobie aż na buzię lub się pod nią przegrzewać, stosuj prześcieradło i luźno tkane kocyki.

Po prawej: Bramki ochronne są dobrym sposobem na zapobieżenie wędrówkom dzieci po pokoju, w którym mogą istnieć potencjalne niebezpieczeństwa.

Bezpieczny dom – pięć rad

1. Jeżeli twoje dziecko ciągle jeszcze przemieszcza się, raczkując, upewnij się, że na podłodze nie ma żadnych małych przedmiotów – gdyby dziecko jakiś znalazło, natychmiast go pochwyci i będzie próbowało jego smak.
2. Sprawdź, czy wszystkie cenne ruchomości i łatwo tłukące się ozdoby są poza zasięgiem dziecka.
3. Umieść zatyczki bezpieczeństwa we wszystkich położonych nisko gniazdkach elektrycznych i ułóż kable elektryczne za meblami – mocując je wzdłuż i u podstawy ścian. Jeżeli kilka kabli biegnie razem, umieść je w plastikowej osłonie.
4. Zamocuj barierki ochronne u szczytu i u dołu klatki schodowej oraz załóż niedostępne dla dzieci zamki na niskie szafki i na drzwi.
5. Odsuń w bezpieczne miejsca sznury od zasłon i żaluzji, które mogłyby oplątać, a nawet udusić dziecko. Upewnij się, że wszelkie zasłony i tapicerka wykonane są z materiałów niepalnych.

SZCZEPIENIA

Ochrona dziecka przed zachorowaniem

Szczepienia zmieniły oblicze chorób dziecięcych nie do poznania. Ale czy są one tak bezpieczne, jak się to nam sugeruje?

Twierdzi się, że najważniejszym działaniem, jakie można podjąć dla ochrony dzieci przed poważną chorobą, jest ich uodpornienie. Większość ludzi, w tym pracownicy służby zdrowia, powiedziałaby, że jest to kwestia bezsporna, że jest to pewne. Kiedy na początku dziewiętnastego wieku rozpoczęto stosowanie na wielką skalę szczepień ochronnych przeciwko ospie, liczba dzieci umierających z powodu tej choroby radykalnie spadła, a obecnie choroba ta została wykorzeniona.

Co powodują szczepionki?

Szczepionki przygotowują organizm na „wyprzedzenie" choroby. Szczepionka zawiera pewną odmianę wirusa lub bakterii, które normalnie wywołują dane zakażenie, albo ma taką ilość drobnoustrojów, która podstępem skłoni system odpornościowy organizmu do zareagowania w taki sposób, jakby organizm ten został zaatakowany przez prawdziwą infekcję. Po podaniu szczepionki krwinki białe (B-limfocyty) wytwarzają przeciwciała skierowane przeciwko tym zarazkom. Przeciwciała te pozostają już na dłużej w organizmie, gotowe do unicestwienia prawdziwego zakażenia takimi samymi zarazkami, gdyby się one jeszcze kiedykolwiek pojawiły. U zaszczepionego dziecka nie rozwija się zakażenie, ponieważ

Szczepionka MMR

Szczepienie ochronne przeciwko odrze zostało wprowadzone w 1968 r., kiedy to notowano rocznie około 600 000 przypadków zachorowań, z których 100 kończyło się zgonem. Liczba dzieci zaszczepionych przeciwko odrze wzrosła gwałtownie wraz z wprowadzeniem w 1988 r. potrójnej szczepionki MMR (świnka, odra, różyczka). W roku 1996 preparatem tym było już zaszczepionych 92% dzieci. Pewne badanie wskazywało jednak na związek szczepionki MMR z pojawianiem się autyzmu i rodzice zaczęli wycofywać się ze szczepienia swych dzieci. Chociaż nie zostało to udowodnione, liczba zaszczepionych dzieci obniżyła się w roku 2003 do 82%. Jeśli tak pozostanie, istnieje realne ryzyko pojawienia się fali zachorowań na odrę.

podany w szczepionce wirus lub bakteria zostały uprzednio poddane odpowiednim działaniom pozbawiającym je szkodliwości.

Zarówno w Wielkiej Brytanii, jak i w Stanach Zjednoczonych dzieci rozpoczynają swój cykl szczepień w wieku dwóch miesięcy, kiedy to otrzymują złożoną szczepionkę przeciwko kokluszowi (krztuścowi), błonicy, tężcowi i Hib – pałeczce grypy typu B, wywołującej bakteryjne zapalenie opon mózgowych. W tym samym czasie dzieci otrzymują doustną szczepionkę przeciwko chorobie Heinego-Medina. W Wielkiej Brytanii to wszystko jest powtarzane po miesiącu i ponownie po następnym miesiącu (w Stanach Zjednoczonych te szczepienia powtarza się w odstępach dwumiesięcznych). Następne szczepienia podawane są dziecku pomiędzy jego pierwszymi urodzinami a 15 miesiącem życia. Są to szczepienia przeciwko odrze, śwince i różyczce wykonane w postaci połączonej, albo jako trzy pojedyncze szczepienia. Cały ten program szczepień jest wzmacniany dwiema dawkami przypominającymi szczepionek – jedną przeciwko odrze, śwince i różyczce, drugą przeciwko błonicy i tężcowi – a także przeciwko chorobie Heinego-Medina, podawanymi dziecku przed rozpoczęciem nauki w szkole.

Możliwe powikłania

Szczepionki mają zwykle tylko niewielkie działania uboczne. Niektóre dzieci przez 48 godzin po podaniu szczepionki przeciwko błonicy, tężcowi i chorobie Heinego-Medina są marudne. Na 14 milionów dawek szczepionki po danych dzieciom w Wielkiej Brytanii w roku 1995, doniesiono oficjalnie o 152 przypadkach poważnych działań niepożądanych. Niektóre z nich wystąpiły prawdopodobnie zwykłym zbiegiem okoliczności. Wiadomo, że reakcje uczuleniowe po podaniu szczepionki są zjawiskiem krańcowo rzadkim, ale też każda pielęgniarka czy lekarz, podający szczepionkę, są przeszkoleni w reanimacji. W kolejnych trzech latach, licząc od 1992 r., na 55 milionów podanych dawek szczepionek było tylko 87 doniesień o reakcjach uczuleniowych. Możliwość wystąpienia poważnych odczynów poszczepiennych jest przyczyną, dla której, zanim dzieci zostaną szczepione, poddaje się je kontroli.

Kiedy nie szczepić?

Przed zaszczepieniem powinnaś poinformować lekarza, jeżeli twoje dziecko znajduje się w którejś z poniżej opisanych sytuacji. Lekarz może wówczas zasięgnąć porady specjalistycznej, zanim doradzi ci, czy szczepić dziecko, czy też nie.
- Jeśli ma biegunkę, wymioty lub gorączkę.
- Kiedy wykazuje pierwsze objawy kataru lub przeziębienia.
- Gdy miało poważny odczyn po poprzednim szczepieniu.
- Jeżeli doznało przy porodzie jakiegoś istotnego uszkodzenia układu nerwowego lub wykazuje jakiekolwiek objawy zaburzeń prawidłowego rozwoju.
- W przypadku, kiedy dziecko ma napady drgawkowe lub jakiekolwiek określone uczulenia.

Grupa badawcza z londyńskiego szpitala Royal Free Hospital postawiła pytanie: „Czy szczepionka przeciwko odrze może, choć rzadko, zwiększać prawdopodobieństwo wystąpienia u zaszczepionego dziecka, w dalszym jego życiu, choroby zapalnej jelit?". Przy braku dowodów na poparcie lub zaprzeczenie takiej możliwości sugeruje się obecnie, aby poddawać się szczepieniom.

Nie poddając swego dziecka szczepieniom, rodzic nie tylko potencjalnie naraża je na chorobę, ale także przyczynia się do obniżenia ogólnego poziomu odporności społeczeństwa. Kiedy zaś ten ogólny poziom spada, dana choroba zakaźna może się zacząć znów rozprzestrzeniać. To z kolei stwarza bardzo realne zagrożenie dla dzieci zbyt małych, by zostały zaszczepione, i dzieci z osłabionym systemem odpornościowym, jak choćby te, które są leczone z powodu białaczki.

Problemy zdrowotne
Pierwsza pomoc

Ten dział, poświęcony sprawom zdrowia, omawia jedynie przypadki pomniejszej wagi. Pierwszej pomocy nie można nauczyć się z książek, a żeby móc poradzić sobie z koniecznością wykonania resuscytacji, z ciężkim krwawieniem lub oparzeniami, albo z urazami głowy, należy zapisać się na kurs pierwszej pomocy. Jeżeli nie masz takiego przeszkolenia, twoje dziecko powinno zostać zbadane przez lekarza lub przewiezione na oddział pomocy doraźnej. (Patrz także strony 174–175 i 244–245.)

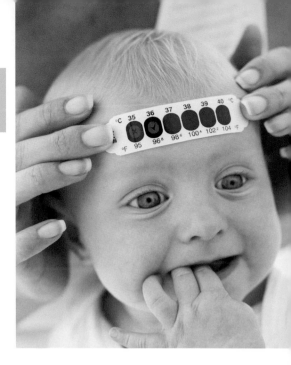

Powyżej: Dzięki paskowi do pomiaru w najprostszy sposób zmierzysz dziecku temperaturę.

P.: Jak powinnam mierzyć temperaturę ciała dziecka?

O.: Zwykle nie trzeba znać dokładnie temperatury, ponieważ u dziecka może ona podnosić się i opadać dość szybko – nie musi wcale być niezbitą oznaką choroby. Możesz zorientować się, że dziecko gorączkuje, kiedy grzbietem dłoni stwierdzisz, że jego czoło lub brzuszek są gorące, a oczy są roziskrzone i błyszczące. Możliwe, że dziecko nie ma także apetytu, jest bardziej rozdrażnione i „przylepne" niż zwykle. Podobnie jak gorączka, także temperatura niższa od normalnej może być ważnym objawem choroby. Normalna temperatura mieści się w przedziale 36–37,5°C. Najprościej można dziecku zmierzyć temperaturę, przykładając do jego czółka pasek pomiarowy, w przeciwnym wypadku będziesz musiała przez dwie minuty trzymać termometr pod paszką dziecka, z ramionkiem przyciśniętym do jego boku dla utrzymania równej temperatury ciała.

Apteczka dziecięca

Przechowuj wszystkie lekarstwa w apteczce niedostępnej dla dziecka. Podstawowe leki:
• **bezcukrowy paracetamol dziecięcy lub rozpuszczalne tabletki paracetamolu; wybieraj ten typ, który twoje dziecko woli bardziej**
• **saszetki do nawadniania doustnego;** są one przydatne do przygotowania napojów o odpowiednim składzie, jeżeli dziecko dostanie biegunki
• **mieszanina tlenku cynku i wody wapiennej (Calamine)** dla łagodzenia swędzących wysypek, takich jak przy ospie wietrznej
• **wodny krem dla nawilżania suchej skóry**
• **wazelina** dla ochrony noska, warg i bródki w czasie chłodów
• **wszelkie przepisane przez lekarza leki, które nie muszą być przechowywane w lodówce**
• **pasek do mierzenia temperatury, albo rtęciowy lub cyfrowy termometr.**

P.: Co powinnam zrobić, jeżeli moje dziecko ma gorączkę?

O.: Jeżeli dziecko gorączkuje, staraj się ochłodzić je lekkim ubiorem i lekkim przykryciem w łóżeczku i zadbaj, by w pokoju było przyjemnie ciepło, ale nie zbyt gorąco. Daj dziecku dodatkowe napoje. Możesz mu także podać porcję paracetamolu w syropie. Przecieraj jego ramionka i nóżki gąbką z letnią wodą lub umieść dziecko w letniej kąpieli.

P.: Jak powinnam postępować w przypadku drgawek gorączkowych?

O.: Napadowe drgawki gorączkowe mogą się pojawić, kiedy temperatura ciała dziecka wzrasta bardzo wysoko. Maleństwo wygląda wówczas niepokojąco, jednak niemal zawsze wychodzi z tego stanu samodzielnie i całkowicie dochodzi do siebie. Pozostań przy nim, połóż je na boku i upewnij się, że przy jego ustach i nosku nie ma niczego, co mogłoby przeszkodzić mu w oddychaniu. Kiedy napad drgawek minie, dziecko będzie senne albo zaśnie głęboko. Kiedy zaczną się drgawki, wezwij lekarza. Patrz także na strony 180–181 (drgawki gorączkowe).

P.: Co powinnam zrobić, kiedy moje dziecko zaczyna się krztusić?

O.: Dziecko mogło zakrztusić się jakimś przedmiotem, który włożyło do buzi, albo niewłaściwie pogryzionym pokarmem. Może nie być w stanie oddychać, płakać czy mówić i może zacząć sinieć na twarzy. Połóż dziecko na swoim przedramieniu, buzią w dół, podpierając mu bródkę. Potrząśnij nim mocno w dół pięć razy. Jeżeli blokada utrzymuje się, poślij kogoś po pomoc lekarską. Nie próbuj sprawdzać, czy uda ci się wyciągnąć palcem ten przedmiot z jego buzi, bo będziesz ryzykowała wepchnięcie go jeszcze głębiej.

Sytuacje nagłe

Wezwij natychmiast lekarza jeżeli:

- **Nie możesz obudzić dziecka.** Trudności w obudzeniu to nie to samo co senność. W tym przypadku oznacza to, że dziecko nie reaguje, gdy do niego mówisz albo dotykasz.
- **Twój niemowlak lub nieco większe dziecko robi się bardzo blady lub sinieje.** Jeżeli zauważasz niebieskoszary odcień wokół jego ust lub na języku, jest to przypadek nagły.
- **Dziecko staje się ciche i ospałe, wiotkie i rozpalone.**
- **Temperatura ciała dziecka wzrasta powyżej 39,5°C, a paracetamol nie może jej obniżyć.**
- **Niemowlę ma jakiekolwiek trudności w oddychaniu: głośny, stękający albo szybki oddech, lub nie może mówić albo pić.**
- **Dziecko odczuwa ból, na tyle silny, że przestaje cokolwiek robić i nie można go ukoić.**
- **Maleństwo odczuwa ból przy wdechu.**
- **Dziecko wymiotuje wypite płyny.**
- **Niemowlę lub większe dziecko ma biegunkę i wymiotuje.**
- **Dziecko wymiotuje, a brzuszek wygląda na wzdęty.**
- **W wymiotach pojawia się jakakolwiek ilość krwi.**
- **Niemowlę lub nieco większe dziecko ma drgawki.**
- **Dziecko wymiotuje przez okres dłuższy niż jedna godzina.**
- **Maleństwo ma wysypkę lub fioletowe plamki, które nie znikają przy ucisku.**
- **Dziecko płacze w jakiś dziwny sposób, bardzo słabo lub piskliwie.**
- **Jesteś zaniepokojona, nawet jeśli nie potrafisz powiedzieć dlaczego.**

Problemy zdrowotne
Częste schorzenia ogólne

P.: Co powinnam zrobić, jeżeli u dziecka pojawiają się objawy stałego kaszlu lub przeziębienia?

O.: Podawaj dziecku do picia mnóstwo płynów i zapewnij zwiększoną wilgotność powietrza w pomieszczeniu, w którym przebywa. Zastosuj wodny nawilżacz powietrza lub gotuj wodę w tym pokoju – zostań na miejscu i jeżeli dziecko jest w ruchu, upewnij się, że gotująca się woda jest poza jego zasięgiem. Nie stosuj leków przeciwkaszlowych, dopóki nie przepisze ich lekarz. Jeżeli przeziębienie zaczyna się pogłębiać po pierwszych kilku dniach, wezwij lekarza, bo może się u dziecka rozwijać zakażenie bakteryjne.

P.: Czy powinnam się niepokoić, jeżeli dziecko ma katar?

O.: W większości przypadków katar spowodowany jest przeziębieniem lub jakąś inną infekcją wirusową i nie stanowi poważniejszego problemu. Wyjątkiem jest katar u małego dziecka, które dla zaspokojenia głodu musi ssać, a nie jest w stanie tego robić, kiedy jego nosek jest zatkany wydzieliną. Jeżeli katar, kichanie i łzawienie pojawiają się wczesnym latem, może to sugerować gorączkę sienną. Dzieci, które mają takie objawy przez cały rok, mogą być uczulone na takie substancje, jak roztocza kurzu domowego lub futerka zwierząt domowych. Wyciek z nosa tylko po jednej stronie może oznaczać, że jakiś przedmiot, taki jak groszek, został wepchnięty do przewodu nosowego. Najlepiej wówczas sprawdzić, czy istnieją jeszcze jakieś inne objawy choroby, jak np. głośne lub szybkie oddychanie. Należy też sprawdzić, czy wydzielina z nosa nie staje się coraz gęstsza i żółto-zielona, bo w takim przypadku trzeba zasięgnąć porady lekarskiej. Jeżeli podejrzewasz obecność w nosie ciała obcego, nie staraj się go usunąć. Zamiast tego próbować, zwróć się po pomoc lekarską.

P.: Co to jest zapalenie oskrzelików?

O.: Jest to infekcja dróg oddechowych, w której oskrzeliki, cieniutkie przewody powietrzne w płucach, stają się nacieczone zapalnie i zostają zablokowane. Jest to zwykle spowodowane wielojądrzastym wirusem oddechowym (RSV), który atakuje zwykle zimą. Schorzenie to występuje najczęściej u niemowląt pomiędzy drugim a piątym miesiącem życia.

P.: Jakie są objawy?

O.: Schorzenie rozpoczyna się zwykle objawami przeziębieniowymi. W następnym dniu lub dwóch u dziecka rozwija się suchy, drażniący kaszel. Może ono mieć trudności z oddychaniem i w czasie karmienia. Do innych objawów należą: umiarkowana gorączka (rzadko wyższa niż 38–38,5°C), niepokój i chrapliwa sapka. W cięższym przypadku dziecko może zacząć oddychać szybko i z wysiłkiem, usiłując za każdym oddechem wciągać z widocznym trudem powietrze.

P.: Co powinnam robić?

O.: Przede wszystkim skontaktuj się z lekarzem. W tzw. międzyczasie zapewnij mu ciepło, wygodę i taki spokój, jak to tylko możliwe. Weź je na ręce i przytul lub umieść je, wygodnie oparte, w przenośnym foteliku. Zachęcaj je do picia, nawet jeśli wypija bardzo niewiele. Sprawdzaj mu temperaturę. Lekarz zbada dziecko i osłucha jego klatkę piersiową. Dzieci z umiarkowanymi objawami mogą być pielęgnowane w domu w sposób opisany powyżej. Te, które wymagają pomocy przy karmieniu lub oddychaniu, zostaną przyjęte do szpitala.

Problemy zdrowotne
Krztusiec (koklusz)

P.: Co to jest?

O.: Krztusiec (koklusz) jest infekcją płuc i dróg oddechowych, wywołaną przez bakterię. Jest to schorzenie wysoce zakaźne. Niemowlęta nie dziedziczą odporności na krztusiec, dlatego są na to schorzenie podatne od urodzenia. Obecnie, kiedy dzieci są rutynowo szczepione przeciwko krztuścowi, występuje on o wiele rzadziej. Jednak szczepienie nie chroni przed nim całkowicie, a uzyskana odporność poszczepienna nie jest trwała. Krztusiec może mieć różny przebieg: od lekkiego kaszlu, aż do ciężkich jego napadów, w czasie których dziecko z trudnością może złapać oddech i kasząc, wymiotuje. Choroba u bardzo małych dzieci stwarza ryzyko, że brak tlenu w okresach bezdechu spowoduje uszkodzenie mózgu. Okres wylęgania schorzenia trwa od siedmiu do dziesięciu dni. Dziecko jest najbardziej zakaźne dla otoczenia przy pierwszych objawach schorzenia i pozostaje zakaźne przez trzy tygodnie po rozpoczęciu się napadów kaszlu. Kaszel ten może utrzymywać się jeszcze przez dwa do trzech miesięcy po tym, jak infekcja zareagowała na leczenie.

P.: Co mogę zrobić, jeżeli moje dziecko zachoruje na krztusiec?

O.: Bądź przy nim w czasie, kiedy kaszle. Posadź je na kolanach i próbuj je uspokoić. Jeżeli przestaje oddychać, trzymaj je nadal, bo oddech wróci samoczynnie. Niezależnie od tego, czy dziecko było szczepione, porozum się natychmiast z lekarzem. Przepisze on prawdopodobnie antybiotyki zarówno twemu dziecku, jak i wszystkim dzieciom w najbliższej rodzinie. Lek nie wyleczy kaszlu, ale przypuszczalnie złagodzi go i pomoże uchronić pozostałe dzieci przed zarażeniem się chorobą. Bardzo małe niemowlęta mogą wymagać obserwacji szpitalnej.

Trzy etapy przebiegu krztuśca

1. Wczesne objawy krztuśca mogą przypominać zwykły kaszel czy przeziębienie: kichanie, katar, obolałe gardło, niewielka gorączka, brak apetytu. Po tych objawach pojawia się jednak suchy, drażniący kaszel, który może nasilać się w nocy i po jedzeniu.
2. Po tygodniu lub dwóch dziecko zaczyna mieć ataki kaszlu. Wydawać się może, że maleństwo się dusi, a jego buzia może się zaczerwieniać lub sinieć. Jeżeli dziecku uda się wykonać wdech, możesz usłyszeć charakterystyczny, piejący dźwięk zanoszenia się kaszlem. Poza tym, w czasie pomiędzy atakami kaszlu, stan dziecka może wydawać się dobry. Młodsze niemowlęta mogą nie „piać", zanosząc się kaszlem, ale mogą być chwile, w których przestają na kilka sekund oddychać, po czym oddech powraca samoczynnie.
3. W trzecim i ostatnim etapie, kaszel łagodnieje. Dziecko może jednak być ciągle bardzo osłabione.

Problemy zdrowotne
Oczy

P.: Moja trzymiesięczna córeczka ma stale załzawione lewe oczko, nawet wtedy kiedy nie płacze, a po przebudzeniu się ze snu, jej powieki są często sklejone wydzieliną. Jaka jest tego przyczyna?

O.: Twoja córeczka może mieć, po prostu niedrożny kanalik łzowy (patrz strona 59). Możesz delikatnie go pomasować, by pozwolić łzom odpłynąć. Upewnij się, że twoje ręce są czyste, a następnie, używając koniuszków palców, delikatnie masuj jej kanaliki łzowe pomiędzy przyśrodkowym kącikiem oka a grzbietem noska. Powtarzaj to dwa razy dziennie. Powinnaś także przemywać regularnie oczka dziecka, przecierając je wacikiem, zmoczonym w ciepłej, przegotowanej wodzie, w kierunku od zewnętrznego do wewnętrznego kącika oka. Jeżeli wydzielina wygląda na zainfekowaną, lekarz może pobrać z niej wymaz dla określenia przyczyny infekcji.

P.: Moje dziecko ma zaczerwienione i obrzęknięte oczko, które stale pociera, jakby je swędziło. Czy może to być zapalenie spojówek?

O.: Tak. Obok łzawiącego oka lub oka z obfitą, żółtą wydzieliną, są to częste objawy zapalenia spojówek. Możesz złagodzić te objawy i zapobiec przeniesieniu się ich z jednego oczka na drugie przez układanie dziecka na boku po stronie zainfekowanego oczka, by zapobiec przepływaniu łez, infekujących drugie oczko. Często myj mydłem rączki dziecka, jeżeli ma ono skłonność do pocierania oczu. Dla zapobieżenia przeniesieniu się tej infekcji na innych członków rodziny, przechowuj osobno myjki do twarzy i ręczniczki dziecka.

P.: Czy mój lekarz może przepisać leczenie zapalenia spojówek?

O.: Tak. Jeżeli objawy utrzymują się, a także gdy infekcja dotyczy obojga oczu, zasięgnij porady lekarza, który może przepisać krople lub maści antybiotykowe. Powinnaś kontynuować ich stosowanie jeszcze przez 24 godziny od momentu oczyszczenia się oczek dziecka. Stan oczu powinien ulec poprawie już po pierwszym dniu leczenia, ale jeżeli nie ma poprawy po dwóch lub trzech dniach, zabierz ponownie dziecko do lekarza.

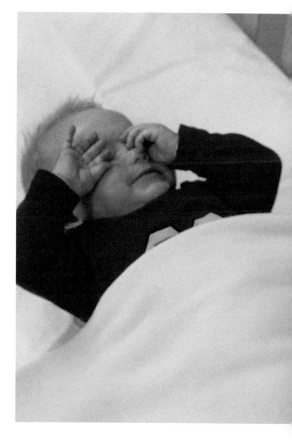

Powyżej: Jeżeli dziecko stale pociera oczka, może to być znak, że cierpi ono na zapalenie spojówek.

Problemy zdrowotne
Podrażnienia skóry

P.: Co to są pleśniawki?

O.: Pleśniawki są infekcją często występującą u niemowląt, nieco większych dzieci i u kobiet. Jest ona spowodowana przez grzyba drożdżako-podobnego, Candida albicans (Bielnik biały), który żyje w stanie naturalnym na skórze, w pochwie, w jamie ustnej i w jelitach, pozostając zresztą w zgodzie z wieloma żyjącymi tam w sposób natu-ralny bakteriami. Kiedy jednak sprawność systemu odpornościowego organizmu ulega obniżeniu, mogą pojawić się pleśniawki.

P.: Czego powinnam poszukiwać?

O.: U większości dzieci pleśniawki rozwijają się w jamie ustnej, a jednym z pierwszych objawów jest niechęć do jedzenia. Na wewnętrznej powierzchni policzków pojawiają się plamki, które wyglądają jak resztki mleka. Wycierane delikatnie chusteczką hi-gieniczną pozostają jednak na śluzówce lub dają się usunąć, ale odsłaniają czerwone, bolesne miejsce.

P.: Jak powinno być leczone to schorzenie?

O.: Jeżeli karmisz piersią dziecko z pleśniawkami, zgłoś to lekarzowi, który może przepisać krem przeciwgrzybiczny na sutki piersiowe. Lekarz prze-pisze także przeciwgrzybiczny żel lub płyn, zawie-rający lek pod nazwą Nystatyna lub Mikonazol. Po każdym karmieniu preparaty te należy stoso-wać na chore miejsca w buzi dziecka. Upewnij się przy tym, że lekarstwo rozpływa się po całej jamie ustnej, łącznie z zachyłkami pomiędzy dziąsłami a wewnętrzną powierzchnią policzków. Możesz także otrzymać odpowiedni krem na podrażnioną skórę pośladków dziecka, jeżeli widać na nich także intensywne, czerwone odparzenia, które nie reagują na zwykle stosowane środki. Przy prze-wijaniu dziecka upewnij się, że przed nałożeniem kremu jego skóra została dokładnie osuszona.

Krem zacznie działać po upływie dwóch lub trzech dni. Pozostawiaj też dziecko bez pieluszki, kiedy jest to tylko możliwe.

P.: Czy wszystkie odparzenia pupy mokrą pieluszką są spowodowane pleśniawkami?

O.: Nie. Najczęściej występujący typ odparzenia mokrą pieluszką jest zwykle spowodowany reak-cją skóry na mocz i kał, co można wyraźnie do-strzec po zaczerwienieniach w tych miejscach skóry, które stykają się z pieluszką. Niemowlęta z bardzo wrażliwą skórą są na to wysoce po-datne, ale w większości przypadków zmiany te ustępują bez potrzeby zastosowania leczenia. Jak tylko u dziecka pojawia się odparzenie, przewijaj je często. Kiedy to tylko możliwe, pozostawiaj je bez pieluszki. Przy każdej zmianie pieluszki, deli-katnie, ale starannie, umyj dziecku pupę. Zamiast niemowlęcych chusteczek pielęgnacyjnych ze środkiem ściągającym stosuj do obmycia i oczysz-czenia pupy ciepłą wodę z kranu oraz krem bez-tłuszczowy lub oliwkę kąpielową. Bądź szczególnie czujna, jeżeli twoje dziecko jest przeziębione, ma biegunkę lub przyjmuje antybiotyki.

P.: Z jakich przyczyn pojawiają się potówki i jak powinnam je leczyć?

O.: Potówki pojawiają się, ponieważ gruczoły potowe dziecka nie pracują jeszcze odpowiednio wydajnie i nie są w stanie ochłodzić dziecka, kiedy zaczyna się ono przegrzewać. Możliwe, że poja-wiają się też dlatego, że maleństwo jest ubrane zbyt ciepło, jak na występujące warunki pogo-dowe, lub jest zbyt gorąco w pokoju dziecka. Pot z gruczołów potowych przedostaje się pod skórę i to powoduje umiarkowany odczyn zapalny, który zwykle ustępuje w przeciągu kilku dni. Ochładzaj dziecko, rozbierając je i kąpiąc w letniej wodzie lub przecierając mu całe ciałko wilgotną gąbką. Podawaj dziecku napoje, aby utrzymać w jego or-ganizmie odpowiedni poziom płynów.

Problemy zdrowotne
Zapalenie opon mózgowych

P.: Co to jest?

O.: Zapalenie opon mózgowych jest to nacie-czenie zapalne jednej lub więcej z trzech cienkich błon, które pokrywają mózg. Może ono być spo-wodowane przez pewne mikroorganizmy, w tym wirusy i bakterie. Wirusowe zapalenie opon mó-zgowych ma zwykle lżejszy przebieg aniżeli zapa-lenie opon bakteryjne i choć to ostatnie występuje dość rzadko, rozwija się szybko i wymaga pilnego leczenia antybiotykami. Zapalenie opon mózgo-wych może pojawić się o każdej porze roku, choć zwykle szczyt zachorowań przypada w zimie.

P.: Wiem, że są różne typy zapalenia opon mózgowych. Który może zaatakować moje dziecko?

O.: Do czasu wprowadzenia dziecięcej szcze-pionki przeciwko pałeczce grypy (Haemophilus in-fluenzae) typu b, wywoływane przez tę pałeczkę zapalenie opon mózgowych było u dzieci najczęst-szą postacią tego schorzenia. Z kolei, meningoko-kowe zapalenie opon mózgowych wywołuje bak-teria meningokoka, czyli dwoinka zapalenia opon (Neisseria meningitidis). Są dwa jej główne typy, na-leżące do grupy B i grupy C. Dwoinki grupy C, od-powiedzialne za 1/3 wszystkich przypadków tego schorzenia, są często związane z gwałtownym po-jawianiem się fali zachorowań w szkołach i innych zamkniętych społecznościach. Grupa B, która jest odpowiedzialna za około 2/3 zachorowań, zwykle atakuje tylko jedną osobę w danej społeczności, choć czasem i całą grupę. Ten typ zapalenia opon mózgowych jest szczególnie częsty wśród nie-mowląt oraz w grupie starszych nastolatków.

P.: Jak rozszerza się infekcja?

O.: Bakterie, wywołujące bakteryjne zapale-nie opon mózgowych, nie są zdolne do przeżycia poza organizmem człowieka, więc nie przedostają się same na inne osoby w miejscach publicznych. Bakterie te są rozpylane na innych w wydzielinie no-sowej, podczas kaszlu i kichania. W drogach odde-chowych sadowią się w śluzówkowej wyściółce ich górnego odcinka, skąd przedostają się do krwio-biegu. Są przenoszone z krwią do opon mózgo-wych, ochronnych błon, pokrywających mózg, gdzie powodują wystąpienie stanu zapalnego.

P.: Co powinnam zrobić, kiedy podejrzewam, że moje dziecko ma zapalenie opon mózgowych?

O.: Zadzwoń natychmiast do lekarza i opisz mu objawy, występujące u twojego dziecka. Jeżeli lekarz będzie u twego dziecka podejrze-

Objawy zapalenia opon mózgowych

Dzieci mają zwykle niektóre z następują-cych objawów:

- **purpurowoczerwone plamki na skórze ciała, szybko powiększające się w więk-sze plamy lub siniaki, które przyciśnięte pustą szklanką nie bledną, nawet po kilku sekundach ucisku**
- **senność i trudności w utrzymaniu stanu czuwania**
- **niepokój i drażliwość**
- **wymioty lub odmowa jedzenia**
- **niechęć dziecka do tego, by je dotykano**
- **gorączka**
- **dziwny, wpatrujący się wyraz twarzy**
- **sztywność karku**
- **ciemiączko może być napięte lub może się wybrzuszać**
- **dziwny, przenikliwy lub jęczący płacz**
- **blada lub pokryta plamkami skóra.**

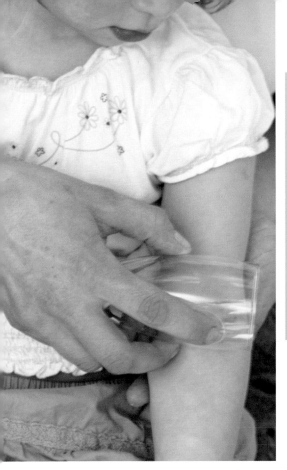

U nosicieli bakterii, wywołujących bakteryjne zapalenie opon mózgowych, zarazki obecne w ich gardle i przewodach nosowych mogą być przenoszone na innych w dokładnie taki sam sposób, jak dzieje się to w przypadku chorób przeziębieniowych.

Powyżej: Purpurowoczerwone plamki na skórze ciała, które nie znikają po uciśnięciu ich szklanką, są oznaką zapalenia opon mózgowych.

wał zapalenie opon mózgowych, otrzyma ono przed pójściem do szpitala dożylne wstrzyknięcie penicyliny. Lekarz pobierze także wymaz z nosa i gardła dziecka, by pomóc zidentyfikować drobnoustrój, który spowodował schorzenie. Z chwilą, kiedy zapalenie opon mózgowych zostało potwierdzone, musisz niezwłocznie skontaktować się ze wszystkimi krewnymi, przyjaciółmi i opiekunkami dzieci, które miały kontakt z twoim dzieckiem w ciągu ostatnich 14 dni (okres wylęgania się meningokokowego zapalenia opon mózgowych wynosi od 2 do 10 dni).

P.: Jakie leczenie otrzyma moje dziecko w szpitalu?

O.: Leczenie rozpocznie się natychmiast po przybyciu dziecka. W zależności od ciężkości przebiegu schorzenia, założona zostanie dożylna kroplówka, aby podać dziecku antybiotyki dla zabicia bakterii, a przypuszczalnie i steroidy, dla zmniejszenia odczynu zapalnego i obniżenia ciśnienia wewnątrzczaszkowego. Jeżeli dziecko wymaga zastosowania leków przeciwdrgawkowych, mogą one być podane w tej samej kroplówce, podobnie jak leki przeciwbólowe oraz płyny niezbędne do utrzymania nawodnienia. Dziecko będzie miało wykonane badania krwi i najprawdopodobniej także punkcję lędźwiową dla potwierdzenia rozpoznania.

P.: Jakie jest rokowanie?

O.: Może minąć kilka dni, zanim stan dziecka zacznie się poprawiać. W tzw. międzyczasie może ono wymagać intensywnej opicki medycznej, ze wspomaganiem oddychania i pracy serca. Choć trzy czwarte z tych dzieci, po przebyciu bakteryjnego zapalenia opon mózgowych, wraca całkowicie do zdrowia, niektórym z nich pozostają jednak stałe upośledzenia, takie jak: głuchota i uszkodzenia mózgu. Mogą też wystąpić przejściowe uszkodzenia układu norwowego, które zwykle ustępują w ciągu miesiąca.

3

dziecko uczące się chodzić
1 do 2 lat

Rozwój
Drugi rok życia

Od 12 do 24 miesięcy

12–14 miesięcy

- **Język.** Pokrzykuje na ciebie, gdy nie podoba mu się to, co robisz. Kiedy słyszy znajomą muzykę, wydaje melodyjne dźwięki. Zaczyna uczyć się nazw części ciała. Z zainteresowaniem przysłuchuje się dyskusjom innych dzieci. Rozumie o wiele więcej słów, niż samo potrafi wypowiedzieć. Może już wykonywać wiele różnych poleceń: „Puść zabawkę", „Weź biszkopcik".

- **Koordynacja ręka-oko.** Potrafi obiema rączkami trzymać dwa przedmioty jednocześnie i uwielbia gryzmolić kredkami i ołówkami na papierze. Wbija młotkiem kołeczki w specjalne otwory ćwiczebnej tabliczki. Podnosi rączki, kiedy wyjmujesz sweterek lub koszulkę bez rękawków, aby mu je założyć. Lubi bawić się ruchomymi przedmiotami, obserwując, jak się toczą. Potrafi nawet rzucić lekką piłeczką średniej wielkości.

- **Ruch.** Spędza wiele czasu, próbując wdrapać się na schody, i odkrywa, że schodzenie z nich jest trudniejsze. Pomimo częstych upadków jest zdecydowane chodzić samodzielnie. Kiedy jest z tobą na dworze, upiera się, żeby dreptać bez pomocy. W czasie chodzenia umie zatrzymać się i zmienić kierunek. Potrafi, pochylając się, podnieść jakiś przedmiot z podłogi. Radzi sobie z trudami wdrapywania i schodzenia z krzesła.

- **Rozwój emocjonalny i kontaktowość.** Może przywiązywać się na pewien czas do jakiejś konkretnej osoby. Kiedy jest zadowolone, mocno się do ciebie przytula. Bawi się raczej obok swego rówieśnika aniżeli wspólnie z nim. Wzrasta w nim poczucie własnej odrębnej osobowości – własnych upodobań i uprzedzeń. Jest zdeterminowane, by robić wszystko po swojemu, i miewa napady złości, kiedy jego frustracja staje się zbyt duża. Zaczyna przejawiać zazdrość, kiedy poświęcasz uwagę innym.

Od 12 do 24 miesięcy

15–18
miesięcy

- **Język.** Konsekwentnie używa około sześciu lub siedmiu wyrazów, choć rozumie znaczenie dużo większej liczby słów. Komunikuje swoje potrzeby, łącząc słowa z gestami. Uwielbia piosenki i rymowanki – podczas ich prezentacji może się przyłączać, wykonując pewne dźwięki i gesty.

- **Koordynacja ręka-oko.** Dostrzega zależności między ruchami rączek i ich następstwami: wie, w jaki sposób pociągnąć za sznurek, by wprawić w ruch przywiązaną do niego zabawkę. Zaczyna jeść przy pomocy rączek i łyżeczki. Chce pomagać w czasie swego ubierania. Można już zauważyć, która jego rączka staje się dominująca. Klaszcze w dłonie. Potrafi ułożyć prawidłowo prostą układankę ramkową.

- **Ruch.** Do góry i w dół schodów chodzi niepewnie, korzystając z pomocy, natomiast śmiało maszeruje po domu i na dworze. Truchta przez cały pokój w twoim kierunku. Biegnąc, może się chwiać. Zaczyna wspinać się na sprzęty stojące na placu zabaw, ale wymaga przy tym stałego nadzoru. Może bardzo lubić chlapanie i pluskanie się w basenie.

- **Rozwój emocjonalny i kontaktowość.** Chce samodzielnie wykonywać coraz więcej czynności, szczególnie przy jedzeniu i ubieraniu się. Uczy się prawidłowego sposobu jedzenia, biorąc udział we wspólnych posiłkach. Zaczyna przyswajać podstawowe umiejętności towarzyskie, jak podawanie swej zabawki innemu dziecku. Przejawia już swoje upodobania co do konkretnych pokarmów lub zabawek.

Od 12 do 24 miesięcy

19–21 miesięcy

- **Język.** Dziecko wzbogaciło swój słownik do dziesiątków słów – głównie rzeczowników, opisujących ogólną kategorię przedmiotów, takich jak „auto" – dla wszystkich pojazdów, albo „dom" – dla wszystkich budynków. Próbuje przyłączyć się do śpiewu. Interesują je rozmowy i zaczyna uczyć się zwyczajów dotyczących rozmowy, takich jak udzielanie odpowiedzi i czekanie na nią. Umie układać zwroty złożone z dwóch wyrazów. Zaczyna rozumieć, że za pomocą mowy można zarówno przekazywać swoje potrzeby, jak i utrzymywać kontakty towarzyskie. W ilustrowanych książeczkach i na fotografiach rozpoznaje znajome postacie i przedmioty, a także próbuje je nazwać.

- **Koordynacja ręka-oko.** Lubi bawić się materiałami do modelowania, takimi jak: ciastolina, glina, piasek z wodą. Tworzy różnokształtne formy i rysuje „obrazki" na ich powierzchniach. Lubi kulać, rzucać, a nawet łapać piłki zarówno duże, jak i małe – wie, że duże piłki łatwiej jest złapać. Potrafi ułożyć wieżę, wykorzystując nawet pięć czy sześć małych, drewnianych klocków. Dość precyzyjnie przelewa wodę z jednego pojemnika do drugiego – zbytnio nie rozlewając. W sposób coraz bardziej zamierzony rysuje kredkami na papierze.

- **Ruch.** Będąc w ruchu, potrafi podjąć jeszcze inną czynność, np. idąc, umie ciągnąć za sobą zabawkę na sznurku. Lubi wdrapywać się na meble – wchodzi i schodzi z krzesła. W czasie chodzenia i biegania ma coraz lepsze poczucie równowagi i koordynację, co powoduje, że rzadziej się potyka i niespodziewanie upada. Potrafi już cofać się o kilka kroczków. Umie korzystać z większości sprzętów na placu zabaw. Lubi biegać swobodnie po parku i ogrodzie.

- **Rozwój emocjonalny i kontaktowość.** Bardzo sobie ceni twoją obecność i stara się zwrócić na siebie twoją uwagę, zagadując, albo poprzez zabawę. Sprawia wrażenie niemal całkowicie przygotowanego do rozpoczęcia nauki siadania na nocnik, choć w tym wieku możliwość pełnej kontroli nad zwieraczami jest jeszcze mało prawdopodobna. Uparcie kwestionuje wszelkie decyzje. Zaczyna nawiązywać kontakty z innymi dziećmi, ale niezbędne mu są do tego twoje liczne, podstawowe wskazówki. Jest w stanie zrozumieć proste zasady, choć może nie zawsze się do nich stosować. Lubi bezpieczeństwo codziennych, rutynowych zajęć.

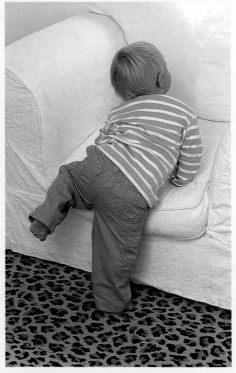

Od 12 do 24 miesięcy

22–24 miesięcy

- **Język.** Dokładnie rozpoznaje codzienne przedmioty. Eksperymentuje, różnorodnie zestawiając słowa – czasem nieprawidłowo. Śmiało próbuje wymawiać większość dźwięków, często je myląc. Niektóre spółgłoski, takie jak „c" lub „s", wymawia nieprawidłowo. Potrafi nazwać podstawowe części ciała. Przysłuchuje się rozmowom innych osób. Posługuje się co najmniej 200 słowami, często składając je w krótkie zdania.

- **Koordynacja ręka-oko.** Przygląda się książkom przez kilka minut, wpatrując się dokładnie w każdy obrazek, pokazując palcem te najbardziej je interesujące. Odwraca kartki. Coraz aktywniej pomaga w ubieraniu i rozbieraniu się. Podnosząc małe przedmioty, używa palca wskazującego i kciuka w chwycie szczypcowym. Bierze z twej ręki rzecz i oddaje ją. Przy jedzeniu potrafi skutecznie posługiwać się łyżeczką. Używając takich prostych instrumentów, jak bębenki czy tamburyny, tworzy dźwięki coraz bardziej rytmicznie.

- **Ruch.** Kierując dziecięcym rowerkiem, odpycha się nóżkami, bo prawdopodobnie nie potrafi jeszcze kręcić pedałami. Umie stać na jednej nodze, kiedy drugą kopie piłkę. Biega pewnie i rzadko się przewraca, choć bieganie ciągle jeszcze wymaga od niego sporej koncentracji. Po linii prostej porusza się szybko. Jest w stanie rzucić i złapać piłkę w pozycji siedzącej. Tańczy w rytm muzyki. Na huśtawce potrafi dobrze utrzymywać równowagę.

- **Rozwój emocjonalny i kontaktowość.** Lubi towarzystwo innych dzieci, ale ma problemy z dzieleniem się zabawkami.Nie jest jeszcze zbyt chętne do wspólnej zabawy. Uczy się już siadania na nocniczku, lecz nie ma jeszcze pełnej kontroli nad opróżnianiem pęcherza moczowego i jelit. Chce pomagać przy swojej kąpieli i myciu ząbków. Lubi odpowiadać za wykonanie niewielkich zadań. Kiedy się oddalasz, może chwilowo płakać – szloch ustaje, jak tylko znikniesz z pola jego widzenia. Bywa nieśmiały wobec obcych.

Żywienie
Nowe pokarmy

Zanim dziecko skończy rok, mleko ciągle jeszcze dostarcza mu co najmniej połowę kalorii i niezbędnych elementów odżywczych dziennie – zdarza się, że i znacznie więcej, ponieważ nie wszystkie dzieci w tym wieku uwielbiają spożywać większą ilość pokarmów stałych. Teraz jednak pokarmy stałe podawane dziecku na śniadanie, obiad i kolację, mogą zacząć stopniowo przeważać jako źródło elementów odżywczych, choć dla małych dzieci mleko jest i jeszcze przez kilka lat pozostanie ważnym rodzajem pokarmu.

Dieta racjonalna

Planuj codzienną dietę swojego dziecka, by upewnić się, że podajesz mu w pożywieniu wystarczające ilości wapnia, żelaza i witamin. Unikaj zbyt wielu potraw zawierających dodatki soli i cukru. Zaplanowana dla dziecka w tym wieku dobra, zrównoważona dieta powinna uwzględniać następujące dzienne zalecenia:

- 3–4 porcje bogatych w skrobię pokarmów węglowodanowych (chleb, makarony, ryż, płatki zbożowe)
- 3–4 porcje owoców i jarzyn
- 1 porcja pokarmu bezmlecznego, bogatego w białko
- 2–3 porcje pełnego mleka lub innych produktów mlecznych.

10 potraw wprowadzanych od 12 miesiąca życia dziecka

1. **Surowe owoce i jarzyny na przekąskę, do jedzenia palcami.**
2. **Przetarte porcje posiłku przygotowanego dla całej rodzinny** – pod warunkiem, że nie dodano do niego soli ani cukru.
3. **Świeży sok owocowy,** rozcieńczony z wodą w stosunku 1:10.
4. **Ugotowane na twardo całe jajko** – przetarte lub drobno pokrojone.
5. **Drobno zmielone orzechy lub tłuszcze roślinne** – jeżeli w wywiadzie nie występują problemy uczuleniowe.
6. **Niewielkie porcje tłustej ryby, takiej jak łosoś** – po upewnieniu się, że wszystkie ości zostały usunięte.
7. **Tuńczyk z puszki w sosie własnym** – unikaj tuńczyka w zalewie, bo będzie zbyt słony.
8. **Pomidory świeże lub z puszki.**
9. **Niewielkie ilości świeżej, niewędzonej szynki z niską zawartością soli i sodu.**
10. **Nieznaczne porcje twardych serów,** takich jak cheddar i gouda.

Żywienie
Często zadawane pytania

P.: Jak mogę przyzwyczajać moje dziecko do gęstszych pokarmów?

O.: Jest sporo sposobów wprowadzania pokarmów o zwiększonej konsystencji do jadłospisu dziecka. Podawaj mu więcej przekąsek do zjadania paluszkami. Połóż przed nim, bezpośrednio na dziecięcym stoliku, drobno tarty ser. Wymieszaj trochę namoczonego kuskusu z niewielką ilością gotowanego ryżu lub makaronu i zrób z tego dziecięce danie, drobno przetarte lub o konsystencji piure. Rozbij mikserem drobno pokrojone gotowane warzywa i przyrządź z tego delikatną polentę z dodatkiem sera. Zmieszaj drobno pokrojonego melona z malinami lub truskawkami i przetrzyj to przez sitko na delikatne piure.

P.: Czy zawsze powinnam podawać dziecku pokarmy świeżo przygotowane?

O.: Świeżo przyrządzane pokarmy są najlepsze. Jeżeli jednak ma się tak młodą rodzinę, robienie zakupów codziennie, czy nawet co drugi lub trzeci dzień, nie jest praktyczne. Prawdziwym wybawieniem może okazać się dobrze zaopatrzona lodówka i pełna szafka – umożliwiają wygodę i oszczędność. Dzięki nim można przygotować wiele praktycznych posiłków, np. świeżo ugotowane mrożonki mieszanek warzywnych z dodatkiem tartego sera bądź kromki chleba pokrojone w paski zanurzone w roztrzepanym jajku, usmażone na niewielkiej ilości oleju i podawane z plasterkami jabłuszka. Łatwo przygotować też gotowany makaron włoski lub inny cienki makaron z sosem serowym i dodatkiem zmiksowanych mrożonych warzyw.

P.: Moje trzynastomiesięczne dziecko chwyta za łyżeczkę za każdym razem, kiedy próbuję je karmić. Czy powinnam już pozwolić mu, by karmiło się samo?

O.: Przekonasz się, że w miarę rozwoju dziecko coraz wyraźniej chce jeść samodzielnie. Zachęcaj je do tego – im więcej ćwiczy, tym lepiej. Staraj się nie martwić zbytnio powstającym wtedy bałaganem. Miej po prostu w pogotowiu jakiś wilgotny ręczniczek, by wytrzeć nim buzię i lepkie rączki dziecka. Dobrze jest dać maluchowi do ręki łyżeczkę i nieco jedzenia w miseczce, podczas gdy ty podajesz mu główną część posiłku osobną łyżeczką, z oddzielnego naczynia.

P.: Czy jedzenie razem z resztą rodziny będzie korzystniejsze dla mego dziecka? Boję się, że wówczas posiłki mogą stać się zbyt chaotyczne.

O.: Posiłek nie jest tylko zaspokojeniem potrzeb żywieniowych dziecka, ale także przeżyciem towarzyskim. Różnice w harmonogramie posiłków twojej rodziny mogą sprawiać, że korzystniejsze dla dziecka będzie jedzenie osobno niż czekanie na wszystkich domowników. Łatwo się jednak przekonać, że maluch bardzo lubi jeść razem z całą rodziną. To prawda, że wasz wspólny posiłek może być bardziej nerwowy i prawdopodobnie również bardziej hałaśliwy, ale twoje dziecko uczy się od pozostałych zachowania przy stole, no i przy tym świetnie się bawi – o wiele lepiej niż wtedy, kiedy je samotnie.

10 potraw niezdrowych dla dziecka

1. **Pokarmy słone, słodkie i tłuste.**
2. **Całe lub posiekane orzechy.**
3. **Miękkie, dojrzałe sery,** takie jak brie, camembert oraz sery niebieskie typu rokpol.
4. **Wędzone lub solone ryby.**
5. **Wędzony lub surowy boczek.**
6. **Pasztety.**
7. **Wątroba** podawana częściej niż raz w tygodniu.
8. **Mocne, piekące przyprawy, takie jak chili.**
9. **Napoje gazowane.**
10. **Herbata i kawa.**

Żywienie
Częste problemy

P.: Moje dziecko tak bardzo nas potrafi zdenerwować przy jedzeniu, że posiłki zazwyczaj kończą się płaczem. Co możemy zrobić?

O.: Musisz koniecznie zmienić podejście. Podczas posiłków bądź bardziej spokojna. Nerwowa atmosfera udziela się bardzo łatwo. Twoje rozdrażnienie spowoduje, że dziecko będzie niespokojne, zanim jeszcze spojrzy na jedzenie. Postaraj się ukryć swoje napięcie.

Wyniki niedawneo badania wskazują, że jeśli dziecko zapoznało się z nowymi rodzajami konsystencji i smaków pokarmów dopiero w wieku sześciu miesięcy lub później, to jest bardziej prawdopodobne, iż będzie ono bardziej grymaśne i trudne przy jedzeniu, kiedy będzie miało 1-2 lata.

Rozmawiaj z maluchem spokojnie i daj mu dobry przykład, jedząc wszystko, co masz na talerzu.

P.: Nasze dziecko upiera się, że będzie jadło jedynie przekąski, a nie normalne, pełne posiłki. Jak możemy sobie z tym poradzić?

O.: Bądźcie pomysłowi. Pokarmy, które chcielibyście mu podać, przygotujcie właśnie w postaci drobnych przekąsek, i tak.: jeżeli dziecko ledwie tknie całą pizzę, leżącą przed nim na talerzu, najzwyczajniej potnij tę pizzę na drobne kawałeczki i podaj mu je na małym talerzyku. Dokonana w ten sposób zmiana wyglądu potrawy spowoduje, że oficjalny posiłek zamienia się w swobodnie improwizowaną przekąskę.

P.: Czy powinnam zmuszać dziecko do zjadania podawanych posiłków, czy zrezygnować z nacisków, gdy zaczyna grymasić?

O.: Nie możesz zmuszać dziecka do jedzenia tego, co mu zaserwowano. Ono samo, z własnej woli, musi postanowić, że będzie jadło. Rzeczywiście jest tak, że im bardziej dziecko będzie zestresowane, tym mniejsze będzie prawdopodobieństwo, że zechce coś zjeść. Stawianie mu wymagań w tym przypadku będzie przypuszczalnie tylko pogarszało sytuację. Zamiast tego potrzebne jest tu podejście przemyślane i pełne spokoju. Spróbuj pozwolić mu na jedzenie w jego własnym rytmie.

P.: Moje dziecko nie potrafi się skoncentrować na jedzeniu. Jak tylko stawiam przed nim na stoliku posiłek, chce zaraz wstać od stołu i iść się bawić. Co powinnam zrobić?

O.: Czy twoje dziecko jada samotnie? Jego zachowanie może być wynikiem zwykłego znudzenia. Dziecko jest z natury towarzyskie i lubi kontakty z innymi członkami rodziny. Trudno więc winić malucha za to, że pozostawia swój posiłek i woli bawić się zabawkami, jeżeli nie ma nikogo, z kim mógłby porozmawiać w czasie jedzenia. Kiedy więc maluch zaczyna jeść, powinnaś usiąść przy nim, przynajmniej na chwilę.

Pięć przyczyn odmowy jedzenia

1. **Jedzenie jest niesmaczne.**
2. **Potrawa jest zbyt gorąca.**
3. **Porcja jest zbyt duża.**
4. **Sztućce mają nieodpowiednie rozmiary.**
5. **Dziecko nie może wygodnie dosięgnąć jedzenia.**

Wychowanie pozytywne Gdy dziecko wybrzydza

P.: Chociaż moja mała córeczka od szóstego miesiąca życia jadła chętnie wszystko, co jej podawałam, teraz, mając szesnaście miesięcy, nagle stała się bardzo wybredna. Dawniej posiłki były zwykle dobrą zabawą. Obecnie łapię się na tym, że boję się jej kolejnej odmowy jedzenia. Bardzo chcę uniknąć sytuacji, w której stanie się to już trwałym problemem. W jaki sposób mogę nie dopuścić do tego?

O.: Dzieci, począwszy od około 15. miesiąca życia, zaczynają zwykle manifestować swoją niezależność w wyborze posiłków. Choć takie grymaśne jedzenie jest zwykle przemijającym etapem w życiu małego dziecka – może się jednak rozwinąć w cechę stałą. Są pewne metody, które można zastosować wobec wybrednego dziecka w tym wieku – i to zwykle z dobrym skutkiem.

Sposoby postępowania

• **Daj dziecku pewien wybór.** Będzie ono bardziej zainteresowane zjedzeniem tego, co przed nim stoi, jeżeli samo dokona wyboru. Jeżeli tylko możesz, pozwól mu wybrać spośród bardzo ograniczonej liczby proponowanych potraw.

• **Angażuj je w przygotowanie posiłku.** Wiele będzie tu zależało od jego wieku i stopnia dojrzałości, ale spróbuj znaleźć jakiś sposób włączenia twojego dziecka w przygotowanie posiłku. Im więcej włoży ono wysiłku fizycznego i intelektualnego w tę pracę, tym chętniej będzie jadło.

• **Podawaj mu małe porcje.** Dziecko może zrazić się widokiem porcji, która wydaje się bardzo duża, więc daj mu najpierw małą porcję, a kiedy opróżni talerz, może otrzymać dokładkę.

• **Nowości smakowe wprowadzaj powoli i stopniowo.** Zaczynaj od zmieszania niewielkiej ilości nowego pokarmu z czymś innym, znanym, na przykład z ziemniakami. Stopniowo zwiększaj objętość tego pokarmu, który usiłujesz w ten

sposób „przemycić". Jeżeli maluch to wszystko zje bez grymasów, pokaż mu ten nowy pokarm i połóż jego niewielką ilość na talerzu obok jego ulubionej potrawy. Powiedz mu, że smak tej nowej będzie mu już znajomy. Zachęć dziecko do skosztowania i nie szczędź pochwał, jeżeli włoży trochę do buzi.

• **Zapewnij mu delikatne, pozytywne wzmocnienie.** Zamiast zapewniać go o zadowoleniu z tego, że bardzo dużo zjadło, przy końcu posiłku, powiedz o tym, jak bardzo miło spędziłaś z nim czas.

Powyżej: Kuś swoje dziecko małymi kawałkami owoców, zanurzanych w miseczce z płynną czekoladą.

MOWA CIAŁA

Uczenie się odczytywania emocji dziecka

Ta forma porozumiewania się, nie wyrażona słowami, jest kolejnym kluczem do zrozumienia myśli i uczuć twojego dziecka.

Mowa ciała – pięć faktów

1. Im lepiej ty i twoje rozwijające się dziecko rozumiecie swój wzajemny, bezsłowny przekaz informacji, tym mocniejsza staje się wasza więź.
2. Mowy ciała używa się częściej niż słów. Badania porównujące potencjał mowy z możliwościami komunikacji niewerbalnej między powiązanymi ze sobą ludźmi wykazały, że dominująca była mowa ciała.
3. Wyniki badań wskazują też, że mniej niż 10% emocji jest wyrażanych słowami, zaś ponad 90% z nich jest przekazywanych poprzez mowę ciała.
4. Dziecko w wieku trzech lat zwykle używa słów do komunikowania faktów, a mowy ciała do przekazywania emocji.
5. Język ciała jest w mniejszym stopniu kontrolowany niż język mówiony. Uśmiechy, pozycja ciała, poruszenia rąk i nóg, kontakt wzrokowy i inne charakterystyczne środki bezsłownego przekazu pojawiają się bez planu. To oznacza, że mowa ciała twego dziecka jest widoczna, choć ono nie zdaje sobie nawet z tego sprawy.

Przez cały czas posługujesz się mową ciała, nawet jeśli nie zastanawiasz się nad tym. Podobnie też czyni twoje dziecko. Uśmiechasz się do niego, kiedy czujesz się z jego powodu szczęśliwa, a ono oddaje ci uśmiech – to jest mowa ciała. Marszczysz brwi, kiedy ono cię irytuje, a ono w odpowiedzi staje się nadąsane – to jest mowa ciała. Innymi słowy, mowa ciała – jakaś treść przekazywana ruchem ciała, takim jak rodzaj spojrzenia, wyraz twarzy czy dotyk – jest częścią twego codziennego życia.

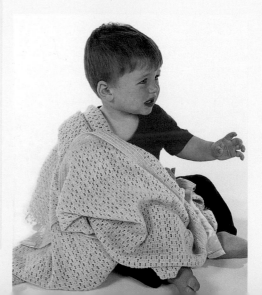

Choć interpretacja mowy ciała jest często bardzo skomplikowana, nic nie może przeszkodzić ci w zrozumieniu jej podstaw. Umiejętność ta od samego początku bardzo umocni twoją więź z dzieckiem. W mowie ciała główną rolę odgrywają:

• **Twarz.** Dziecko tuż po urodzeniu zaczyna już robić różne miny, oddając swoje wewnętrzne uczucia. Dziecko w wieku trzech lat dysponuje już szeroką gamą różnych min, które mówią wiele o jego ukrytych emocjach.

• **Oczy.** Kontakt wzrokowy jest naturalną częścią procesu porozumiewania się między ludźmi. W czasie rozmowy instynktownie patrzymy sobie wzajemnie w oczy. Różnice w częstości kontaktu wzrokowego mogą wskazywać na wszystko – od fascynacji do poczucia winy.

• **Postawa ciała.** Kiedy tylko dziecko zaczyna się poruszać, zauważasz, że przyjmuje różne postawy, np. taką, która mówi, że jest smutne – porusza się wolno i jest zgarbione.

• **Ręce i palce.** Jeżeli zauważysz, że rączki dziecka są mocno zaciśnięte w piąstki, możesz być pewna, że jest ono złe i zdenerwowane. Jeżeli są one otwarte, zwisające swobodnie przy jego bokach, maluch jest przypuszczalnie zrelaksowany.

• **Nogi.** Dziecko, które chodzi tam i z powrotem oraz przestępuje z nogi na nogę, jest zwykle czymś zaniepokojone. Może czuć się winne z powodu tego, co właśnie mówi, lub może czegoś się boi.

• **Oddech.** Szybkość oddechu często zmienia się w zależności od stanu emocjonalnego. Szybki, płytki oddech kojarzy się ze wzmożonym napięciem nerwowym, podczas gdy wolne i głębokie oddychanie może być odzwierciedleniem odprężenia u dziecka.

• **Odległość.** Kiedy twoje dziecko jest w złym nastroju, trzyma cię na dystans, np. siadając po

Obserwowanie innych osób

Innym sposobem rozwijania umiejętności odczytywania sygnałów pozasłownej komunikacji jest obserwowanie innych osób. Wypróbować to można, m.in. oglądając program telewizyjny z wyłączonym dźwiękiem tak, by przyglądać się głównym postaciom, nie słysząc ich słów. Postaraj się ustalić, wyłącznie na podstawie ich mowy ciała, co też one mówią do siebie. Można też obserwować ludzi na ulicy. Kiedy zdobędziesz już pewne doświadczenie i pewność siebie, zdziwisz się, jak wiele można wywnioskować z samej tylko mowy ciała.

przeciwnej stronie pokoju. Z drugiej strony, kiedy czuje się czymś zaniepokojone, wówczas lubi mocno się do ciebie przytulić.

Rozpoczynanie obserwacji

Próbując zrozumieć mowę ciała swego dziecka, pamiętaj, że nie jest to wiedza ścisła! Prawdopodobnie nie zawsze odczytasz tę mowę właściwie. Najlepszym sposobem doskonalenia swych umiejętności w tej dziedzinie jest gromadzenie doświadczeń płynących z dokładnej obserwacji dziecka w różnych sytuacjach. Kiedy jest ono jeszcze niemowlęciem, szybko zorientujesz się, czy odczytałaś właściwie znaczenie jego płaczu. Kiedy potrafisz usunąć właściwą przyczynę jego dolegliwości, kończy się płacz. W przypadku starszego dziecka możesz sprawdzić prawidłowość swoich domysłów, pytając je wprost o to, co odczuwa. Poświęcaj więc czas na obserwację swojego dziecka.

Sen
Co jest typowe?

Teraz, kiedy dziecko jest już starsze, bardziej niezależne i zdolniejsze do dokonywania wyborów, bierze o wiele aktywniejszy udział w codziennym układaniu się do snu. Ma swoje ulubione zabawki do towarzystwa i wybrany przez siebie sposób przygotowywania się do snu. Na tym etapie życia dziecko musi mieć ustalony rytuał przed zaśnięciem. Jeżeli nie zapewni się maluchowi odpowiedniego, regularnego, nocnego spoczynku, to następnego dnia będzie zmęczone, marudne, w złym humorze i będzie wymagało stałej opieki. Dziecko może potrzebować pomocy w utrwalaniu odpowiednich nawyków związanych z układaniem się do snu, bo zamiast iść spać, woli ono oczywiście pozostawać w twoim towarzystwie.

Poniżej: Czytanie dziecku przed snem może pomóc mu w odprężeniu się i przygotowaniu do snu.

Dziecko w wieku 18 miesięcy potrzebuje średnio około 12 do 14 godzin snu w nocy i jedną czy dwie drzemki w ciągu dnia. Od takiego malucha można więc oczekiwać, że będzie skracało swoje dzienne drzemki. Kiedy jest już gotowy do ograniczenia snu z dwóch do jednej godziny, możesz spodziewać się, że nie będzie okazywał przejawów zmęczenia rano, ale będzie zasypiał po południu. Wycofanie się z tej ostatniej drzemki dziennej może już być nieco większym problemem. Dziecko może ją przesuwać na coraz późniejszą godzinę. Na tym etapie będziesz może musiała przejąć inicjatywę i wyeliminować ostatnią drzemkę albo, dla pobudzenia dziecka, łagodnie wprowadzić w jej miejsce porę zabawy. Możesz też przyspieszyć ustaloną porę nocnego snu dziecka.

Budzenie się

Badania potwierdzają, że co najmniej 15% wszystkich dzieci w wieku 18 miesięcy regularnie budzi się w nocy. Istnieją różne, ważne powody dla których maluch budzi się w nocy i woła ciebie. Być może miał zły sen wywołany zjedzeniem czegoś, przywołane zostało wspomnienie przerażającego opowiadania lub strasznego filmu. Kiedy dziecko budzi się z płaczem, staraj się je uciszyć i ukoić. Przekonasz się wówczas, że takie dodawanie otuchy pomaga mu szybko ponownie zasnąć.

Sen
Częste pytania

P.: Kiedy nadchodzi właściwa pora na przeniesienie dziecka z dziecięcego łóżeczka do łóżka?

O.: Kiedy zachodzi prawdopodobieństwo, że dziecko potrafi wydostać się ze swego łóżeczka, może to być właściwy moment na przeniesienie go do większego łóżka. Czynność ta może stać się wielkim wyzwaniem, głębokim rozczarowaniem albo też nową przygodą, która spowoduje, że dziecko poczuje się już bardzo dorosłe. Objaśnij mu więc to wszystko, co się dzieje, i pozwól, by poczuło, że też ma w tej sprawie coś do powiedzenia. Może pozwolisz mu pomóc w wyborze łóżka lub nowej podpinki na kołdrę.

P.: Czy powinnam przekonywać moje dziecko do spania, kiedy odmawia ono ułożenia się do snu?

O.: Ponieważ dziecko może już porozumiewać się z tobą werbalnie, ważne jest, by wszystko starać się z nim omawiać. Objaśnij mu, dlaczego nadchodzący czas snu jest tak potrzebny. Oznajmij mu jasno, że nie masz zamiaru zmieniać swoich decyzji dotyczących tego, kiedy i gdzie ma ono spać. Jeżeli twoje dziecko mało wcześniej problemy z zasypianiem i nieprzespanymi nocami, będzie prawdopodobnie sprzeciwiało się nowym ustaleniom dotyczącym snu i to z uporem większym niż wtedy, gdy było niemowlęciem. W takim przypadku osiągnięcie jakiegoś porozumienia zajmie ci przypuszczalnie więcej czasu. Widoczne efekty twoich starań mogą pojawić się dopiero po kilku tygodniach. Istotne jest to, że jeśli tylko będziesz stanowcza, osiągniesz zamierzony cel, choć trzeba będzie na to poczekać.

P.: Jak najlepiej uspokoić dziecko przed snem?

O.: Możesz mu pomóc wyciszyć się przed snem, celowo wzbudzając w nim zainteresowanie jakimś spokojnym, relaksującym zajęciem. Rozpocznij je co najmniej 20 minut przed rutynowymi, codziennymi czynnościami układania dziecka do nocnego snu. Warto polecić też ustalenie pewnego stałego, przewidywalnego rytuału czynności poprzedzających zaśnięcie. To może być kąpiel dziecka, zakładanie piżamki, mycie ząbków, a następnie czytanie mu jakiejś bajki. Kiedy taki codzienny rytuał utrwali się mocno w świadomości dziecka, będzie ono wiedziało, że już pierwszy jego etap oznacza szybkie zbliżanie się pory snu. Staraj się, jeśli to tylko możliwe, żeby dziecko szło spać co wieczór o tej samej porze, bo to przyzwyczai je psychicznie i fizycznie do ustalonego wzorca czynności z tym związanych. Mogą zdarzyć się oczywiście i takie wieczory, kiedy godzina snu będzie inna i nie ma w tym niczego złego. Kiedy tylko ułożysz już dziecko w ciepłym łóżeczku, wówczas, dla odprężenia, przeczytaj mu cichym głosem jakąś bajkę. Gdy skończysz, przytul je, ucałuj i wyjdź z pokoju.

P.: Jeśli zacznę wcześniej układać dziecko do snu, by uniknąć jego przedwieczornej drzemki, rano obudzi się ono wcześniej? Jeżeli tak, to co powinnam zrobić?

O.: Nie powinnaś mieć żadnego powodu do zmartwień. Choć niezbędny dziecku czas snu został skrócony, będzie ono musiało dodać do swego nocnego wypoczynku czas z odbywanej dotychczas dziennej drzemki, aby wyrównać jej utratę. W rzeczywistości dziecko będzie spało w nocy dłużej. Jeżeli natomiast będzie miało skłonności do budzenia się bardzo wczesnym rankiem, to możesz zachęcać je, by zajęło się samodzielną zabawą. Spróbuj pozostawić w łóżeczku lub przy jego brzegu nieco zabawek i książeczek, by dziecko mogło bawić się samo, zanim wstaniesz.

Sen
Częste problemy

Powyżej: Mleczny napój przed pójściem spać może pomóc dziecku zasnąć.

P.: Miałam znaczne trudności z przyzwyczajeniem mego dziecka do jakiegokolwiek ustalonego porządku. Ono po prostu stawia opór i wyskakuje z łóżka w chwili, kiedy chcę wyjść z pokoju. Co mam robić?

O.: Powstrzymaj się od wzięcia go na ręce. Okaż życzliwe zrozumienie, czy też uzasadnij mu powód, dla którego musi pozostać już w łóżku. Ważne jest, by w żaden sposób nie „nagradzać" go w tej sytuacji, a także, byś zachowała przy tym niewzruszoną obojętność – nawet jeśli dziecko dostanie napadu złości.

P.: W ciągu kilku ostatnich tygodni moje dziecko nabrało zwyczaju dwu- lub trzykrotnego budzenia się w nocy. Jak mogę je do tego zniechęcić?

O.: Przede wszystkim, kiedy dziecko budzi się w nocy, nie wypuszczaj go z łóżka. Powinnaś oczywiście podejść do niego wtedy, kiedy płacze lub woła, ale staraj się zapobiec wyjściu dziecka z jego sypialni. Jeżeli chce np. koniecznie wstać, aby pójść do ubikacji, pozwól mu na to, a następnie sprowadź do łóżka tak szybko, jak to tylko możliwe. Powiedz mu, że zaraz zaśnie, po czym ponownie wyjdź z pokoju. Nie wracaj natychmiast, kiedy tylko znowu zawoła – odczekaj co najmniej pięć minut, zanim zareagujesz.

P.: Niezależnie od tego, co robię, moje dziecko zawsze znajdzie jakiś sposób na odwleczenie momentu pójścia do łóżka. Jednego wieczoru mówi mi, że jest głodne, następnego upiera się, że musi mieć zmienioną pieluszkę. Co robić?

O.: Włącz wszelkie jego podstawowe potrzeby w skład codziennego rytuału układania go do snu. Małe dziecko zwykle idzie spać tuż po swojej kolacji, więc wiesz, że nie jest ono głodne. Przed rozpoczęciem przygotowań do snu daj mu ostatni łyk wody lub mleka. Tuż przed położeniem go do łóżka zmień mu pieluszkę na suchą. Wówczas jesteś pewna, że jego życzenia są w stosunku do ciebie jedynie próbą manipulacji, i możesz śmiało odmówić ich zaspokojenia. Nie daj się wciągnąć w długie pertraktacje z dzieckiem. Powiedz mu wprost, że dostało już jeść i miało zmienioną pieluszkę. Powtórz mu, że musi, i dlaczego musi być już w łóżku. Dziecko szybko się domyśli, że nie dasz się złamać.

P.: Czy mam podać dziecku jakąś przekąskę lub coś do picia, jeżeli budzi się ono w nocy?

O.: Nie ma wątpliwości, że w przypadku, kiedy twoje dziecko nadal budzi się w nocy, a ty od razu wędrujesz z nim po domu, by dać mu przekąskę lub coś do picia, lub by się z nim pobawić – następnej nocy obudzi się ono ponownie i to o tej samej porze. W końcu, z jego punktu widzenia, takie budzenie się w nocy to przecież świetna zabawa. Trzymaj się twardo swego pierwotnego planu działania, a przekonasz się, że jego nocne wstawanie wkrótce stanie się przeszłością.

Wychowanie pozytywne **Nigdy nie jest za późno**

P.: Nigdy nie byłam w stanie wprowadzić memu dziecku ustalonego, stałego porządku dotyczącego pory snu. Obecnie maluch ma 17 miesięcy i czuję, że może mi się to już nigdy nie udać. Czy marnuję czas?

O.: Jeżeli przez rok lub dłużej miałaś zarwane noce, możesz sądzić, że twój cel w postaci nieprzerwanego snu jest nieosiągalnym marzeniem. Ale nawet dziecko, które stale sypia marnie, można w stosunkowo krótkim czasie nauczyć, by kładło się spać i już pozostawało w łóżku. Podstawy tego wdrażania dziecka do przesypiania nocy – nawet malucha, któremu dotychczas nigdy się to nie udawało – są w gruncie rzeczy takie same jak przygotowywanie go do dobrego snu.

Poniżej: Pocałunek i przytulenie dziecka przed snem są ważnymi elementami stałego porządku przygotowania malucha do snu.

Sposoby postępowania

• Dziecko powinno zrozumieć, że noce są przeznaczone do spania. Jeżeli położysz malucha spać, a później pozwolisz mu jeszcze biegać wokoło, to nigdy on nie zrozumie, że ty naprawdę chcesz, by pozostał w łóżku aż do rana.

• Musisz zaprowadzić pozytywny, dobrze zorganizowany, stały porządek przygotowywania do snu, który dziecko wyciszy i będzie działać jak element o znaczeniu psychicznym, a także fizycznym.

• Powinnaś uczyć je samodzielnego zasypiania. Jeżeli dziecko uzależni ułożenie się do snu od twojej obecności, będzie ono doświadczało podobnego lęku jak niemowlę, które budzi się w nocy i stwierdza, że nie ma cię przy nim. Zalecenia, dotyczące układania do snu niemowlęcia (patrz strona 82), mogą być również zastosowane w przypadku starszego dziecka.

KOLEJNOŚĆ NARODZIN

Związek kolejności narodzin z osobowością

Badania wykazały, że istnieje związek pomiędzy kolejnością, w jakiej dziecko przyszło na świat, a jego późniejszym rozwojem.

Innymi słowy, postępy, jakie dziecko czyni w dzieciństwie, są do pewnego stopnia uwarunkowane tym czy jest potomkiem pierworodnym, kolejnym, jedynym czy najmłodszym. Wyniki badań potwierdzają, że pewne cechy charakterystyczne osobowości, takie jak temperament, łatwość uczenia się, talenty towarzyskie i pewność siebie – są powiązane z kilkoma szczególnymi miejscami zajmowanymi w kolejności rodzenia się. Jednakże kolejność urodzenia jest tylko jednym z wielu elementów wpływających na rozwój dziecka, a jej skutki mogą zostać zrównoważone sposobem wychowania.

Jeżeli zdajesz sobie sprawę z tego, jak kolejność narodzin dziecka może formować jego dalszy rozwój, możesz zapobiec nadmiernym działaniom tych potencjalnych wpływów. Spójrz na życie swego dziecka z jego punktu widzenia. Wyobraź sobie, co to dla niego oznacza, kiedy ma taką właśnie, a nie inną pozycję w rodzinie. Zauważ, co następuje:

Pierworodne dziecko przez pierwszą część swego życia ma ciebie tylko dla siebie. Oznacza to, że twój czas przeznaczony dla dziecka spędzasz tylko i wyłącznie z nim. Cały wysiłek, jaki wkładasz w pobudzanie jego rozwoju, nie musi być dzielony z innymi dziećmi. Nic dziwnego, że dziecko obdarowane tak wielką uwagą jest bystre, żywe i wysoce zmotywowane.

Dzieci urodzone później będą prawdopodobnie lubiły naginać przepisy i poszukiwać zachowań raczej ekstrawaganckich aniżeli tradycyjnych. Chcą one różnić się od swoich starszych braci czy sióstr, nie chce pozostawać w ich cieniu. Dziecko urodzone jako drugie, pragnie samo wykuwać swój los. Najlepszym sposobem na uniknięcie takiej pułapki, z punktu widzenia dziecka, jest podążanie całkiem inną drogą.

Najmłodsze dziecko bywa zwykle najbardziej niezależne – w dużej mierze z konieczności. Nie ma niczego, co bardziej potrafi spotęgować u dziecka jego zdolności do przetrwania, niż życie z perspektywą pozostawania stale na końcu rodzinnej kolejki!

Uczyń, co tylko możesz, aby upewnić się, że kolejność narodzin twoich dzieci nie wywiera na którekolwiek z nich nadmiernego wpływu. Na przykład postaraj się poświęcać odrębny czas na pobudzanie zainteresowań twego drugiego dziecka. Nie zakładaj zawsze z góry, że podczas wspólnej zabawy starsze dziecko musi być odpowiedzialne za młodsze rodzeństwo. Pozwól czasem swemu młodszemu dziecku być tym, które dokona wyboru programu telewizyjnego oglądanego przez rodzinę.

Sposoby postępowania

• Interesuj się postępami każdego ze swoich dzieci. Każde z nich musi czuć się docenione przez rodziców. Osiągnięcia twojego najmłodszego dziecka są dla niego czymś nadzwyczajnym, choć ty przecież przeżywałaś już podobny etap z jego starszym rodzeństwem.

• Pozwól, by odkryte zostały naturalne, indywidualne cechy dziecka. Jeżeli twoje drugie dziecko chce dorównać w osiąganiu dobrych ocen w szkole swemu starszemu bratu, pomóż mu w tym.

• Wyróżniaj kolejno swoje dzieci. Najstarsze pociechy często uważają, że za każdym razem mają absolutne prawo do pierwszego miejsca w każdej kolejce. Wówczas najmłodsze dziecko zawsze jest tym, które dostaje nową zabawkę ostatnie, i to okazjonalnie.

• Wysłuchuj uważnie dzieci. Traktuj swoje średnie dziecko poważnie. Kiedy mówi ci ono, że starszy brat ma więcej swobody, a młodsza siostra jest rozpuszczona – pozwól mu wyrazić swoje odczucia i okaż mu, że słuchasz go z całą uwagą.

• Chwal zarówno włożony wysiłek, jak osiągnięcie. Najważniejsze jest, żeby każde z dzieci – podejmując pracę, starało się ze wszystkich sił. Jesteś oczywiście zachwycona, kiedy któreś z nich ma jakieś znaczące osiągnięcia, ale to nie powinno pomniejszać twego widocznego zadowolenia z wysiłków pozostałych dzieci.

Osobowość – Pięć faktów

1. Dzieci urodzone jako pierwsze są zwykle bardziej inteligentne niż ich rodzeństwo i zazwyczaj rozumują jasno i racjonalnie. W porównaniu z pozostałymi dziećmi będą przypuszczalnie odnosić w życiu największe sukcesy.
2. Maluchy urodzone jako drugie są często mniej skore do podporządkowania się wszelkim przepisom. Wolą iść pod prąd i rzucać wyzwanie konwencjonalnemu sposobowi myślenia.
3. Najmłodsze dzieci potrafią najlepiej z całego rodzeństwa radzić sobie ze stresami i napięciami codziennego życia. Twoje najmłodsze dziecko będzie prawdopodobnie pewne siebie i samodzielne.
4. Dzieci urodzone w pozostałej, „środkowej" kolejności są zwykle najbardziej zrównoważone i są mistrzami w rozwiązywaniu sporów drogą pokojową. Twoje dziecko, urodzone w tej właśnie kolejności, przypuszczalnie będzie także opiekuńcze w stosunku do swego starszego i młodszego rodzeństwa – choć, od czasu do czasu, może też czuć się nieco wyłączone z bieżących spraw.
5. Jedynacy zazwyczaj łatwo nawiązują kontakty z dorosłymi. Istnieje jednak prawdopodobieństwo, że twój jedynak będzie samowystarczalny, a kiedy znajdzie się w towarzystwie innych dzieci, okaże wyraźne cechy przywódcze.

Język
Co jest typowe?

Jeżeli w pierwszym roku życia swego dziecka wydawałaś stłumione okrzyki zdziwienia nad szybkim rozwojem jego języka – kiedy dziecko zmieniało się z niemowlęcia, które potrafiło tylko płakać, w kogoś, kto potrafi wypowiedzieć wyraźne słowo – to w drugim roku życia swego malucha będziesz wręcz oszołomiona gwałtownym rozkwitem jego języka. Ten przyspieszony rozwój umożliwia dziecku branie udziału w dyskusjach, opowiadanie o swoich doznaniach i wyrażanie swoich uczuć.

Dziecko, które wypowiedziało swoje pierwsze słowo, mając mniej więcej rok życia, w wieku około 15 miesięcy (lub później) używa już sześciu wyraźnych słów – najczęściej imion członków rodziny lub nazw znajomych przedmiotów. Zaczyna się też rozwijać u niego umiejętność łączenia słów w zwroty i krótkie zdania. W wieku około 18 miesięcy dziecko potrafi już połączyć ze sobą dwa słowa dla utworzenia sensownego zwrotu. Przykładowo „mi misia" – w tym przypadku oznacza „chcę mojego misia". Dziecko używa już większości spółgłosek i samogłosek, choć czasami trochę się w tym gubi. Szczególnie często mylą mu się początki słów (mówi np. „boda", zamiast „woda"). W tym czasie staje się ono coraz lepszym słuchaczem, co wspomaga jego rozwój językowy, ponieważ język mówiony dziecko poznaje przez słuchanie. Umożliwia to mu zrozumienie otrzymywanych poleceń i branie udziału w dyskusjach.

Co moje dziecko potrafi zrobić?

12–14 miesięcy

- Potrafi wypowiedzieć pięć lub sześć słów i to we właściwym kontekście. Przysłuchuje się z zainteresowaniem rozmowom innych dzieci. Rozumie o wiele więcej słów, niż potrafi wypowiedzieć.

15–18 miesięcy

- Może zastosować się do prostych poleceń i dla wyrażenia swych potrzeb kojarzy słowa z gestami. Zaczyna uczyć się nazw różnych części ciała. Lubi piosenki i rymowanki – podczas ich wykonywania prawdopodobnie będzie się przyłączać śpiewem lub gestami.

Język
Częste pytania

P.: Co najprawdopodobniej wyrazi słowami moje dziecko, kiedy już zacznie mówić?

O.: Psycholodzy badający rodzaje słów, które przyswajane są jako pierwsze przez dzieci zaczynające mówić, ustalili, że ponad 50% najwcześniej wypowiadanych słów są natury ogólnej. Zazwyczaj są to uproszczenia nazw odnoszących się do przedmiotów, np.: „do"(dom), „pa" (lampa), „ato" (auto). Określeniem „hau-hau" może nazywać wszelkie zwierzęta. Mniej niż 15% stanowią słowa odnoszące się już do konkretnych osób lub przedmiotów, takie jak „mama" lub „misio". W wyniku prowadzonych badań ustalono również, że wiele z pierwszych słów dziecka ma związek z rzeczami, z którymi w jakiś sposób miało ono kontakt, np.: „iśka" (łyżka), „meko" (mleko) czy „buti" (buty). Jest to następny dowód na to, że językowy rozwój dziecka ściśle odzwierciedla jego codzienne doświadczenia.

P.: Czemu moje dziecko wymawia jedną głoskę bardziej prawidłowo, a inną mniej poprawnie?

O.: Staraj się sama wymówić powoli te głoski – odkryjesz wówczas, że wypowiedzenie, na przykład, głosek „f" (wargowo-zębowej) i „t" (przednio językowo-wargowej) angażuje, mówiąc ogólnie, zęby, usta i koniuszek języka, podczas gdy wymawianie głosek „k" i „g" (tylnojęzykowych) – tylną część buzi. Dziecku w tym wieku o wiele łatwiej wypowiedzieć głoski, które są formowane przodem ust, i stąd używa ich zamiennie. Stopniowo opanuje jednak pełny ich wybór.

P.: Czy to prawda, że chłopcy są nieco powolniejsi w nauce mówienia, niż dziewczynki?

O.: Dowody, potwierdzone badaniami psychologicznymi, mówią, że dziewczęta przyswajają sobie mowę wcześniej niż chłopcy, a także wcześniej od nich zaczynają się posługiwać bardziej złożonymi konstrukcjami językowymi. Jest to oczywiście jedynie pewna tendencja i nie znaczy to, że każdy chłopiec wypowiada swoje pierwsze słowo później niż jego rówieśniczka. Wiele zależy od indywidualnych cech danego dziecka.

19–21 miesięcy

- Teraz już dziecko rozszerzyło swój zasób słów do kilkudziesięciu, w większości rzeczowników, które opisują ogólną kategorię przedmiotów, takich jak „auto" dla wszystkich rodzajów pojazdów lub „dom" dla wszystkich typów budynków. Potrafi składać słowa, by z dwóch z nich tworzyć proste zwroty. Zaczyna rozumieć, że mowa służy nie tylko do komunikowania swoich podstawowych potrzeb, ale także do kontaktów towarzyskich.

22–24 miesiące

- Teraz, kiedy dziecko ma już prawie dwa latka, potrafi podać dokładną nazwę każdego znajdującego się przed nim przedmiotu codziennego użytku. Próbuje też różnych (być może nieprawidłowych) kombinacji słów i śmiało wypowiada większość głosek, ale często jeszcze myli lub nieprawidłowo wymawia pewne spółgłoski, takie jak „c" lub „s". W jego zasobie jest co najmniej 200 słów, które często łączy w krótkie zdania.

Język
Stymulacja

Zasób słów dziecka zaczyna stale się powiększać, w miarę jak słucha ono rozmów odbywających się wokół. Jeżeli nie mówiło jeszcze, zanim skończyło roczek, to zapewne będzie już mówiło w wieku 15 miesięcy. Potrafi wówczas samo powiedzieć tylko kilka słów, ale rozumie znaczenie setek z nich. Rozwój jego języka stale postępuje. Dziecko zaczyna zdawać sobie sprawę, że mowa nie służy wyłącznie do komunikowania swoich pomysłów i odczuć, ale także jest doskonałym sposobem nawiązywania kontaktów towarzyskich.

Dziecko staje się teraz coraz bardziej zainteresowane dialogiem. Zanim skończy dwa lata, jest już o wiele bardziej komunikatywne i szybciej pojmuje słownictwo, gramatykę i konstrukcję zdania. Szczególnie lubi przebywać razem z rówieśnikami, nawet jeśli nie zawsze potrafi się z nimi porozumieć.

Jak mogę stymulować rozwój sprawności językowej mojego dziecka?

• Zachęcaj dziecko do opowiadania ci o wszystkim, co dzieje się właśnie wokoło – nie czekaj na koniec dnia, aby wszystkie te wydarzenia streścić, bo dziecko może już o nich nie pamiętać. Miej na uwadze, że maluch jest zafascynowany wszystkim, co dzieje się wokół niego, i ma wrodzone pragnienie mówienia o swoich przeżyciach. Nieważne, czy jest to poranne nakładanie kurtki i spodenek, czy wychodzenie na popołudniowy spacer, będzie ono chciało pogawędzić sobie z tobą na ten temat. Potrzebuje twoich odpowiedzi. Staraj się używać słów, które może ono łatwo zrozumieć.

• Zapoznaj dziecko z zabawami „na niby", posługując się przy tym jego przytulankami. Na przykład, posadź maskotki na obwodzie koła i mów do nich. Dziecko w wieku od 13 do 15 miesięcy będzie w tej sytuacji spoglądało na ciebie z rozbawieniem, ale szybko zda sobie sprawę z tego, że jest to po prostu świetna zabawa i będzie chciało się do niej przyłączyć.

• Kiedy kąpiesz lub przewijasz swoje dziecko, zacznij nazywać jego części ciała. Zrób z tego zabawę powtarzaną co wieczór.

• Zorganizuj dziecku możliwość spędzania czasu w towarzystwie rówieśników. Będzie ono wówczas ogromnie zafascynowane ich sposobami wysławiania się.

• Nagraj na taśmę znane dziecku dźwięki i sprawdź, czy rozpozna któryś z nich.

• Opuść ostatnie słowo jego ulubionej piosenki. Patrz na dziecko wyczekująco, by zachęcić je do wypowiedzenia tego brakującego wyrazu.

• Zademonstruj mu znaczenie nowych słów, które nie są mu jeszcze w pełni znane – przykładowo podnosząc ręce dla opisania wysokości. Poproś dziecko, aby podawało nazwy opisywanych przedmiotów. Wskaż znany mu obiekt i zapytaj, jak on się nazywa. Rozszerz to działanie również na nowe rzeczy, których nazw jeszcze nie używało.

• Podczas rozmów z dzieckiem staraj się używać języka w zakresie podstawowym, ale również urozmaicaj go. Zamiast dobierać za każdym razem te same słowa, podawaj ich synonimy.

• Posadź dziecko przed lustrem i pokaż mu jak poruszać wokół językiem, jak dmuchać przez zamknięte usta i wydawać dźwięki „p", „b" i „d". To usprawni jego panowanie nad językiem i wargami.

Wychowanie pozytywne **Radzenie sobie z błędami**

P.: Moje dziecko robi wiele błędów podczas mówienia. Czasami myli słowa, czasem się gubi, od czasu do czasu źle wymawia pierwsze litery poszczególnych sylab, a nawet tworzy jakieś własne słowa i konstrukcje. Niepokoję się, że jeżeli tego nie skoryguję, to nie nauczy się ono poprawnie mówić. Czy właściwie podchodzę do tego problemu?

O.: Nie. Powinnaś spodziewać się, że dziecko, mówiąc, będzie robiło wiele pomyłek. Jest to normalna część procesu uczenia się. Jeżeli masz tendencje do stałego poprawiania jego błędów językowych, może to wprowadzać dziecko w stan napięcia i nie będzie już chciało wysławiać się tak swobodnie.

Sposoby postępowania

• Powtarzaj to, co dziecko próbowało ci właśnie powiedzieć, używając już właściwych słów lub ich prawidłowej konstrukcji, ale rób to tak, jakbyś zgadzała się z nim, a nie wskazywała na popełniony przez nie błąd. Jeżeli, dla przykładu, dziecko obserwuje oddalającego się od niego psa i mówi: „Pieś posiet!", możesz odpowiedzieć – „Tak, dobrze. Piesek pobiegł sobie.".

Po prawej: Zawsze znajdź czas na rozmowę z dzieckiem i objaśnianie mu różnych rzeczy – to pomoże mu doskonalić umiejętności językowe.

Kształtując język w taki sposób, pokazujesz maluchowi, jak wypowiadać słowa prawidłowo, ale odbywa się to bez osłabiania jego wiary w siebie.

• Dziecko oczekuje, że wszyscy będą je rozumieli. Ono samo wie dobrze, co chce powiedzieć, i przyjmuje, że ty je rozumiesz. Może więc wpaść w prawdziwą złość, kiedy nagle przekona się, że nie pojmujesz, co ono do ciebie mówi. Im częściej prosisz o powtórzenie, tym bardziej dziecko jest rozdrażnione. W takiej sytuacji możesz zdecydować się na odwrócenie jego uwagi i skierowanie jej na coś zupełnie innego lub potakująco kiwać głową, jakbyś dokładnie rozumiała treść wypowiedzi.

Pięć sposobów na utrzymanie zainteresowania dziecka **językiem**

1. Zachwycaj się każdym nowym słowem wypowiedzianym przez twoje dziecko.

2. Powtórz to słowo wiele razy.

3. W czasie rozmowy z maluchem utrzymuj z nim kontakt wzrokowy.

4. Jeżeli próbujesz skierować na coś uwagę dziecka, usuwaj wszystko, co ją rozprasza.

5. Kiedy dziecko mówi do ciebie, zawsze mu odpowiadaj.

Język
Częste problemy

P.: Czy powinnam niepokoić się tym, że moje 17-miesięczne dziecko nie powiedziało dotychczas swego pierwszego słowa?

O.: Każde dziecko rozwija się w swoim własnym tempie i choć większość dzieci powiedziała już swoje pierwsze słowo przed ukończeniem 15. miesiąca życia, to jest też znacząca liczba dzieci, które dokonują tego dopiero w kilka miesięcy później. Nie ma potrzeby nadmiernie się niepokoić, szczególnie jeśli wszystko wskazuje na to, że rozwój jego mowy jest normalny. Takim właśnie pozytywnym sygnałem prawidłowego rozwoju językowego dziecka jest np. gaworzenie, a także próby przyłączania się dziecka do śpiewania i rymowania.

P.: Moje dziecko się jąka. Kilkakrotnie zaczyna wymawiać jakieś słowo, ale go nie kończy. Czy może przerodzić się to w długotrwały problem?

O.: Dzieci tak małe, jak dwulatki często się

jąkają lub zacinają. Powtarzanie wyrazów i niepewność w ich wypowiadaniu często zdarza się właśnie wówczas, kiedy rozwój językowy dziecka ulega przyspieszeniu. Na szczęście większość dwulatków, w miarę jak wzrasta ich pewność siebie, samodzielnie przechodzi tę fazę. Jednakże, jeżeli twoje małe dziecko jąka się lub zacina, upewnij się przede wszystkim, że nikt (włączając w to rodzeństwo) nie śmieje się z niego, nie próbuje go przedrzeźniać, albo też nie próbuje go ponaglać. Dziecko w tej sytuacji potrzebuje twego czasu, cierpliwości i pomocy, by przejść pomyślnie tę tymczasową fazę.

P.: Moje 21-miesięczne dziecko ma jakiś nienaturalny sposób mówienia, jak gdyby skracało wypowiadane słowa. Czy jest to typowe dla dziecka w tym wieku?

O.: Jego język brzmi jak skracany, ponieważ zawiera tylko słowa kluczowe, takie jak „chcę mleko" albo „ja śpię". W następnych latach dziecko zacznie dołączać także inne typy słów, takie jak przyimki i przymiotniki. Jest to normalny, postępujący całymi miesiącami proces rozwoju językowego dziecka.

P.: Moje dziecko mówi zbyt szybko, bym mogła zrozumieć, o czym mówi. Co powinnam zrobić?

O.: Jest to tylko pewna niecierpliwość przy wysławianiu się. W ciągu kilku następnych miesięcy w sposób naturalny maluch zmniejszy tempo wypowiedzi i zrozumienie tego, co mówi, stanie się łatwiejsze. Tymczasem, kiedy dziecko staje się nadmiernie pobudzone podczas rozmowy z tobą, staraj się zachęcić je do zwolnienia tempa wypowiedzi. Ale w tym przypadku nie ma absolutnie podstaw do niepokoju.

Po lewej: Twoje indywidualne rozmowy z dzieckiem umocnią jego wiarę we własne umiejętności językowe.

P.: Jak mogę sprawić, by moje dziecko zamiast wskazywać, mówiło, czego sobie życzy?

O.: Dziecko będzie ciągle jeszcze posługiwało się gestami, nawet wówczas, kiedy jego umiejętności wysławiania się znacznie się zwiększą. Możesz pomóc w dalszym rozwoju mowy dziecka, jeżeli oprzesz się pokusie odpowiadania na same tylko jego gesty. Na przykład, jeżeli wskaże swój kubek z sokiem, zapytaj je: „Czy chcesz ten kubek z sokiem?" lub jeszcze lepiej: „Co byś chciał?" Jeżeli ono nadal tylko wskazuje, powtórz pytanie. W końcu dziecko spróbuje przekazać ci swoje życzenie słowami, zamiast tylko gestami.

P.: Czy powinnam niepokoić się tym, że moje dziecko mówi do siebie?

O.: Nie. Jednym z najlepszych sposobów na podnoszenie umiejętności językowych dziecka jest stałe ćwiczenie przez niego mowy. Czyż może być lepsze ćwiczenie, i to niezagrożone przerywaniem, niż mówienie do siebie? I tak nie zrozumiesz większości z tych monologów, ale cóż, pamiętaj, że te słowa nie są przecież przeznaczone dla twoich uszu.

P.: Są chwile, w których moje dziecko jest mniej rozmowne. Zwykle ucisza się, kiedy jesteśmy poza domem, wśród innych ludzi. Czemu tak jest?

O.: Nie jest niczym niezwykłym, że dziecko milknie, kiedy znajdzie się w towarzystwie innych osób. Nie ma się tu czym martwić. Poza instynktownym pragnieniem zwracania na siebie uwagi, dziecko może nagle stracić wiarę w swoje umiejętności komunikowania się. Kiedy stanie wobec mnóstwa ludzkich twarzy, może w ogóle się nie odezwać, dopóki ponownie nie znajdzie się z tobą sam na sam. Innym znów razem, może być po prostu zmęczone lub w złym nastroju. Niezależnie więc od przyczyny, pozwól mu milczeć i nie próbuj go zmuszać do rozmowy z tobą. Prawdopodobnie przekonasz się, że później dziecko stanie się ponownie bardziej rozmowne.

Po prawej: Dziecko będzie ciągle jeszcze posługiwało się gestami porozumiewając się z tobą, nawet wówczas, kiedy jego umiejętności wysławiania się znacznie się zwiększą.

Koordynacja ręka-oko
Co jest typowe?

Twoje rosnące dziecko dojrzało już teraz na tyle, że jego sprawność wzroku i panowanie nad ruchami rąk są skoordynowane. Dzięki temu dziecko może skutecznie skupić pełną ostrość wzroku na małej zabawce, a następnie wyciągnąć rączkę, by sprawnie ją uchwycić. Gry, które jeszcze niedawno były dla niego zbyt trudne, takie jak układanki, teraz już budzą jego żywe zainteresowanie.

Sprawniejsza koordynacja ręka-oko, połączona z bardziej dojrzałym procesem uczenia się i rozumienia, pozwala dziecku rozpocząć wczesne próby rysowania. Jest to czynność wprowadzająca w życie dziecka całkiem nowy wymiar i jest czymś, do czego powinnaś dziecko zachęcać, kiedy tylko wykazuje ono jakiekolwiek nią zainteresowanie. U około 15-miesięcznego dziecka można już zauważyć wybór ręki dominującej. W większości przypadków, kiedy trzeba posłużyć się ręką, dziecko zwykle używa jednej i tej samej rączki.

Co moje dziecko potrafi już zrobić?

12–14 miesięcy

- Dziecko, mając około roku, potrafi już wbijać młotkiem kołeczki w otwory ćwiczebnej tabliczki, wie, jak posługiwać się prawidłowo kredkami (rysuje zamiast wkładać je do buzi) i sprawniej dopasowuje różne złożone kształty do właściwych otworów zabawki sortującej. Kiedy idąc w jego kierunku, niesiesz pulower, odruchowo unosi rączki w górę.

15–18 miesięcy

- Około półtoraroczne dziecko potrafi już trzymać jednocześnie w każdej rączce po przedmiocie. Dostrzega związek ruchów swoich rąk z wywoływanymi przez nie skutkami, np. pociąga za sznurek, aby spowodować ruch w swoim kierunku przywiązanej do niego zabawki. Zaczyna jeść przy pomocy rączek i łyżki.

19–21 miesięcy

- Chętnie bawi się materiałami do modelowania, takimi jak ciastolina lub glina. Lubi kulać, rzucać, a nawet chwytać piłki. Potrafi precyzyjnie przelać wodę z jednego pojemniczka do drugiego i zaczyna kreślić kredką na papierze zamierzone znaki.

22–24 miesiące

- Teraz już chce pomagać w swym ubieraniu i rozbieraniu. Potrafi też uzyskać coraz bardziej rytmiczne dźwięki przy pomocy prostych instrumentów perkusyjnych, takich jak bębny czy tamburyna.

Koordynacja ręka-oko
Częste pytania

P.: Czy lepiej dawać dziecku takie zabawki, które stanowią dla niego pewne wyzwanie, czy też może powinnam wręczać mu te, którymi może posługiwać się względnie łatwo?

O.: Dziecko będzie w sposób naturalny dążyć do bawienia się zabawkami, którymi może posługiwać się bez większych trudności. Chętniej będzie bawić się puzzlami, których ułożenie już dobrze opanowało, nawet jeżeli nie stanowią już one dla niego jakiegoś wyzwania. Prawdopodobnie będziesz musiała zachęcać dziecko do kontynuowania zabawy nowymi zabawkami i układankami. Ono pewnie będzie wolało coś znajomego niż jakąś nowość. Kiedy znasz już stopień koordynacji ręka-oko u twojego dziecka, kup mu układankę, która będzie dla niego trudniejsza do złożenia – ale też nie nazbyt trudna. Jeżeli dziecko początkowo odłoży ją, usiądź przy nim i zaproponuj, że ułożycie ją wspólnie.

P.: Jakiej wielkości piłką powinno bawić się moje dziecko – dużą czy małą?

O.: Byłoby najlepiej, gdyby miało ono piłki różnych rozmiarów, bowiem różnorodne rozmiary rozwijają inne umiejętności wzrokowo-ruchowe. Mała piłeczka pomaga wyrabiać siłę uchwytu, ponieważ dziecko może ją trzymać w jednej tylko rączce. Złapanie większej piłki wymaga już koordynacji działania obydwu rączek.

P.: Czemu rączki mego dziecka często drżą, kiedy koncentruje się ono na dopasowaniu klocków danego kształtu do odpowiedniego otworu?

O.: Jest to normalny objaw przy czynności, która wymaga znacznej koncentracji. Pragnienie właściwego dopasowania klocka do otworu jest tak silne, że mięśnie jego rąk i ramion zaczynają się napinać i cała kończyna zaczyna drżeć. Objaw ustaje, kiedy dziecko się odpręża.

Powyżej: Zabawa z piłką wymaga od dziecka oburęcznej koordynacji, by mogło ono tę piłkę złapać.

P.: Obecnie moje dziecko potrafi podnosić małe przedmioty, które, jak się wydaje, wyraźnie lubi. Panicznie boję się, że może połknąć coś niebezpiecznego dla niego. Coś co może być dla niego niebezpieczne. Może przesadnie się tym przejmuję?

O.: Twoje dziecko będzie chętnie manipulowało przy małych przedmiotach, takich jak zamki błyskawiczne, małe guziki, leżące na ziemi szpilki, małe drewniane koraliki czy kawałki suchej żywności. To wszystko je fascynuje. Będzie chciało podnieść je i zbadać, a także, przypuszczalnie, włożyć je do buzi. Choć potrzebuje ono tego rodzaju praktycznego doświadczenia, by jeszcze bardziej rozwinąć swoją koordynację ręka-oko, istnieje jednak ryzyko, że pozbawione nadzoru zrobi sobie krzywdę. Musisz więc zręcznie balansować pomiędzy niepokojem o bezpieczeństwo dziecka a jego potrzebą różnorodnych zabaw. Trzymaj wszelkie ostre przyrządy całkowicie poza zasięgiem dziecka i bądź czujna, kiedy bawi się dozwolonymi mu drobnymi przedmiotami. Patrz także Bezpieczeństwo w domu (strony 172–173).

Koordynacja ręka-oko
Stymulacja

W drugim roku życia dziecko potrafi już zrobić coraz więcej czynności złożonych. Jego zwiększona koncentracja uwagi, umożliwia mu przedsiębrać bardziej złożone zadania, stanowiące wyzwanie dla jego koordynacji ręka-oko. Chwilami maluch jest całkowicie pochłonięty jakąś czynnością i nie ustaje w wysiłkach, by ją skończyć, a na jego buzi maluje się pełne skupienie. Zwiększona pewność siebie motywuje dziecko do podejmowania coraz trudniejszych prób, z coraz to bardziej złożonymi grami i układankami. Kiedy zbliżają się jego drugie urodziny jest już zafascynowane rówieśnikami. Choć dwulatek nie bawi się jeszcze wspólnie z nimi, to bacznie ich obserwuje i będzie próbował naśladować sposób zabawy innych dzieci. Obserwacje te mogą być dla niego bodźcem do bawienia się zabawkami lub grami, którymi nie było wcześniej zbytnio zainteresowane.

Jak mogę stymulować sprawność koordynacji ręka-oko u mojego dziecka?

• **Przygotuj specjalne miejsce na wystawę jego rysunków.** Nie ma lepszego sposobu na wyrażenie twego podziwu dla jego umiejętności rysowania, a to jeszcze zachęci dziecko do dalszych prób.

• **Baw się z nim w klaskanie.** Teraz już umie klaskać w dłonie, ale możesz je zachęcić, by robiło to rytmicznie, w takt muzyki.

Powyżej: Rysowanie ołówkami i kredkami pomoże dziecku doskonalić, spore już, umiejętności motoryczne.

• **Poruszaj jego paluszkami** i zademonstruj mu, jak szeroko potrafisz otworzyć swoje dłonie, i jak umiesz poruszać palcami w powietrzu. Dziecko będzie próbowało ciebie naśladować.

• **Baw się z nim we wskazywanie.** Podaj nazwę konkretnego przedmiotu w pokoju, a następnie poproś dziecko, by go wskazało. Rozejrzy się ono wówczas, dostrzeże nazwany przez ciebie przedmiot i skieruje na niego swój paluszek wskazujący.

• **Użyj do zabawy przedmiotów codziennego użytku.** Znaczne korzyści w ćwiczeniu koordynacji ręka-oko u twojego dziecka przynieść mogą zabawy przedmiotami codziennego użytku. Kiedy to tylko możliwe, organizuj maluchowi zabawy z jego rówieśnikami – uczy się on od nich i jest motywowany przez ich działania.

• **Pozwól mu wybrać coś z odzieży.** Będzie z większym entuzjazmem próbował samodzielnie się ubierać i rozbierać, jeżeli sam wybrał pewne części garderoby.

• **Zachęcaj dziecko do posprzątania.** Na przykład, jak tylko skończy posiłek, może swój talerz i sztućce zanieść do zlewu.

Zabawki odpowiednie dla twego rosnącego dziecka

Wiek	Zabawka	Rozwijane umiejętności
12–14 miesięcy	Sortownik kształtów	• **Pobudzenia u dziecka zdolności do rozróżniania kształtów i kolorów** i zwiększenia sprawności rączek.
	Piłka	• **Kulanie piłki tam i z powrotem rozwinie koordynację dziecka nad własnymi ruchami.**
	Telefon – zabawka	• **Umożliwia naśladowanie prawdziwych, codziennych czynności.** Telefon z tarczą numeryczną podniesie sprawność rączek.
15–18 miesięcy	Układanka ramkowa	• **Dla rozwoju sprawności dziecka w manipulowaniu mniejszymi, nieregularnymi kształtami.**
	Kolorowe kredki i papier	• **Rysowanie jest jedną z tych czynności, które nigdy dziecka nie męczą,** ponieważ za każdym razem może tworzyć coś nowego.
	Klocki, które można łączyć	• **Nauka łączenia ze sobą dwóch pasujących do siebie klocków** pokazuje dziecku, jak realizować zadania z większą dokładnością.
19–21 miesięcy	Lalka w ubranku z zamkami błyskawicznymi i guzikami	• **Dzieci lubią naśladować dorosłych.** Ubieranie i rozbieranie lalki jest dobrym ćwiczeniem samodzielnego ubierania się w przyszłości.
	Materiały do modelowania	• **Dziecko będzie używało rączek do wytwarzania różnych kształtów i form,** zachęcone tym, że może zacząć od nowa, jeśli nie podoba mu się efekt jego pracy.
	Klocki różnych kształtów i rozmiarów	• **Budowanie wież z pięciu lub więcej klocków** zwiększy panowanie dziecka nad ruchami rączek.
22–24 miesiące	Zabawkowe instrumenty muzyczne	• **Zwiększone panowanie dziecka nad ruchami własnych rączek ułatwia mu w bardziej przemyślany sposób używać zabawek-instrumentów** i ćwiczyć poczucie rytmu.
	Układanki (puzzle)	• **Proste układanki z różnymi wypustkami** stanowią dla dziecka pewne wyzwanie i poprawią jego koncentrację.
	Kolorowanki	• **Choć dziecko nie będzie jeszcze w stanie kolorować dokładnie w obrębie linii,** jest to dobre, wczesne ćwiczenie przyszłych umiejętności pisania.

Koordynacja ręka-oko
Częste problemy

P.: Niezależnie od tego, jak często pokazuję memu jednorocznemu synkowi sposób wkładania klocków poszczególnych kształtów do odpowiednich otworów zabawki sortującej, on ciągle nie może sobie z nimi wszystkimi poradzić. Czy powinien już umieć to robić?

O.: Pojemniki sortujące odpowiednie kształty są zabawkami, z którymi małym, dziecięcym paluszkom niewiarygodnie trudno sobie poradzić. Twój synek radzi sobie prawdopodobnie z kształtami koła i kwadratu, ale z bardziej złożonymi już nie. Daj mu czas na znalezienie rozwiązań. Za kilka miesięcy będzie to robił znacznie sprawniej, w miarę coraz lepszego panowania nad ruchami swych rączek.

Powyżej: Dziecko szybko zrozumie, w jaki sposób działa zabawka, jeżeli pokażesz mu właściwy sposób zabawy.

P.: Moje dziecko wydaje się nie rozumieć związków przyczynowo-skutkowych, na zasadzie których działają niektóre zabawki. Co powinnam zrobić, by go pobudzić?

O.: Być może koordynacja ręka-oko u twego dziecka jest po prostu jeszcze niewystarczająca, by posługiwać się zabawkami, które mu dajesz. Jeżeli nie rozumie ono, jak ma się nimi bawić, to pokaż mu właściwy sposób.

P.: Moje dziecko nie pozwala pomagać sobie podczas rozbierania. Co powinnam zrobić?

O.: Jeżeli maluch nie pozwala ci pomagać sobie, możesz mówić do niego i przekazywać mu pomocne wskazówki, np.: „Zdejmij najpierw tę skarpetkę, a nie obydwie na raz". Jak tylko zacznie słuchać twoich uwag, będzie bardziej skłonny pozwolić ci na udzielanie sobie również praktycznej pomocy.

P.: Dlaczego moje dziecko często przewraca się, schylając się po coś leżącego na podłodze?

O.: Podnoszenie czegoś z podłogi wymaga jednocześnie odpowiedniej koordynacji ręka-oko, jak i zmysłu równowagi, a to może być dla niego jeszcze zbyt trudne. Skupienie przez dziecko całej swojej uwagi na koordynacji pracy kciuka i palca wskazującego zmniejsza jego koncentrację na utrzymaniu równowagi – w efekcie maluch się przewraca.

P.: Moje dziecko wykazuje skłonność do leworęczności. Co mogę zrobić, aby zamiast lewej, posługiwało się prawą rączką?

O.: Jeżeli wydaje się, że dziecko ma naturalną skłonność do leworęczności, niech cię nie kusi, by zmuszać dziecko do używania głównie prawej rączki. Przymus taki może spowodować trudności w innych dziedzinach jego rozwoju. Są pewne dowody na to, że preferencja ręki jest sterowana przez tę część mózgu, która także kieruje mową. Zmuszanie leworęcznego dziecka, by posługiwało się częściej rączką prawą, może spowodować pojawienie się trudności w komunikowaniu się werbalnym. Ponadto, zmuszanie dziecka, by postępowało wbrew swojej naturalnej preferencji, może skończyć się sporem i frustracją.

P.: Moje dziecko ma dziewiętnaście miesięcy i ciągle jeszcze wkłada zabawki do buzi. Czy jest to normalne?

O.: Większość dzieci w tym wieku bawi się zabawkami w sposób bardziej celowy, niż tylko po prostu wkładając wszystko wprost do buzi. Jeżeli twój maluch nadal ma w zwyczaju smakować wszystko, zrób, co tylko możesz, aby unikać sporów o to. Dzieci w tym wieku mogą być bardzo zdecydowane robić wszystko na swój własny sposób. Niechcący możesz skierować uwagę dziecka na to przyzwyczajenie, a tym samym spowodować, że będzie się ono utrzymywało jeszcze dłużej. Gdy widzisz, że dziecko zamierza włożyć zabawkę do buzi, staraj się zająć je czymś innym. Kiedy zdołasz już odwrócić jego uwagę, delikatnie wyjmij z jego rączek ten przedmiot. Tak czy inaczej dziecko wkrótce wyrośnie z tego przyzwyczajenia.

P.: Moje dziecko, jeżeli nie potrafi natychmiast ułożyć puzzli, często zniecierpliwione rzuca nimi. W jaki sposób mogę mu pomóc?

O.: Dziecko w tym wieku lubi wszystko robić prawidłowo i to za pierwszym razem. A jeżeli mu się to nie udaje, może okazywać wówczas złość

Co dziesiąty chłopiec i co dwunasta dziewczynka są leworęczni. U ponad 90% dzieci osiągających wiek szkolny można określić czy są zdecydowanie lewo-, czy praworęczne.

Powyżej: Dopasowanie złożonych kształtów do otworów w zabawce sortującej wymaga znacznej koncentracji i cierpliwości.

i płakać. Często można to zauważyć przy czynnościach wymagających dobrej koordynacji ręka-oko, bo dla wykonania rękoma odpowiednio precyzyjnych ruchów niezbędna jest koncentracja i cierpliwość. Zachęć swoje dziecko do wielokrotnego ćwiczenia w wykonywaniu zadań, które mają na celu poprawę koordynacji ręka-oko, a które samo dziecko uważa za szczególnie trudne. Wytłumacz mu, że każdy z nas uczy się wszystkiego stopniowo. Inną, ale równie częstą formą reakcji dziecka jest jego zdenerwowanie, a jednocześnie determinacja. W takim przypadku często pomaga, kiedy zaproponujesz mu, by chwilowo zaniechało wykonywania czynności, która je denerwuje, i powróciło do niej później, jak się uspokoi. Kiedy widzisz, jak uporczywie z czymś „walczy", odwróć jego uwagę.

Ruch
Co jest typowe?

Kiedy dziecko ma już dwa lata, jego zasób umiejętności ruchowych jest większy. Zaszło w nim też kilka znaczących zmian: osiągnęło prawdopodobnie połowę wzrostu, jaki będzie miało jako osoba dorosła, jego nogi wydłużyły się, a mięśnie są już mocniejsze i jędrniejsze. Wszystko to umożliwia mu poruszanie się w sposób zręczniejszy i szybszy.

W tym samym czasie mózg dziecka, który po urodzeniu miał tylko około 25% całkowitej wagi mózgu dorosłego człowieka, urósł już do około 75% wagi mózgu człowieka dojrzałego. Zwiększeniu rozmiarów mózgu towarzyszy dojrzewanie szczególnie jego tylnej części, nazywanej móżdżkiem, co zapewnia dziecku sprawniejszą kontrolę równowagi i postawy ciała. Co więcej, poprawia się również jego widzenie – dziecko potrafi bardziej precyzyjnie skupiać wzrok.

Co dziecko potrafi zrobić?

12–14 miesięcy

- Pomimo częstych jeszcze upadków, jest zdecydowane chodzić samodzielnie, a idąc, potrafi zatrzymać się i zmienić kierunek. Wspina się na schody – robi to albo na czworakach, albo przenosząc pupę ze stopnia na stopień.

15–18 miesięcy

- Chodzi śmiało po domu, a także na dworze. Potrafi podnosić z podłogi zabawki lub inne przedmioty bez przewracania się. Zaczyna też wspinać się na sprzęty stojące na placu zabaw, ale wymaga przy tym stałego nadzoru. Może także uwielbiać chlapanie się i pluskanie w basenie.

19–21 miesięcy

- Będąc w ruchu, potrafi podejmować także inne czynności, np. chodząc umie jednocześnie ciągnąć za sobą zabawkę. Wchodzi na krzesło i schodzi z niego. Jego usprawniona koordynacja i poczucie równowagi sprawiają, że zmniejsza się liczba jego potknięć i niespodziewanych upadków przy chodzeniu i bieganiu.

22–24 miesiące

- Pod koniec drugiego roku życia dziecko potrafi stanąć na jednej nodze, a drugą kopnąć piłkę. Szybko porusza się po linii prostej. Siedząc, potrafi rzucać i łapać piłkę. Zwykle lubi też tańczyć w rytm muzyki.

Ruch
Częste pytania

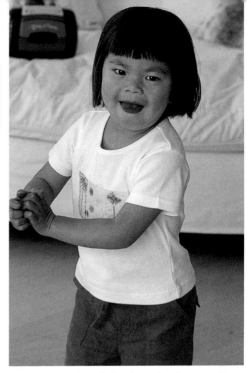

P.: Czy jest to normalne, że dziecko uczące się chodzić najpierw stawia kilka kroków, następnie raczkuje, po czym znów stawia kilka kroków, by ponownie przejść do raczkowania?

O.: Tak. Dziecko rzadko rezygnuje z poprzedniego sposobu przemieszczania się, kiedy zaczyna uczyć się chodzić. Wie już ono dobrze, że raczkowanie jest bardzo skutecznym, szybkim i niepowodującym zmęczenia sposobem przemieszczania się. Kiedy rozpoczyna się chodzenie, okazuje się ono dla niego bardziej wyczerpujące i chyba wolniejsze. Z tej przyczyny, mając do przebycia dłuższą odległość, dziecko ciągle jeszcze wybiera raczkowanie.

P.: Czy skarpetki i buciki dają dziecku większą pewność przy chodzeniu?

O.: Poza domem dziecko musi nosić skarpetki i buty dla ochrony stóp. Jednak w domu pozwól mu dreptać na bosaka. To pozwala mięśniom nóżek wspierać mocniej stopy na podłodze i umożliwia dziecku skuteczniej używać dużych palców stóp dla utrzymania równowagi.

P.: Moje dziecko ma spory brzuszek. Czy może to spowolnić rozwój jego sprawności ruchowej?

O.: W tym wieku wątroba dziecka jest bardzo duża w porównaniu do ogólnych rozmiarów ciała, a jego pęcherz moczowy ciągle jeszcze znajduje się dość wysoko w jamie brzusznej.

Dotychczasowe, gwałtowne tempo wczesnego wzrostu zwalnia się u dzieci w wieku około dwóch lat.
Chłopcy są już teraz na ogół wyżsi niż dziewczynki.

Powyżej: Taniec jest dla dziecka znakomitym sposobem nauki utrzymywania równowagi, a także ćwiczenia koordynacji ruchów, a przy tym źródłem zabawy.

Te charakterystyczne cechy fizyczne mogą powodować wrażenie, że dziecko ma nadwagę, nawet jeśli tak nie jest. Cechy te nie mają jakiegokolwiek ujemnego wpływu na sprawność ruchową dziecka.

P.: Moje dziecko ma 21 miesięcy. Czy w tym wieku powinno już umieć cofać się?

O.: Większość dzieci w tym wieku może już sobie z tym radzić, choć nauka cofania się może zająć trochę czasu. Jeżeli twoje dziecko stoi przodem do ciebie, prawdopodobnie potrafi już wykonać kilka kroczków do tyłu, ale jeżeli w czasie ich wykonywania odwraca się i zerka przez ramię wstecz, wówczas może się przewrócić.

P.: Czy taniec podniesie sprawność ruchową mojego dziecka?

O.: Chcąc sprawić, by dziecko wyginało i skręcało całe ciało, nie ma nic lepszego niż pozwolić mu pląsać w rytm muzyki. Taniec taki nie będzie składał się z ruchów planowych, wykonywanych według jakiegoś ustalonego wzorca, ale będzie wymagał wielkiej aktywności, znacznej koordynacji ruchowej oraz utrzymania równowagi.

Ruch
Stymulacja

W większości przypadków dzieci sta-
wiają swoje pierwsze kroki, zanim osią-
gną 15 miesięcy – następuje to przeciętnie w 13. miesiącu życia dziecka.
W miarę jak rośnie ich pewność siebie,
kroki stają się coraz śmielsze. Naturalna
ciekawość dziecka, w połączeniu
z jego nowo nabytymi umiejętnościami
koordynacyjnymi, otwiera przed nim
całkiem nowe możliwości zbierania
doświadczeń podczas zabawy.

Powyżej: Kiedy tylko dziecko nauczy się chodzić, stanie
się bardziej pewne siebie i będzie coraz śmielsze.

Najbardziej znaczącą zmianą w rozwoju umiejętności dziecka na tym etapie życia jest jego
zdolność do skupienia uwagi na więcej niż
jednej czynności jednocześnie. Kiedy dziecko
kończy dwa lata, jego sprawniejsze ruchy ciała
i lepsze poczucie równowagi w połączeniu z rosnącą siłą mięśni tułowia, bioder i nóg, dają mu
pewność siebie i zdolność do podejmowania
takich czynności, które mogło ono dotychczas
jedynie biernie obserwować, jak np. bieganie,
skakanie, kopanie, rzucanie i chwytanie.

Jak mogę stymulować zdolności ruchowe mojego dziecka?

• Dodawaj mu otuchy, kiedy się przewróci.
Sporadyczny upadek może wytrącić je z równowagi. To, co może mu ją przywrócić, to twoje
przytulenie i słowa otuchy.

• Pozwól maluchowi samodzielnie wchodzić
na krzesło i schodzić z niego. Wykonywane
przy tym ruchy zginania, klękania i odwracania się

zapewniają mu doskonałe ćwiczenie równowagi
i sprawności ruchowej.

• Poproś dziecko, by pozbierało zabawki
z podłogi. Kiedy dziecko drepcze wokół, chętnie
będzie podnosiło zabawki z podłogi.

• Baw się w gry umożliwiające mu kopanie
i chwytanie. Początkowo dziecko będzie się
chwiało, ale z biegiem czasu jego umiejętność
utrzymania równowagi będzie lepsza.

• Trzymaj dziecko za rączkę, kiedy próbuje iść
szybko – dzięki temu obydwoje nabieracie pewności, że nie ma ryzyka upadku.

• W miarę konieczności zademonstruj mu poszczególne czynności. Dziecko uczy się poprzez
doświadczenie, więc będzie cię bacznie obserwować, a następnie naśladować.

• Zacznij dawać mu proste zadania ruchowe
składające się z więcej niż jednej czynności.

Niezdarność

P.: Wiem, że moje dziecko ma na placu zabaw trudności z wykonywaniem czynności, z którymi jego rówieśnicy wydają się nie mieć jakichkolwiek problemów. Czy jest ono niezdarne?

O.: Dzieci osiągają odpowiedni poziom umiejętności koordynacyjnych w bardzo różnym tempie, więc istnienie indywidualnych różnic w ich rozwoju ruchowym jest zjawiskiem całkowicie normalnym. Przyjrzyj się innym dzieciom, a dostrzeżesz, że niektóre z nich są wyraźnie zwinniejsze od innych. Nie należy więc martwić się, jeżeli akurat twoje dziecko jest zawsze tym, które wydaje się potykać najczęściej lub ostatnie wdrapuje się na pierwszy szczebel drabinki.

Statystyki podają jednakże, że od pięciu do siedmiu procent małych dzieci wykazuje niezdarność – innymi słowy ma trudności z wykonywaniem czynności ruchowych tułowia, rączek i nóżek. Wszystko, cokolwiek wymaga odpowiedniej równowagi i koordynacji ruchowej, okazuje się dla nich przytłaczającym wyzwaniem.

Linia podziału pomiędzy dzieckiem, które wolniej zdobywa nowe umiejętności koordynacyjne, a dzieckiem istotnie niezdarnym, nie jest wyraźna. Brak jasnej definicji tych stanów nie ma jednak większego znaczenia, ponieważ każde dziecko potrzebuje inspiracji i zachęty, by czynić postępy. Należy pamiętać, że korzenie dziecięcej niezdarności tkwią

w sposobie, w jaki dane dziecko postrzega otaczający je świat, i w stopniu jego możliwości koordynowania wielu procesów. Niezaradność nie jest spowodowana jakimikolwiek schorzeniami nóg czy rączek.

Największą przeszkodą, pojawiającą się przed niezdarnym dzieckiem jest możliwość utraty pewności siebie i zbyt łatwa rezygnacja z podjęcia aktywności fizycznej. Dziecko ze słabą koordynacją ruchową często spodziewa się niepowodzenia, a więc nie stara się zbytnio. Potrzebuje ono twojej pomocy dla przezwyciężenia doświadczanych trudności i zachowania pewności siebie oraz radości z dalszego uprawiania zdrowych zajęć fizycznych.

Powyżej: Zabawki, które pomagają dziecku w chodzeniu, umożliwiają podnoszenie jego zręczności i koordynacji ruchowej.

Proporcjonalnie liczba niezdarnych chłopców do niezdarnych dziewczynek ma się mniej więcej jak 2:1.

Ruch
Częste problemy

P.: Moje dziecko ma teraz 15 miesięcy i wciąż jeszcze nie chodzi. Czy powinnam się tym niepokoić?

O.: Nie martw się. Są takie dzieci, które zaczynają chodzić o kilka miesięcy później, a ich dalszy rozwój odbywa się całkowicie normalnie. To tylko w ich zapisie genetycznym zaprogramowane jest rozpoczęcie chodzenia później. Ważna jest przy tym obecność innych, pozytywnych oznak rozwoju sprawności ruchowej, takich jak łatwe raczkowanie, wierzganie nóżkami w czasie leżenia w łóżeczku, stawanie i sięganie po zabawki. Jeżeli dziecko wykazuje wszystkie te pozytywne oznaki, możesz być pewna, że już wkrótce zacznie chodzić.

P.: Podczas gdy moje pierwsze dziecko zwykle wdrapywało się na schody na czworakach, drugie przesuwa się w górę i w dół schodów na pupie. Czy robi to nieprawidłowo?

O.: Dzieci uczące się chodzić, mają zdumiewającą zdolność improwizacji. Nie ma jakiegoś „prawidłowego" sposobu wdrapywania się na schody. Twoje dziecko zastosuje tu taką technikę, która będzie najbardziej odpowiadać jemu i jego poziomowi rozwoju fizycznego. Najlepszą pomocą z twej strony jest zachęcanie go do prób.

P.: Moje dziecko stawiało swoje pierwsze kroki w wieku 13 miesięcy. Kilka miesięcy później robiło w tej dziedzinie jedynie niewielkie postępy. Martwię się, że może w przyszłości będzie podobnie. Czy jest to normalne?

O.: Tak. Możesz spodziewać się sporadycznych przestojów w jego rozwoju. Będą takie krótkotrwałe okresy, w których dziecko nie będzie zdobywało nowych umiejętności ruchowych. Zdarza się to u większości dzieci. To się zmieni, kiedy maluch będzie już gotowy do dalszego rozwijania umiejętności.

P.: Moje 13-miesięczne dziecko wygląda dziwnie w czasie chodzenia. Zazwyczaj szeroko rozkłada rączki na boki, a ruchy jego ciała są bardzo nerwowe. Czy coś w tym złego?

O.: Nie dzieje się nic niepokojącego. Dziecko po prostu bada swoją drogę bardzo ostrożnie

Powyżej: W miarę, jak dziecko nabiera pewności siebie, zacznie podciągać się w górę wykorzystując do podparcia meble.

Powyżej: Kiedy jesteście poza domem, twoje od niedawna chodzące dziecko powinno nosić skarpetki i butki chroniące stopy.

i pozwala swemu zmysłowi równowagi przystosować się do nowych doznań. Po około miesiącu zauważysz, że jego rączki są już bliżej ciała, a stawiane do przodu kroki są pewniejsze, bardziej płynne i, ogólnie mówiąc, spokojniejsze.

P.: Moje dziecko dotychczas robiło szybkie postępy w chodzeniu, jednak w ostatnim tygodniu miało ono przykry upadek, który spowodował jego niechęć do podejmowania jakichkolwiek wyzwań. Co mogę uczynić, by mu pomóc?

O.: Najważniejszą pomocą, jakiej możesz na tym etapie udzielić swemu dziecku, jest zwiększanie jego pewności siebie i równowagi w chodzeniu. Pomimo całej determinacji, by stać na własnych nogach, dziecko może obawiać się pionowej, pozbawionej podparcia, postawy. Wówczas

wystarczy niegroźny upadek lub uderzenie, aby spowodować u niego pewne zahamowanie. Dlatego, kiedy dziecko zaczyna chodzić, potrzebuje z twojej strony mnóstwa pochwał i dopingu. Bądź przy nim, kiedy tylko możesz, uśmiechaj się do niego, mówiąc mu jakie jest wspaniałe, i przytulaj je mocno, kiedy tylko da sobie samodzielnie radę.

P.: Moja dwuletnia córeczka wydaje się daleko w tyle za swoimi rówieśnikami, jeżeli chodzi o łapanie i rzucanie piłki. Czy powinnam się tym niepokoić?

O.: Między dwulatkami istnieją znaczne różnice poziomów sprawności fizycznej. Jest to w dużym stopniu zależne od różnego tempa dojrzewania fizycznego, w tym dojrzewania układu nerwowego. Aby twoja dwuletnia córeczka osiągnęła pełną sprawność ruchową, muszą się u niej odpowiednio rozwinąć ważne struktury anatomiczne, mięśniowe i nerwowe. Jeżeli ten rozwój nie osiągnął jeszcze odpowiedniego poziomu, twoja córeczka nie będzie w stanie opanować w pełni takich umiejętności, jak bieganie, rzucanie czy wspinanie się. Bądź więc ostrożna w ponaglaniu dziecka wtedy, kiedy zmaga się ono z wykonaniem jakiejś czynności fizycznej.

P.: Moje dziecko powtarza ten sam zestaw czynności: wspina się na krzesło, a następnie schodzi z niego jedynie po to, by za minutę wejść na nie ponownie. Dlaczego to robi?

O.: Jest to jego instynktowny sposób na doskonalenie nowej umiejętności. Ani je szczególnie bawi, ani też nie jest sygnałem, że żadna inna czynność nie przychodziła mu do głowy. Ono, po prostu, wie instynktownie, że powtarzanie czynności jest najlepszym sposobem na poprawianie swej sprawności ruchowej, równowagi i koordynacji. Będzie robić to tak długo, aż poczuje, że już tę czynność dobrze opanowało.

Rozwój emocjonalny
Co jest typowe?

W drugim roku życia dziecka rozwój emocjonalny i rozwój kontaktowości dziecka wkracza w nową fazę. Następuje to, w miarę jak zaczyna rozwijać się u niego poczucie własnej tożsamości. Pragnie ono dokonywać wyborów, robić wszystko samodzielnie i może też być niezwykle stanowcze. Począwszy od około 15 miesiąca życia, dziecko staje się już bardzo zaabsorbowane sobą.

Choć taki typ zachowania byłby w przypadku dorosłych określany mianem egoizmu, określenia tego nie można zastosować wobec dziecka w tym wieku. Jego zachowanie jest bowiem, w pełnym tego słowa znaczeniu, „egocentryczne" bardziej niż „samolubne". Dosłownie – dziecko nie jest w stanie zrozumieć punktu widzenia innej osoby. Przeprowadzono wiele badań psychologicznych, które potwierdzają, że dzieci w tym wieku intensywnie zastanawiają się jednak nad tym, jak myślą i co czują inni ludzie.

Jak zachowuje się dziecko w tym wieku?

12–14 miesięcy

- Od momentu skończenia przez dziecko pierwszego roku życia, można zauważyć jego wrodzone pragnienie niezależności. Przebywając ze swoim rówieśnikiem, bawi się raczej obok niego aniżeli z nim. Kiedy jest zadowolone, będzie cię mocno przytulać do siebie. Może też przechodzić czasowy etap szczególnego przywiązania do jednego z rodziców.

15–18 miesięcy

- Może mieć napady złości, kiedy nie udaje mu się postawić na swoim, a także w momencie, kiedy chce samo zrobić więcej dla siebie – szczególnie przy karmieniu i ubieraniu. Zaczyna uczyć się podstawowych zachowań w towarzystwie, takich jak podawanie zabawki innemu dziecku. Może stać się zazdrosne, kiedy poświęcasz swą uwagę innym.

19–21 miesięcy

- Bardzo sobie ceni twoje towarzystwo i stara się zwrócić twoją uwagę, zagadując albo zabawiając. Uparcie sprzeciwia się decyzjom, z którymi się nie zgadza. Zacznie już nawiązywać kontakty z innymi dziećmi, ale będzie potrzebowało na tym polu mnóstwa podstawowych wskazówek od ciebie.

22–24 miesiące

- Lubi towarzystwo innych dzieci, ale ma jeszcze trudności w dzieleniu się z nimi swymi zabawkami. Nie bawi się wspólnie z innymi. Może płakać, kiedy jest chwilowo oddzielane od ciebie, choć szybko przestanie, kiedy tylko znikniesz z jego pola widzenia.

Rozwój emocjonalny
Częste pytania

P.: Czy warto ganić dziecko, kiedy źle się zachowuje?

O.: Stałe krytykowanie niewłaściwego zachowania dziecka zmniejsza jego wiarę w siebie i tworzy złą atmosferę wśród wszystkich domowników. Kiedy chcesz, by dziecko zmieniło swoje zachowanie, połącz swoją krytykę z jakąś bardziej pozytywną uwagą. Na przykład, zamiast mówić: „Jesteś niegrzeczny, bo zrobiłeś tu taki bałagan.", możesz powiedzieć: „Jestem zdziwiona, że zrobiłeś tu taki bałagan, bo zwykle jesz tak ładnie".

P.: Kiedy dołączam z moim siedemnastomiesięcznym dzieckiem do grupy rodziców z dziećmi w podobnym wieku, moje nie odzywa się ani słowem, za to uczepia się mnie jak rzep. Czy powinnam je odsunąć od siebie, by było zmuszone radzić sobie bardziej samodzielnie?

O.: Mową ciała dziecko przekazuje informację: „Boję się pozostałych dzieci. Chcę być przy tobie, ponieważ wtedy czuję się bezpiecznie". W takiej sytuacji odsuwanie dziecka prawdopodobnie okaże się nieskuteczne – może za to spowodować, że poczuje się ono jeszcze bardziej nieszczęśliwe. Daj mu czas na przystosowanie się do nowej sytuacji towarzyskiej. Może minąć kilka takich wizyt, zanim poczuje się na tyle pewnie, by oddalić się od ciebie. W końcu jednak jego naturalny instynkt towarzyski weźmie górę i dziecko stopniowo, kilkoma pełnymi wahania kroczkami, zacznie odsuwać się od ciebie.

P.: Każdorazowo kiedy odwiedzam przyjaciół, którzy mają dzieci, mój malec trwa przy mnie uparcie przez większość spędzanego tam czasu. Czy jest to normalne?

O.: Dziecko w tym wieku czuje się bardziej bezpieczne ze swymi rodzicami, a także jest bardziej świadome tego, że dane osoby są obce. Paradoksalnym efektem tych dwóch odczuć dziecka może być twoje odkrycie, że lubi ono bawić się z tobą, a bardzo obawia się osób nieznanych, choć jeszcze niedawno wykazywało znacznie więcej towarzyskiej śmiałości. Nie złość się na nie, kiedy tak kurczowo trzyma się ciebie. To wyraźne nasilenie emocjonalnego uzależnienia od ciebie minie w ciągu kilku miesięcy. Dziecko potrzebuje teraz twojej cierpliwości i wsparcia.

P.: W jaki sposób mogę umacniać w dziecku poczucie własnego „ja"?

O.: Dokładaj starań, aby podczas rozmowy z maluchem używać jego imienia. Wie ono, że to słowo odnosi się do niego samego i że kiedy spoglądasz na nie, wymawiając jego imię, zwracasz się tylko do niego. Możesz także zacząć zapoznawać dziecko z nazwami części jego ciała – pokazując i nazywając: rączki, nóżki, oczka, uszka itd. Dziecko jest jeszcze za małe, by wypowiedzieć te nazwy, ale może zacząć je rozumieć.

P.: Jakie są najlepsze sposoby zapewnienia mojemu dziecku kontaktów towarzyskich?

O.: Dobrym pomysłem jest pójście z nim na spotkanie miejscowej grupy rodziców i dzieci. Twoja obecność przy dziecku da mu wystarczające poczucie pewności, by uczestniczyło w takich spotkaniach bez płaczu. Regularne chodzenie na nie przyzwyczai malucha do przebywania w większych grupach ludzi. Następstwem tego będzie umocnienie jego pewności siebie w towarzystwie innych. Jeżeli nie ma takiej grupy, zapraszaj do swego domu rodziców z dziećmi w podobnym wieku, żeby wszystkie one mogły bawić się wspólnie.

Rozwój emocjonalny
Stymulacja

Na przełomie pierwszego i drugiego roku życia dziecko chce być bardziej samodzielne i nie lubi, kiedy wyznacza się jakieś granice zachowania. Często mogą pojawiać się napady złości, kiedy maluch nie może zrobić czegoś po swojemu. Jest ciekawy innych ludzi i będzie bez skrępowania przyglądał się każdemu, kto przyciągnie jego uwagę.

Narastające u dziecka poczucie własnego „ja" powoduje, że jest ono coraz bardziej zdecydowane kwestionować wyznaczone granice zachowania w domu. Jednak wystarczy jakieś małe rozczarowanie, by jego wiara w siebie osłabła, a w efekcie szybko przybiegnie do ciebie po dodający mu otuchy uścisk. Przed ukończeniem dwóch lat dziecko staje się powoli bardziej towarzyskie, choć kontakty z innymi maluchami mogą stale jeszcze kończyć się sprzeczkami o zabawki. Dziecko może być nieśmiałe wobec obcych i witać

obojętną ciszą tych krewnych, których przez pewien czas nie widziało.

Jak mogę stymulować rozwój emocjonalny mojego dziecka?
• **Zabieraj dziecko ze sobą poza dom,** kiedy tylko jest to możliwe. Ludzie fascynują malucha.
• **Opanuj u niego zazdrość, kiedy się takie uczucie pojawia.**
• **Spraw, by dziecko czasami uczestniczyło w posiłkach rodzinnych** – będzie lubiło ich towarzyski charakter.
• **Stwarzaj mu możliwości nawiązywania kontaktów z rówieśnikami.** Obserwując inne dzieci, będzie się poznawało różnorodne zachowania.
• **Ciesz się towarzystwem swego malucha.** Słuchaj go, kiedy usiłuje przekazać ci garść najnowszych, pasjonujących nowinek. Baw się z nim w różne gry. Dziecko musi wiedzieć, że zawsze jest dla ciebie bardzo ważne.
• **Organizuj dziecku dzień.** Ustalony porządek dnia powoduje, że dziecko czuje się bezpiecznie.
• **Pociesz je, kiedy jest przygnębione.** Może ono łatwo zdenerwować się czymś, co tobie wydaje się błahe, ale dla niego jest ogromnym problemem.
• **Pozwól, by dziecko dostrzegało, jak bardzo cenisz sobie jego osiągnięcia.** Jego wiara w siebie w dużym stopniu zależy od twojej opinii o nim.
• **Zachęcaj je do myślenia o innych.** Dziecko stanie się bardziej wrażliwe na uczucia innych ludzi, jeżeli mu to wyraźnie zasugerujesz.
• **Powierzaj mu odpowiedzialność za wykonanie drobnego zadania.** Nawet w tym wieku niewielka ilość odpowiedzialności zwiększy stopień jego dojrzałości i poziom niezależności.
• **Ucz dziecko działania we właściwej kolejności.** Ćwicz z nim w domu – to bardzo ważna umiejętność towarzyska.

Po lewej: W miarę jak dziecko rośnie, staje się bardziej uczuciowe. Może się łatwo zmartwić lub zirytować najdrobniejszą nawet sprawą.

Wychowanie pozytywne **Radzenie sobie z egocentryzmem**

P.: Odkryłam, że jest mi coraz trudniej zapanować nad moim dzieckiem. Jest ono skore do gniewu i frustracji, kiedy tylko coś nie idzie po jego myśli. Nie chcę go całkowicie zniechęcać, ale są przecież takie sytuacje, w których nie może ono robić lub mieć wszystkiego, co tylko zechce. Co mogę zrobić w tej sytuacji?

O.: Twoje dziecko doszło do momentu, kiedy jest przekonane, że nie można oglądać czegokolwiek z innego punktu widzenia, jak tylko z jego własnego. Dziecko jest całkowicie wstrząśnięte tym, że jego dążenia zostały zablokowane – czy to za sprawą twoich zakazów, czy też z powodu odniesionej porażki przy próbie osiągnięcia celu. Ogarnia je wówczas nagły przypływ frustracji. Nie jest w stanie uwierzyć, że nie może dostać tego, czego sobie życzy, kiedy ono właśnie osobiście tego sobie życzy. Trudno niekiedy nie zareagować, gdy dziecko bezmyślnie, bez pytania, wyrywa zabawkę z rączki innego malucha, tylko dlatego że teraz właśnie chce ją mieć. W chwili, kiedy usiłujesz się wtrącić, kieruje na ciebie z całym impetem wybuch swego gniewu. Dziecko nie może pogodzić się z tym, że ustaliłaś dla niego jakieś zasady, których ma przestrzegać. Nie ma to dla niego znaczenia. Z jego perspektywy to właśnie jego odczucia mają pierwszeństwo.

Sposoby postępowania

• Pamiętaj, że twoje dziecko jest ciągle cudownym, kochającym szkrabem, które obdarza swą wielką miłością zarówno ciebie, jak i innych członków rodziny. Pomimo zwiększonej ilości napadów złości i innych frustracji, jest przecież wiele momentów, w których jest ono spokojne i świetnie się z nim bawisz, rozkoszując się wręcz jego towarzystwem. Ciesz się tymi częstymi chwilami i rób wszystko, co możesz, by nie dopuścić do odsunięcia ich w cień przez jakieś niemiłe epizody.

• Pamiętaj, że pomimo tych przypływów pewności siebie i chęci niezależności, twoje dziecko nadal pozostaje właściwie bezbronne emocjonalnie i społecznie. To samo dziecko, które jeszcze przed kilkoma minutami wykrzykiwało na ciebie gniewnie, ponieważ miałaś czelność poprosić je, by przestało bawić się zabawkami, bo trzeba przygotować się do kąpieli – teraz tuli się do ciebie, pochlipując, ponieważ nie może znaleźć swojej ulubionej przytulanki. Wiara w siebie na tym etapie jest chwiejna.

• Podchodź do częstych zmian nastroju dziecka z wyczuciem. Z jednej strony, jego napady złego humoru spowodują, że dojdziesz do absolutnych granic tolerancji i będziesz potrzebowała wiele determinacji, aby spokojnie reagować na jego żądania. Z drugiej strony, kiedy twoje dziecko jest zdenerwowane, bardzo potrzebuje twego uczucia i wsparcia.

• Ucz swego malucha rozpoznawania, jakie zachowanie jest do przyjęcia, a jakie nie. Okazuj mu przy tym wiele miłości dla umocnienia jego poczucia bezpieczeństwa. Proponuj swą pomoc i radę, kiedy staje przed zbyt wymagającymi wyzwaniami. Podpowiadaj mu, jakich może się nauczyć sposobów nawiązywania kontaktów z innymi dziećmi.

Rozwój emocjonalny
Częste problemy

P.: Moje dziecko nalega, by zostawić mu światło na noc. Czy powinnam zniechęcać go do tego?

O.: Nie ma nic złego w pozostawianiu dziecku światła na noc, chociaż możesz stopniowo zmniejszać zależność malucha od niego. Możesz zamontować regulator i co wieczór zmniejszać nim natężenie oświetlenia – każdorazowo w tak niewielkim stopniu, żeby dziecko nie było w stanie tego dostrzec. W końcu dojdziesz do chwili, kiedy dziecko uśnie bez włączonego światła.

P.: Nasze czternastomiesięczne dziecko upierało się ostatnio, by bawić się tylko ze mną, a nie z moim partnerem. Czy jest to normalne?

O.: Okresy przywiązywania się do jednego z rodziców zdarzają się od czasu do czasu, ale mają charakter przejściowy. Zorganizuj swemu partnerowi zabawę z dzieckiem, jego kąpanie, karmienie itp., nawet jeżeli wyraźnie woli ono twoje towarzystwo. Pomoże to utrzymać mocne więzi dziecka z obojgiem rodziców.

P.: Co mam począć, gdy dziecko nie chce odejść od mego boku w towarzystwie?

O.: Bądź cierpliwa pomimo zakłopotania jego zachowaniem. Dziecko nie jest najwidoczniej jeszcze gotowe do tego, by samo odważyło się pójść do sali zabaw. Pozwól mu więc pozostać tymczasem przy tobie. Najprawdopodobniej, jego naturalna ciekawość weźmie ostatecznie górę i wkrótce maluch wyjdzie do dzieci.

P.: Moje dziecko ma 22 miesiące. Kiedy jest zdenerwowane lub chce zasnąć, ciągle jeszcze korzysta ze smoczka. Czy powinnam już próbować odzwyczajać je od niego?

O.: Niektóre dzieci stają się bardzo przywiązane do przytulanki czy kocyka, albo też nadal ssą smoczek lub przyswajają sobie zwyczaj ssania własnego kciuka. Jest to normalny typ zachowania i nie ma się tutaj czym martwić. Psycholodzy sądzą, że tego typu czynności „pocieszające", mogą dać dziecku dodatkowe poczucie bezpieczeństwa właśnie wtedy, gdy tego szczególnie potrzebuje. Większość dzieci wyrasta z tego przyzwyczajenia w wieku trzech lub czterech lat.

P.: Odnoszę wrażenie, jakbym codziennie toczyła bitwy z moim dzieckiem. Jak to zmienić?

O.: Spróbuj przyjąć wobec dziecka bardziej pozytywne nastawienie. Zamiast nagan za jego złe zachowanie, zacznij stosować więcej pochwał za dobre sprawowanie. Staraj się spędzać czas z dzieckiem po prostu na dobrej zabawie. Zrób

Po lewej: Dzieci w wieku od 1 do 2 lat nie mają właściwych nawyków towarzyskich. Zamiast poprosić o zabawkę, zwykle ją sobie wyrywają.

Powyżej: Jeżeli dziecku doda się otuchy, w końcu przyłączy się do wielu proponowanych ciekawych, zabaw.

wszystko co możesz, by wszelkie nieporozumienia trwały krótko, tak żeby pojawiające się między wami napięcie nie utrzymywało się godzinami.

P.: Co mogę zrobić, by pohamować agresję mojego dziecka wobec innych? Kiedy zabieram malucha na spotkanie z rówieśnikami i ich rodzicami, wyrywa innym dzieciom zabawki, nie mówiąc przy tym ani jednego słowa.

O.: Twoje dziecko pragnie bawić się zabawką, ale nie potrafi grzecznie o nią poprosić. Możliwe, że nie ma ono wystarczających umiejętności językowych lub nie umie nawiązywać kontaktów towarzyskich. Pomóż mu stać się bardziej delikatnym, zniechęcając go do takich zwyczajów. Zabierz z jego rączek zabawkę i pokaż mu, że zwracasz ją pierwotnemu właścicielowi. Wytłumacz swemu dziecku przyczyny, dla których to zrobiłaś, i staraj się je uspokoić.

P.: W jaki sposób mogę ośmielić swego malucha, kiedy przebywa on z innymi dziećmi?

O.: Nie pozwól, by unikał komunikowania się z innymi. Zapewnij go, że inne dzieci będą go lubiły i będą chciały się z nim bawić. Zorganizuj mu zabawę z jednym tylko dzieckiem, zamiast z całą grupą.

P.: Moje dziecko często zmienia zdanie przy posiłkach. Najpierw pyta o mleko do picia, potem prosi o sok, po czym jednak wybiera mleko. Czy ono specjalnie stwarza problemy?

O.: Dziecko nie robi tego specjalnie. Dzieje się tak tylko dlatego, że zaczyna ono myśleć o korzyściach dla siebie. Jego dążenie do niezależności może być dla ciebie trudne, szczególnie, kiedy zaczyna dokonywać wyborów, które nie pasują do twoich planów. Jednakże rozwój osobistej, odrębnej tożsamości jest podstawową częścią ogólnego procesu rozwoju. Jest czymś, co należy wspierać i inspirować. Oczywiście dziecko nie może mieć tego wszystkiego, czego sobie tylko zażyczy. Możesz jednak pomóc mu w jego dążeniu do samodzielności, dając mu szansę dokonywania niewielkich wyborów.

P.: Są momenty, kiedy moja córeczka wybucha taką wściekłą złością, że całkowicie nie jestem w stanie nad nią zapanować. Czy zawodzę ją jako matka?

O.: Powinnaś pamiętać, że twoja córeczka może wyrażać swoje narastające pragnienie niezależności na wiele sposobów. Może być krańcowo energiczna w dążeniu do otrzymania tego, co chce. Niezależnie od tego, jak bardzo możesz czuć się czasem poruszona jej postępowaniem, staraj się zachować optymizm. Pociesz się, że to jej zachowanie, chociaż ogromnie irytujące, jest przecież normalne i nie świadczy o tym, że jesteś nieudolną matką lub postępujesz nieodpowiednio.

OPIEKA NAD DZIECKIEM

Właściwa opcja

Znalezienie na czas twojej nieobecności właściwego rodzaju opieki nad dzieckiem może być trudne, ponieważ jest wiele czynników, które należy wziąć pod uwagę.

Opiekuni dla dziecka – korzyści

- Zwiększa się niezależność dziecka. Nie mając ciebie obok siebie, maluch staje się mniej zależny od tego, że to ty wszystko dla niego zrobisz.
- Rozwija umiejętności społeczne dzięki regularnemu przebywaniu z rówieśnikami.
- Więcej się uczy, bo dzieci uczą się od siebie nawzajem. Wspólnie gry i zabawy sprawiają, że codziennie poznaje coś nowego.
- Zawiązują się przyjaźnie. Zdrowy rozsądek podpowiada, że im więcej dzieci spotyka ono codziennie, tym więcej nawiąże przyjaźni. Przyjaźnie te zwiększą jego poczucie własnej wartości.
- Zmienia się codzienny rozkład zajęć dziecka, co jest dla niego mile widzianą odmianą.
- Twoje wzajemne relacje z dzieckiem stają się intensywniejsze. Kiedy ty i twoje dziecko spędzacie jakiś czas z dala od siebie, o wiele bardziej efektywnie wykorzystujecie czas spędzany wspólnie.

Niektórzy rodzice są w tym szczęśliwym położeniu, że mają zaufanego krewnego, mieszkającego wystarczająco blisko, by mógł zaopiekować się ich małym dzieckiem w czasie, kiedy oni są w pracy. W przypadkach, kiedy nie jest to możliwe, najczęściej wybieraną formą opieki nad dzieckiem uczącym się chodzić są nianie. Jedne doglądają dziecka na miejscu, w jego rodzinnym domu, inne zajmują się nim w swym własnym domu, możliwe, że razem z innymi dziećmi, w tym własnymi. Są także różne typy żłobków i przechowalni dla dzieci, w których kilkoro opiekunów zajmuje się dziećmi w odrębnych pomieszczeniach – nie wszystkie z nich oferują opiekę w pełnym wymiarze godzin i dzieciom młodszym niż trzylatki.

Kryteria, które należy rozważyć

- **Kwalifikacje do opieki nad dzieckiem i jego edukacji.** Mają one wykazać poważne podejście ewentualnej opiekunki do swej pracy i jej wiedzę na temat rozwoju dziecka oraz zasad jego edukacji.

- **Zdobyte doświadczenie w dziedzinie opieki nad dzieckiem i jego edukacji.** Będziesz przypuszczalnie spokojniejsza, wiedząc, że twoje dziecko jest pod opieką kogoś, kto jest przyzwyczajony do zajmowania się dziećmi w podobnym wieku.

Lęk przed rozstaniem

Pierwszy dzień bez ciebie może być trudnym wyzwaniem. Ciężko jest wam obojgu, kiedy maluch przytula się do ciebie i nie chce puścić twojej ręki. Ten rodzaj reakcji jest zupełnie normalny i jako rodzic możesz zrobić wiele, by pomóc swemu dziecku w przystosowaniu się do nowego opiekuna oraz nowego środowiska.

Pięć kroków przygotowujących do rozstania

1. **Na tydzień przed powierzeniem opieki nad dzieckiem opiekunce powiedz dziecku o wszystkich podjętych na ten temat ustaleniach.** Bądź przygotowana do udzielenia odpowiedzi na wszystkie jego pytania. Prezentuj optymistyczną postawę wobec tych ustaleń.

2. **Na kilka dni przed rozpoczęciem tej opieki zorganizuj spotkanie ich obojga.** To pozwoli twemu dziecku przyzwyczaić się do całego przedsięwzięcia. Odbyte z wyprzedzeniem spotkanie ze swą przyszłą nianią uspokoi dziecko i pobudzi jego ciekawość.

3. **Zaraz po przybyciu do opiekunki, znajdź dziecku coś do zabawy.** Łatwiej się ono uspokoi w pierwszych chwilach pobytu w nowym miejscu, kiedy od razu rozpocznie jakieś konkretne zajęcie.

4. **Rozmawiaj z dzieckiem o swoim powrocie.** Ty wiesz, że tu wrócisz, ale twoje dziecko może nie zdawać sobie z tego sprawy. Określ więc konkretnie czas powrotu, mówiąc np.: „Bardzo szybko się zobaczymy, jeszcze przed obiadkiem".

5. **Odbierając dziecko, chwal je.** Powiedz mu, jaka jesteś z niego dumna, że dobrze bawiło się tu z innymi dziećmi. Maluch lubi, kiedy wykazujesz zainteresowanie nim, i promienieje pod wpływem twojej widocznej aprobaty.

Fakty dotyczące rozstawania się

- Strach dziecka przed pozostawaniem z dala od rodziców zmniejsza się zazwyczaj po paru tygodniach, a po miesiącu przeważnie zupełnie zanika.
- Nie ma związku pomiędzy łzami przy rozstawaniu się a późniejszymi problemami psychologicznymi – lęk jest normalną reakcją na chwilowe rozstania.
- Obawa przed rozstaniem często pojawia się także u dzieci pewnych siebie – nawet u tych, które przedtem przebywały już pod opieką niani lub w żłobku.
- Dzieci doświadczające lęku przed rozstaniem z rodzicami, kiedy już przystosują się do nowego otoczenia, są często bardziej bystre, zdecydowane i ciekawe wszystkiego.

- **Referencje od innych rodziców.** Spróbuj porozmawiać z co najmniej kilkoma osobami, które w przeszłości powierzyły opiekę nad własnymi dziećmi danej osobie. To da ci dokładniejsze rozeznanie, czy dana niania jest osobą odpowiednią.

- **Rejestracja.** Sprawdź, czy kandydatka na opiekunkę, której przyjęcie rozważasz, jest właściwie zarejestrowana.

Pytania, które powinnaś sobie zadać:

- Czy jestem spokojna o właściwą opiekę?
- Gdybym była dzieckiem, czy chciałabym spędzać czas w towarzystwie tej osoby?
- Czy poglądy opiekunki na temat rozwoju dziecka są zbieżne z moimi?
- Co opiekunka zaoferuje mojemu dziecku?
- Jakie ma ona kontakty z rodzicami?
- Jaki rodzaj kontaktów towarzyskich oni jej zapewniają?

Bezpieczeństwo w domu

Większość wypadków z udziałem dzieci dzieje się w domu. Zazwyczaj ulegają im małe dzieci, których umiejętności często wyprzedzają zdolności przewidywania dorosłych. Podczas gdy wiele aspektów domowego bezpieczeństwa zależy od ciebie – rozsądnego, czujnego rodzica – inne wiążą się już z koniecznością zaopatrzenia się w odpowiednie wyposażenie, które może być kosztowne i trudne do zainstalowania.

Bezpieczna kuchnia

Dla małych dzieci kuchnia jest najbardziej niebezpiecznym pomieszczeniem w domu i najlepiej jest trzymać dziecko, które uczy się chodzić, całkowicie poza jej obrębem. Jeśli jednak obecności malucha w kuchni nie da się uniknąć, nie pozwalaj mu siadać na podłodze pomiędzy tobą a miejscami, gdzie pracujesz. Nie pozwalaj rozkładać zabawek na podłodze, gdyż możesz się o nie potknąć. Jeżeli właśnie przygotowujesz posiłek i nie będziesz w stanie wystarczająco uważnie obserwować dziecka, lepiej będzie umieścić je w kojcu lub na wysokim dziecięcym krzesełku.

Wszelkie domowe źródła ognia i wysokich temperatur są znacznie częściej przyczyną śmierci dzieci niż jakiekolwiek inne zagrożenia.

Bezpieczeństwo w pokoju dziennym

Największe niebezpieczeństwo w pokoju dziennym stanowią urządzenia grzewcze. Nawet kaloryfery mogą poparzyć, więc zastosuj pokojowe termostaty do kontroli ich temperatury. Chroń dzieci przed kuchenkami, kominkami opalanymi drewnem, piecykami elektrycznymi, a nawet dekoracyjnymi piecykami gazowymi z ekranem kominkowym. Wyłączaj zasilanie wszelkich elektrycznych źródeł wysokich temperatur i wyjmuj wtyczki z gniazdek elektrycznych, kiedy dane urządzenia nie są używane.

Bezpieczeństwo w łazience

Zostawianie dziecka liczącego 1-2 lata w łazience bez opieki zawsze jest złym pomysłem. Możesz sądzić, że bawienie się wodą jest dla niego świetnym zajęciem, ale może ono zrobić sobie tam poważną krzywdę. W najlepszym razie dziecko ryzykuje poślizgnięciem się na mokrej podłodze lub oparzeniem się gorącą wodą, w najgorszym wypadku może się ono utopić i to nawet w bardzo płytkiej wodzie. Jeżeli akurat dziecko nie bawi się wodą, może znaleźć sobie kosmetyki, płyny po goleniu, perfumy lub środki czyszczące – a wiele z nich jest trujących.

Bezpieczeństwo w ogrodzie

Ogrody i place zabaw są dla dzieci fascynującymi miejscami przyjemnego spędzania czasu. Są one oczywiście również niebezpieczne. Nierealne, a nawet nierozsądne są założenia, że można przewidzieć każde niebezpieczeństwo. Niemożliwe jest także zabezpieczenie malucha przed każdym ewentualnym urazem. Należy jednak przedsięwziąć wszelkie rozsądne środki ostrożności i od samego początku uczyć dziecko podstawowych zasad zachowania bezpieczeństwa poza domem. Zasady te pozwolą dzieciom zyskiwać pewność siebie, a rodzicom rozwijać tę cechę w swoich dzieciach.

Lista kontrolna: pokój dzienny

- **Usuń wszelkie obrusy i na ich miejsce połóż serwetki.** Dziecko może ściągnąć na siebie obrus wraz ze wszystkim, co znajduje się na stole.
- **Trzymaj pod kluczem butelki z alkoholem.** Nigdy nie stawiaj gorących napojów czy kieliszków z alkoholem w zasięgu ręki, na stoliku do kawy, na niskiej półeczce czy też przy telewizorze.
- **Zamocuj ochronne ekrany wokół źródeł otwartego ognia,** a dla dodatkowego zabezpieczenia stosuj osłony przeciwiskrowe. Nigdy nie pozostawiaj małego dziecka samego w pokoju, w którym znajduje się otwarty ogień.
- **Nie zakładaj z góry, że dziecko jeszcze nie potrafi się wspinać,** bo jeśli dziecko jest wystarczająco ciekawskie, może potraktować wszystkie półki, stoły czy krzesła jako rodzaj wyzwania dla swojej własnej pomysłowości.
- **Trzymaj rośliny domowe poza zasięgiem małych dzieci.** Niektóre z nich są trujące lub mogą wywołać reakcję alergiczną.
- **Zamontuj ochronne osłony na ostre narożniki stołów, kredensów i szafek.**
- **Naklej folie zabezpieczające na szyby w drzwiach i na szklane płyty stolików.** Inne duże szklane powierzchnie zaopatrz w ostrzegawcze naklejki.
- **Przechowuj wszystkie zabawki, należące do twojego dziecka, w zasięgu ręki,** a nie na wysoko umieszczonych półkach. Dziecko może próbować się wspinać, by je dosięgnąć.
- **Ustawiaj krzesła oparciami do ściany,** by maluch nie mógł ich na siebie przewrócić.
- **Zabezpieczaj gniazdka elektryczne, kiedy nie są używane.** Najlepiej umieszczać w danym gniazdku tylko jedną wtyczkę.

Lista kontrolna: ogród

- **Usuń wszystkie śmieci oraz odpadki domowe i ogrodowe.**
- **Zabezpiecz furtki i ogrodzenia tak,** by dziecko nie mogło wyjść z ogrodu na ulicę.
- **Umieść narzędzia ogrodowe poza zasięgiem dziecka.** Zmagazynuj wszystkie chemikalia ogrodowe w zamkniętej szopie.
- **Upewnij się, że ogrodowe urządzenia i sprzęt do zabawy są bezpiecznie i prawidłowo zamocowane.**
- **Przytnij rośliny kłujące i usuń te, które są znane jako trujące.**
- **Sprawdź, czy nawierzchnie chodników są równe,** i usuń z nich mech, by dziecko się na nim nie poślizgnęło.
- **Przykryj wszelkie beczułki, pojemniki i sadzawki, w których zbiera się woda.**

Lista kontrolna: łazienka

- **Utrzymuj niską temperaturę ogrzewanego elektrycznie drążka wieszakowego na ręczniki.**
- **Umieść wewnętrzny zamek drzwi łazienkowych poza zasięgiem dziecka,** żeby nie było w stanie zamknąć się w środku.
- **Na kabinę prysznicową naklej folię zabezpieczającą.**
- **Ustaw termostat gorącej wody na temperaturę najwyżej 54°C,** by uniknąć oparzenia dziecka.
- **Jeżeli twoje dziecko jest bardzo ciekawskie,** zamontuj pokrywę sedesu zamykaną na zamek i nie stosuj podwieszanych kostek zapachowych do muszli klozetowych. Usuń szczotkę klozetową z zasięgu dziecka.

Lista kontrolna: kuchnia

- **Zawsze używaj tylnych palników kuchenki i ustawiaj rączkę patelni odwróconą do wewnątrz,** by dziecko nie mogło jej chwycić.
- **Trzymaj dziecko z daleka od drzwiczek piekarnika,** które mogą je oparzyć.
- **Jeżeli trzymasz czajnik elektryczny na blacie kuchennym,** używaj bezprzewodowego lub z kablem skręconym w krótką spiralkę.
- **Wylewaj wrzątek pozostały po gotowaniu.**
- **Żelazko wyłączaj zaraz po użyciu.** Niech stygnie poza zasięgiem dziecka. Przechowuj je na uboczu i nie zostawiaj kabla na ziemi.
- **Zamocuj w drzwiach i szufladach blokady,** aby dziecko nie dostało się do noży, zapałek i środków czyszczących.

Problemy zdrowotne
Pierwsza pomoc

Ten dział, poświęcony sprawom zdrowia, omawia jedynie przypadki pomniejszej wagi. Pierwszej pomocy nie można nauczyć się z książek, a żeby móc poradzić sobie z koniecznością wykonania resuscytacji, z ciężkim krwawieniem lub oparzeniami albo z urazami głowy, należy zapisać się na kurs pierwszej pomocy. Jeżeli nie masz takiego przeszkolenia, twoje dziecko powinno zostać zbadane przez lekarza lub przewiezione na oddział pomocy doraźnej (patrz także strony 120–121 i 244–255).

Powyżej: Jeżeli brzegi zranienia nie rozchylają się, oczyść je i pokryj prestoplastem lub nieprzylegającym opatrunkiem.

P.: Jak należy postąpić w przypadku zwykłych skaleczeń i otarć?

O.: Pomniejsze skaleczenia i otarcia z uszkodzeniem skóry, tkanek i krwawieniem zdarzają się u dzieci bardzo często i mogą być leczone w domu. Najpierw umyj starannie ręce, następnie posadź lub połóż dziecko, byś mogła zbadać zranienie. Przemyj je delikatnie, aż będzie czyste, i osusz. Uciśnij je ostrożnie czystą gazą lub wacikiem, aby zatrzymać wszelkie krwawienie. Następnie przykryj je nieprzywierającym opatrunkiem, większym niż rozmiary rany, i przytwierdź przylepcem. Jeżeli brzegi rany rozwierają się albo jeśli rana znajduje się na głowie, zabierz dziecko do szpitala.

P.: W jaki sposób dochodzi do powstawania pęcherzy? Co zrobić, kiedy powstaną?

O.: Pęcherze powstają wtedy, kiedy skóra jest oparzona lub wielokrotnie pocierana, ale nie zostaje przerwana. Płyn surowiczy z tkanek gromadzi się wówczas pod wierzchnią warstwą naskórka. Pod pęcherzem stopniowo odtwarza się nowy naskórek, a płyn jest wchłaniany z powrotem do tkanek. Część naskórka, uniesiona w formie pęcherza, ulega ostatecznie złuszczeniu. Nie nakłuwaj ani nie rozrywaj pęcherza, ale skórę wokół niego obmyj wodą i osusz. Jeżeli zachodzi prawdopodobieństwo, że pęcherz będzie pocierany lub może zostać rozdarty, ochroń go nieprzylegającym opatrunkiem, większym niż sam pęcherz.

P.: Jak postępować w przypadku oparzeń?

O.: Pierwszą rzeczą, którą należy wykonać, jest oddalenie od dziecka przyczyny oparzenia i natychmiastowe ochłodzenie oparzonej powierzchni strumieniem zimnej wody – i to przez co najmniej 10 minut. Zdejmij ubranie z oparzonej powierzchni, chyba, że przywarło ono mocno do skóry.* Poluźnij ciasne elementy odzieży, bo w oparzonej okolicy może pojawić się obrzęk. Przykryj oparzoną okolicę folią samoprzylegającą albo nałóż plastikowy worek na oparzoną rączkę, ramię, stopę lub nogę. Nie stosuj na oparzenie żadnych emulsji, kremów lub tłuszczów. Każde dziecko z oparzeniem o średnicy większej niż 25 mm powinno zostać zbadane przez lekarza lub zawiezione na oddział pomocy doraźnej.

* Jeżeli ubranko dziecka przemoczył wrzątek, wówczas, zamiast nerwowo je zdejmować (przedłużając tym samym działanie wysokiej temperatury), najpierw natychmiast oblej ubrane dziecko zimną wodą – to momentalnie obniży temperaturę skóry dziecka (przyp. tłum.).

Po lewej: By zapobiec oparzeniom słonecznym, ochraniaj dziecko kapelusikiem, lekką koszulką z krótkimi rękawami i kremem do opalania.

P.: Czy możecie poradzić mi, jak postępować z małym dzieckiem, które uległo oparzeniu słonecznemu?

O.: Oparzenie słoneczne możesz rozpoznać już wkrótce po nadmiernym wystawieniu dziecka na promienie słoneczne, ponieważ skóra staje się zaczerwieniona i bardzo bolesna. Mogą się także tworzyć pęcherze. Powinnaś natychmiast przykryć dziecko i usunąć je w cień. Daj mu coś chłodnego do picia. Delikatnie wychładzaj oparzoną skórę zimną wodą przez 10 minut i pokryj ją emulsją cynkową lub kremem po opalaniu. Załóż mu luźną, miękką odzież. Jeżeli na skórze pojawią się pęcherze, zasięgnij porady lekarza.

P.: Jak powinnam postępować w przypadku znużenia cieplnego lub udaru cieplnego u dziecka?

O.: Dziecko, które zbyt długo przebywało w pełnym słońcu, lub takie, które przebyło nadmierny wysiłek, może stracić wiele płynów z organizmu. Wówczas rośnie temperatura jego ciała, kręci mu się w głowie, boli go głowa i ma mdłości, a jego skóra staje się bardzo blada i lepka od potu. W krótkim czasie jego tętno staje się bardzo słabe. Najpierw przenieś dziecko w miejsce, gdzie jest cień i chłód. Połóż je z nóżkami nieco uniesionymi i upewnij się, że jest mu chłodniej. Daj mu do picia wodę, sok lub płyn nawadniający. Jeżeli w ciągu godziny stan dziecka nie ulegnie poprawie, wezwij lekarza. W momencie, gdy stan jego pogarsza się, wezwij karetkę pogotowia. Kiedy dziecko ma udar cieplny, jego

skóra będzie gorąca w dotyku i sucha. Rozbierz dziecko i, w celu ochłodzenia, zmywaj mu ciało gąbką nasączoną chłodną wodą.

P.: Co powinnam zrobić, jeżeli dziecko dozna urazu okolicy ust?

O.: Uraz okolicy ust może powodować rozcięcia lub krwawienie z zębodołów. Krwawienie to może być obfite, bo usta są bogato ukrwione. Uderzenie lub upadek mogą nawet wybić ząb. Po takim wypadku usiądź z dzieckiem i trzymaj jego główkę nad miską, aby tam spływała krew. Uciskaj krwawiące miejsce przez gazik lub wacik przez około 10 minut albo do czasu zatrzymania się krwawienia. Odszukaj wybity ząb, aby upewnić się, że nie został przez dziecko wzionięty z oddechem lub połknięty. Zabierz dziecko do dentysty, by sprawdził jego dziąsła.

P.: Jak powinnam postępować w przypadku urazu oka?

O.: Uraz oka wymaga natychmiastowej pomocy. Każde uderzenie może spowodować pęknięcie naczyń krwionośnych, co powoduje powstanie krwiaka. By ograniczyć rozmiary krwiaka, połóż dziecku na to oko ręcznik zmoczony w zimnej wodzie i lekko wyżęty. Jeżeli jakiś ostry przedmiot naruszył gałkę oczną lub spowodował skaleczenie w okolicy oka, dziecko wymaga natychmiastowego leczenia. Ochroń oko, przykrywając gazikiem, i zabandażuj obydwoje oczu dla ograniczenia ruchów gałek ocznych. Następnie zawieź natychmiast dziecko do szpitala.

Problemy zdrowotne
Schorzenia skóry

P.: Co to jest egzema?

O.: Egzema jest najczęstszym schorzeniem skórnym małych dzieci, atakującym co najmniej jedno dziecko na osiem. Może mieć przebieg bardzo łagodny, kiedy pojawia się tylko jedna lub dwie czerwone, łuszczące się plamki, albo też może pokrywać całe ciało dziecka dokuczliwie swędzącą wysypką. Dokładne wskazanie jakiejś konkretnej substancji wywołującej pojawienie się egzemy u małego dziecka jest zwykle niemożliwe.

Powyżej: Możesz zauważyć wczesne objawy egzemy, jeżeli twoje małe dziecko drapie czerwoną, swędzącą skórę.

Może to być kontakt z kurzem domowym, sierścią zwierząt lub pyłkiem kwiatowym albo ze wszystkimi tymi czynnikami na raz. Przegrzewanie, suchość powietrza oraz zimno pogarszają przebieg schorzenia, podobnie jak ząbkowanie, przeziębienie i inne infekcje. Niestety, na egzemę nie ma lekarstwa, ale u prawie wszystkich zaatakowanych nią dzieci dochodzi zwykle do stopniowego ustąpienia jej objawów.

P.: Na co powinnam zwracać uwagę?

O.: Niemowlę lub małe dziecko może stać się niespokojne, śpi kiepsko i często pociera twarz. Na buzi lub ramionkach dziecka mogą pojawić się niewielkie zadrapania – w miejscach pocieranych i drapanych przez dziecko. Na skórze twarzy i ramionek mogą być widoczne czerwone, szorstkie, swędzące plamki, które mogą się rozprzestrzeniać i atakować okolice zagięć skórnych nadgarstków, łokci i kolan. Czasami skóra całego ciała staje się sucha i szorstka.

P.: Co mogę w tej sytuacji zrobić?

O.: Unikaj stosowania mydła, wszelkich emulsji dla dzieci czy płynów do kąpieli – mogą one drażnić skórę. Utrzymuj gładkość i jędrność skóry przez regularne jej nawilżanie kremem zmiękczającym, który możesz kupić w aptece. Po kąpieli osusz delikatnie skórę dziecka, ale pozostaw ją nieco wilgotnawą. Posmaruj skórę dość grubo kremem zmiękczającym. Lekarz może przepisać twemu dziecku preparaty kojące dolegliwości skórne, a jeżeli egzema nie pozwala twemu dziecku na nocny sen, wówczas lekarz może przepisać także uspokajający środek przeciwhistaminowy, podawany dziecku na godzinę przed snem. Ograniczaj do minimum liczbę domowych zwierzaków, miękkich zabawek, dywanów

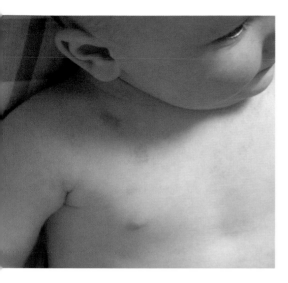

Powyżej: Nie każda egzema ma ciężki przebieg. W jej łagodnej postaci może pojawić się tylko jedna lub dwie szorstkie, czerwone plamki.

i wyściełanych mebli, a ubiory dziecięce wybieraj spośród wykonanych z niedrażniących materiałów, takich jak bawełna. Upewnij się, że ubiór dziecka nie jest zbyt ciasny, by zapobiec pocieraniu przez dziecko skóry przez ubranie. Stosuj także ręczniki i pościel z czystej bawełny. Próbuj różnych, nieenzymatycznych proszków do prania, aż znajdziesz taki, który dobrze służy skórze twego dziecka. Zawsze umyj i nakremuj rączki dziecka po jego zabawie piaskiem, ciastoliną i wodą.

P.: Co powinnam zrobić, kiedy u mojego dziecka pojawia się opryszczka?

O.: Przy pierwszym uczuciu mrowienia wargi, związanego z opryszczką, zastosuj na to miejsce krem na opryszczkę, emulsję lub wazelinę. By złagodzić mrowienie, przyłóż do opryszczki zwilżoną i zamrożoną watkę. Sterylizuj wszystko, co trafia do buzi dziecka, i trzymaj jego ręcznik i myjkę do twarzy oddzielnie – z dala od ręczników i myjek reszty rodziny. Podawaj mu miękkie pokarmy, takie jak lody, jogurt, rozgotowane, przetarte jarzyny, a nawet odżywki dla niemowląt.

Jeżeli ma trudności z piciem, może będzie mu łatwiej przy użyciu słomki. Trzymaj dziecko z opryszczką z dala od kogokolwiek z egzemą, bo wirus, który wywołuje opryszczkę, może wywołać bardzo nieprzyjemną wysypkę.

P.: Co to jest różyczka? Co robić, kiedy wystąpi u dziecka?

O.: Różyczka jest infekcją o dość łagodnym przebiegu, spowodowaną przez wirusa opryszczki. Występuje bardzo często wśród niemowląt i małych dzieci, szczególnie u tych w wieku od sześciu miesięcy do dwóch lat. Rozpoczyna się nagłą gorączką, której często towarzyszy ból gardła i niewielkie powiększenie węzłów chłonnych szyi. Kiedy gorączka obniża się, po trzech do pięciu dniach, na klatce piersiowej, brzuszku i plecach pojawia się wysypka w postaci plamistych, różowych wykwitów, które następnie rozprzestrzeniają się na szyję i ramiona. Na udach i pośladkach każda taka plamka może być obwiedziona delikatną otoczką. Wysypka ta rzadko utrzymuje się dłużej niż dwa dni. Pierwszą rzeczą, jaką powinnaś zrobić, to skontaktować się z lekarzem, aby omówić z nim zauważone objawy i wykluczyć możliwość odry. Dziecko powinno powrócić do zdrowia w ciągu dwóch do trzech dni. W tym czasie powinnaś podawać mu paracetamol i chłodne płyny, a także przemywać mu ciało gąbką z chłodną wodą. Dziecko może stracić apetyt, ale będzie to trwało jedynie przez kilka dni.

Pojawienie się opryszczki u dziecka jest bardziej prawdopodobne wtedy, kiedy jest ono wyczerpane.

Problemy zdrowotne
Uszy, nos, gardło

Powyżej: Najlepiej unikać podawania środków przeciwkaszlowych, dopóki nie zostaną one zapisane dziecku przez lekarza.

P.: Co to jest wysiękowe zapalenie ucha?

O.: Znane także jako zapalenie ucha środkowego z wysiękiem, ma postać przemijającej głuchoty, wyjątkowo częstej u małych dzieci. Powstaje ono, kiedy w odpowiedzi na infekcję wyściółka ucha środkowego zaczyna produkować nadmiar śluzu, który następnie zatyka trąbkę Eustachiusza i zaczyna gromadzić się w uchu środkowym. Śluz ten gęstnieje i zaczyna stawać się lepki, co z kolei powoduje stłumienie odbieranych przez dziecko dźwięków. Wysiękowe zapalenie ucha środkowego może zaatakować już we wczesnym dzieciństwie, a większość chorych dzieci wraca do zdrowia w czasie około sześciu miesięcy. W wielu przypadkach schorzenie to może być opanowane serią antybiotyków. W niektórych sytuacjach lekarz może zalecić wykonanie niewielkiego zabiegu dla ewakuacji zgęstniałego śluzu.

P.: Jak powinnam postępować w przypadku krwawienia z nosa?

O.: Posadź dziecko z główką pochyloną nad umywalką. Powiedz mu, by oddychało przez buzię i nie pociągało nosem, po czym uciśnij palcami, jak szczypcami, miękką część nosa, tuż poniżej wyczuwalnej, szerszej części kostnej. Połóż na grzbiecie nosa myjkę do twarzy, zmoczoną w zimnej wodzie, zawierającą też, w miarę możności, pokruszone kawałki lodu. Powiedz dziecku, by wypluwało do umywalki wszelką krew spływającą mu do buzi. Po około 10 minutach ucisku sprawdź, czy krwawienie zatrzymało się. Kiedy krwawienie ustanie, przy pomocy waty lub papierowego ręczniczka kuchennego i ciepłej wody usuń krew z buzi dziecka. Powiedz maluchowi, żeby przez chwilę posiedział spokojnie przez następnych kilka godzin powstrzymywał się od pociągania nosem, dłubania w nim lub jego wydmuchiwania, bo krwawienie może pojawić się ponownie.

P.: Czy powinnam się martwić, kiedy moje dziecko zaczyna kaszleć?

O.: Kaszel to najczęściej zdrowy objaw przy przejściowym przechłodzeniu się. Jeżeli jednak kaszlowi towarzyszą inne objawy chorobowe, wówczas przyczyną może być infekcja dróg oddechowych. Istnieją dwa typy kaszlu – suchy, w którym niczego się nie wykrztusza, i kaszel skuteczny, w którym wykrztusza się gęstszą wydzielinę i śluz. Jeżeli dziecko jest przeziębione, wycieraj mu nosek regularnie, aby ograniczyć spływanie śluzu z nosa w dół, bo podrażnia to gardło. Jeżeli przeziębione dziecko ma w nocy suchy, drażniący kaszel, unieś wówczas jego

> *Dzieci z zapaleniem wysiękowym ucha środkowego, kiedy znajdą się w grupie dzieci i mają czegoś słuchać, okazują wyraźną niezdolność do koncentracji.*

materac od strony głowy. Dla zmniejszenia gęstości śluzu w oskrzelach podawaj dziecku ciepłe, kojące napoje i unikaj podawania mu wszelkich środków przeciwkaszlowych, zanim nie przepisze ich lekarz. Upewnij się, że powietrze w pomieszczeniu, w którym przebywa dziecko, jest ciepłe i wilgotne. Trzymaj malucha z dala od miejsc zadymionych. Jeżeli u dziecka mającego kaszel pojawią się w tym samym czasie objawy takie jak, trudności w oddychaniu, wysoka gorączka, świszczący lub chrapliwy oddech, szczekający kaszel lub wymioty, zabierz je natychmiast do lekarza.

P.: Jak mogę dostrzec, że moje dziecko ma zapalenie krtani, a nie kolejne przeziębienie? Co mam zrobić?

O.: Choć twoje dziecko mogło być już przeziębione, zanim rozwinęło się u niego zapalenie krtani, to jednak przy zapaleniu krtani zauważysz u niego ostry, szczekający kaszel, podobny do kaszlu foki, a jego oddech stanie się głośny, wysilony i chrapliwy. Może być także świszczący. Zauważysz też, że dziecko ma trudności w oddychaniu, a przy wdechu zapadają się u niego przestrzenie międzyżebrowe. Schorzenie to jest poważne. Powinno się natychmiast wezwać lekarza. Zanim nadejdzie pomoc, zabierz dziecko do łazienki, zamknij wszystkie drzwi i okna i odkręć wszystkie kurki z gorącą wodą. Parna atmosfera ułatwi dziecku oddychanie. Jak tylko dziecko zacznie ponownie oddychać lżej, ułóż je w łóżku oparte wysoko na poduszkach.

Lekarz może przepisać dziecku preparat steroidowy. Jeżeli w odpowiedzi na to leczenie, stan dziecka nie poprawi się szybko, może będzie niezbędne umieszczenia chorego w szpitalu.

P.: Czy jest czymś normalnym, kiedy dziecko w drugim roku życia miewa świszczący oddech?

O.: Przed skończeniem szóstego roku życia prawie wszystkie dzieci mają już za sobą co najmniej jeden epizod świszczącego oddechu. U większości dzieci poniżej trzeciego roku życia tego typu oddech pojawia się w następstwie infekcji układu oddechowego lub powstaje z powodu ciągle jeszcze bardzo wąskich dróg oddechowych. Większość dwulatków „wyrasta" z takiego świszczącego oddechu, ale w pewnych przypadkach objaw ten może być spowodowany astmą, gorączką sienną lub inną postacią alergii – warto wówczas zasięgnąć opinii lekarza. Jeżeli taki utrudniony, świszczący oddech pojawił się zupełnie nagle, to przyczyną może być zaaspirowanie przez dziecko czegoś drobnego do dróg oddechowych – orzecha, małej zabawki, listka lub ziarna – a w takim przypadku będzie niezbędna natychmiastowa pomoc lekarska.

Powyżej: Jeżeli dziecko cierpi z powodu schorzenia ucha, może wymagać pomocy lekarskiej.

Problemy zdrowotne
Drgawki gorączkowe

P.: Co to są drgawki gorączkowe?

O.: Napady drgawkowe pojawiają się wówczas, kiedy dochodzi do gwałtownego zwiększenia siły impulsów elektrycznych w mózgu, co zakłóca pracę okolicznych komórek nerwowych i powoduje rozsyłanie po całym ciele niekontrolowanych sygnałów powodujących w niektórych przypadkach drgania i skurcze mięśniowe. Drgawki u dzieci w wieku od sześciu miesięcy do pięciu lat są często spowodowane gwałtownym podniesieniem się temperatury ciała. Te drgawki gorączkowe są bardzo częstym zjawiskiem i mniej więcej co trzecie dziecko z tych, które już je miały, może spodziewać się ich ponownie. Napady drgawek, które nie są spowodowane gwałtownym wzrostem temperatury ciała, są znacznie rzadsze i mogą wiązać się z padaczką.

P.: Jakich objawów mogę się tu spodziewać?

O.: U dzieci w wieku od sześciu miesięcy do pięciu lat najbardziej prawdopodobne jest wystąpienie objawów wymienionych poniżej:

• Ciało dziecka staje się sztywne, nieelastyczne.

• Rączki i nóżki drżą lub ulegają gwałtownym skurczom.

• Dziecko przewraca oczami, patrzy nieruchomo lub zezuje.

• Maluch przestaje odpowiadać i traci świadomość.

• Dziecko sinieje lub blednie i wiotczeje.

P.: Co powinnam wówczas zrobić?

O.: Pozostań przy dziecku. Jeżeli możesz, przełóż je przez swoje kolano, twarzą w dół, albo ułóż je na podłodze, z główką spoczywającą na czymś miękkim i zwróconą na bok. Jeżeli zwymiotuje, oczyść mu jamę ustną palcem. Staraj się delikatnie rozebrać je z tego wszystkiego, co daje się łatwo zdjąć. Jeżeli pokój jest ogrzewany, wyłącz ogrzewanie i otwórz okno lub drzwi, by obniżyć temperaturę powietrza wnętrza. Dziecko przypuszczalnie odzyska przytomność w ciągu kilku sekund lub minut. W międzyczasie ułóż dziecko w bezpiecznej pozycji (patrz niżej). Jeżeli jest to pierwszy taki napad drgawek u twojego dziecka, wezwij lekarza. Kiedy tylko dziecko w pełni odzyska przytomność, podaj mu paracetamol i nieco płynu.

Bezpieczna pozycja

Dziecko, które jest nieprzytomne, ale oddycha, powinno być ułożone w bezpiecznej pozycji.

• **Sprawdź drożność dróg oddechowych dziecka, czy oddycha i czy czujesz puls.**

• **Wyprostuj tę rączkę dziecka, która znajduje się bliżej ciebie, i podłóż ją pod udo dziecka, dłonią do góry.**

• **Oprzyj grzbiet jego drugiej rączki na bliższym ciebie policzku dziecka i przytrzymaj tę rączkę (twoja dłoń do dłoni dziecka), aby ochraniać główkę dziecka, kiedy będziesz je przewracać na bok.**

• **Zegnij kolanko tej nóżki dziecka, która jest dalej od ciebie, aż stópka tej nóżki oprze się płasko o podłoże.**

• **Pociągnij teraz zgiętą nóżkę dziecka w swoim kierunku. Dziecko przetoczy się na bok. Podeprzyj je teraz swoimi kolanami, by powstrzymać ciało dziecka przed dalszym przetoczeniem się na brzuszek.**

• **Odchyl główkę dziecka do tyłu, by utrzymać drożność jego dróg oddechowych.**

• **Zegnij nóżkę dziecka, leżącą teraz na górze, do kątów prostych w stawach: biodrowym i kolanowym.**

• **Upewnij się, że dziecko nie leży na swoim własnym przedramieniu, a dłoń tej rączki jest skierowana ku górze.**

Problemy zdrowotne
Wstrzymywanie oddechu

P.: Co to jest wstrzymywanie oddechu?

O.: Do wstrzymywania oddechu może dochodzić w wyniku bólu lub wstrząsu spowodowanego doznanym urazem albo też w czasie histerycznego napadu złości. W tym drugim przypadku może to być najbardziej niepokojący sposób wyrażania swej frustracji, jaki dziecko ma w swym repertuarze. Choć jest to dla rodzica stresujące, szczególnie wówczas, kiedy maluch wstrzymuje oddech tak długo, że traci przytomność, to samo dziecko nie odniesie w tej sytuacji jakiejkolwiek szkody.

P.: Czego powinnam się spodziewać?

O.: W chwili nasilonej złości lub frustracji dziecko głęboko nabiera powietrza. Czekasz wówczas na jego krzyk, ale on się nie pojawia. Dziecko pozostaje bezgłośne, ale jego twarz najpierw robi się czerwona, a następnie sinieje. W ciągu kilku następnych sekund dziecko może stracić przytomność, ale zaczyna ponownie oddychać. W kilka sekund później dziecko odzyskuje przytomność. Od czasu do czasu dziecko miewa przy tej okazji niewielki napad drgawek.

Dziecko w pełnym napadzie histerycznej złości może wstrzymać swój oddech i to na tak długo, że w końcu traci przytomność.

Powyżej: Napady histerycznej złości dziecka mogą powodować, że wstrzymuje ono oddech.

P.: Co mogę wówczas uczynić?

O.: Odciągnij dziecko od mebli i zabawek z ostrymi krawędziami. Jeśli możesz, połóż dziecko na podłodze. Nie pozostawiaj go samego, ale natychmiast wezwij lekarza, aby potwierdzić, że przyczyną utraty świadomości dziecka było jedynie to wstrzymanie oddechu.

P.: Czy istnieje jakiś sposób, w jaki mogłabym w przyszłości zapobiec powstrzymywaniu oddechu przez moje dziecko?

O.: Następnym razem, kiedy zauważysz u dziecka oznaki narastającej frustracji, spróbuj taktyki odwracania jego uwagi. Jeżeli to nie poskutkuje, a dziecko zaczyna już wstrzymywać swój oddech, daj mu klapsa w buzię. Jeżeli i wówczas dziecko się nie uspokoi, oddal się od niego – jest bowiem mniej prawdopodobne, że będzie ono nadal wstrzymywało oddech, kiedy nie ma odpowiedniej widowni. Miej je jednak stale na oku.

4

małe dziecko

2 do 4 lat

Rozwoj
Trzeci rok życia

Od 2 do 4 lat

2–2½ roku

- **Język.** Uwielbia, kiedy czytasz mu bajeczki do snu. Zadaje pytania i słucha uważnie odpowiedzi. Jego słownictwo liczy kilkaset pojedynczych wyrazów. Lubi proste rozmowy z innymi dziećmi i dobrze mu znanymi dorosłymi. Opowiada, by wzbogacić zabawy wymagające wyobraźni, takie jak przebieranie się. Zaczyna posługiwać się zaimkami, takimi jak „on" lub „ty", i przyimkami, takimi jak „w" lub „na". Zapamiętuje co nieco informacji o sobie, tj.: wiek, pełne imię i nazwisko – potrafi je powtórzyć.
- **Uczenie się.** Zaczyna dopasowywać do siebie kolory. Potrafi znaleźć na przykład dwa klocki w tej samej barwie. Rozumie, że monety to pieniądze, ale stale jeszcze ma nikłe pojęcie o ich wartości. Łączy przedmioty w grupy, zgodnie z ich cechami charakterystycznymi, np. sortuje zabawki, oddzielając zwierzęta od pojazdów. Zaczyna rozumieć coraz lepiej pojęcie czasu. Prawdopodobnie już zrozumiałe stają się dla niego takie pojęcia, jak: „dzisiaj", „jutro". Rozpoznaje własną twarz na zdjęciu. Pragnie nowych doświadczeń poza domem, chętnie odwiedza nowe miejsca, takie jak zoo. Przypisuje cechy ludzkie przedmiotom nieożywionym, co jest być może wyrazem bądź bujnej wyobraźni, bądź też sposobem na zrozumienie otaczającego je świata.
- **Koordynacja ręka-oko.** Radzi sobie z nawleczeniem dużych koralików na sznurek. Malując i rysując, umiejętnie chwyta kredkę lub pędzelek i wykonuje zamierzony znak. Potrafi też powtórzyć narysowaną przez ciebie linię pionową. Coraz lepiej radzi sobie z układaniem klocków, puzzli oraz z grami składającymi się z pasujących do siebie elementów. Może już zacząć naukę posługiwania się innymi sztućcami niż tylko łyżka. Ma już wyraźnie ustaloną rękę dominującą.
- **Ruch.** Potrafi niewysoko podskoczyć z pozycji stojącej, a przy odpowiednich ćwiczeniach może też przeskoczyć niewielkie przeszkody. W czasie wykonywania jakiegoś zadania z powodzeniem manewruje między przeszkodami. Poradzi sobie z krótkim spacerem. Woli poruszać się na własnych nóżkach niż spacerowym wózkiem. W domu wchodzi po schodach bez pomocy.
Potrafi już stać przez kilka sekund na paluszkach.

Od 2 do 4 lat

2½–3
lata

- **Język.** Śmiało wydaje ci polecenia. Często używa zaimków, takich jak „ja" i „mnie", choć nie zawsze poprawnie. Odkrywa, że zadawanie pytań (głównie: „Kto?" i „Gdzie?") jest dobrym sposobem zbierania informacji. Zna już co najmniej tysiąc słów. Jest gotowe do słuchania bardziej złożonych opowiadań, z wieloma różnymi bohaterami. Często zadaje pytania o znaczenie właśnie usłyszanych, nieznanych mu słów. Wykazuje zrozumienie pewnych reguł gramatyki i stosuje je w mowie.
- **Uczenie się.** Wprawdzie nie zawsze dokładnie, ale już porównuje ze sobą dwa przedmioty pod względem rozmiarów i wysokości. Dzięki wyobraźni potrafi wymyślać krótkie historyjki. Pamięta coś, co razem robiliście wczoraj, a ponadto potrafi sobie przypomnieć jakieś pasjonujące wydarzenie z bardziej odległej przeszłości. Umie złożyć układankę z trzech lub czterech dużych elementów. Jest w stanie zapamiętać informację, np. nazwę przedmiotu, powtarzając ją wielokrotnie. Przewiduje następstwa działań. Wie przykładowo, że jeżeli kubek się przewróci, to napój się rozleje.
- **Koordynacja ręka-oko.** Przebywając w przedszkolu lub grupie rówieśników, korzysta z większej liczby sprzętu do zabaw i prac ręcznych. Potrafi już zbudować wieżę z ośmiu lub więcej klocków. Zaczyna radzić sobie z cięciem papieru bezpiecznymi dla dzieci nożyczkami, choć jest to dla niego nadal trudne. Składa proste układanki. Dzięki lepszemu panowaniu nad ruchami jego rysunki są coraz mniej przypadkowe, a odwzorowywany obiekt staje się już często rozpoznawalny. Dziecko potrafi skopiować narysowane przez ciebie proste kształty. Umie wykonać proste prace domowe, jak ułożenie sztućców na stole lub zabawek w przeznaczonym dla nich pudle.
- **Ruch.** Zeskakuje z niewielkiej wysokości, np. z pierwszego schodka, nie tracąc równowagi. Będzie próbowało czynności wymagających utrzymania równowagi, takich jak chodzenie po kłodzie lub jej przeskakiwanie – choć może mu się to nie powieść. Balansuje przez kilka sekund, stojąc tylko na jednej nodze. Jest w stanie wspiąć się na drabinkę i zjeżdża z dużych zjeżdżalni na placu zabaw. Biega szybko i pewnie. Dzięki coraz lepszej koordynacji ruchów wykonuje kilka czynności jednocześnie.

Od 2 do 4 lat

3–3½ roku

- **Język.** Lubi słuchać bajek. Coraz bardziej angażuje się w czytanie – poprzez rozmowy z tobą w jego trakcie, próby odwracania stron książeczki lub wskazywanie paluszkiem obrazków. Nie wystarcza mu już tylko używanie minimalnej liczby słów dla wyrażenia jakiegoś znaczenia, lecz posługuje się serią czterech lub pięciu wyrazów. Opisując codziennie spotykane przedmioty lub ludzi, stosuje przymiotniki – w tym wieku regularnie używa jedynie dwóch lub trzech. Jest w stanie zrozumieć i wypełnić polecenia zawierające nie więcej niż trzy informacje.
- **Uczenie się.** Rozwija podstawowe zdolności do rozumienia cyfr, słuchając i obserwując, jak posługują się nimi inni. Jego rysunki demonstrują rosnącą dojrzałość intelektualną, chociaż przedstawiona zostaniesz na nich jako ogromna głowa, bez korpusu, a jedynie z nogami wyrastającymi bezpośrednio z jej dolnej części. Rozwija się pamięć krótkotrwała. Dziecko potrafi zachować nową informację na kilka sekund, a potem dokładnie ci ją przekazać. Zna zasady dobrego zachowania i powody, dla których należy je stosować, jeżeli zostały one dziecku jasno wytłumaczone. Może mylić związki przyczynowo-skutkowe, łącząc ze sobą dwa wydarzenia, które w rzeczywistości nie są ze sobą powiązane.
- **Koordynacja ręka-oko.** Trzyma drobne przedmioty pewnie i przenosi je bez upuszczania. Potrafi chwycić nożyczki i skutecznie przeciąć nimi duży kawałek papieru. Używa małego wałeczka do ciasta, aby rozwałkować kawałek modeliny, a następnie zgniata ją z powrotem po to, by rozpocząć tę czynność od nowa. Potrafi odpinać duże guziki (im większe, tym łatwiej), rozszerzając uprzednio paluszkami dziurki. Umie trzymać prawidłowo szczoteczkę i czyścić nią ząbki, jeżeli zademonstrowano mu właściwy sposób.
- **Ruch.** Potrafi wolno na równej powierzchni wprawić w ruch zabawkę z napędem na pedały, np. rowerek na trzech kółkach. Radzi sobie z podchodzeniem na łagodne zbocza. Może zeskoczyć z drugiego schodka na obydwie nóżki, kiedy zobaczy, że ty to robisz. Stoi przez kilka sekund na paluszkach, nie opierając pięt o podłoże, a także chodzi na paluszkach. Lubi tańczyć przy muzyce, skręcając ciało i poruszając rączkami i nóżkami, mniej lub bardziej rytmicznie. Przed posiłkami wdrapuje się na swoje krzesło i kręci się, by usadowić się wygodnie.

Od 2 do 4 lat

3½–4
lata

- **Język.** Rodzi się poczucie humoru będące wyrazem rozwoju abstrakcyjnego myślenia u dziecka. Bawią je żarty słowne. Dzięki użyciu „i" jako łącznika wydłużają się formułowane przez nie zdania. Możliwe, że odczyta odpowiednie brzmienie słowa składającego się z dwóch lub trzech liter, wydrukowanego wyraźnie na pojedynczej kartce. Uzmysławia sobie podstawowe zasady rządzące językiem, takie jak liczba mnoga, czasy czasowników. Stosuje je w codziennych rozmowach.
- **Uczenie się.** Następuje dalsza poprawa sprawności pamięci krótkotrwałej. Poprzez liczne powtórki zapamiętuje krótkie wierszyki lub numer telefonu. Zwiększa się u niego zdolność koncentracji. Kontynuuje jeden rodzaj zabawy lub ogląda ten sam program telewizyjny nieprzerwanie, przez kilka minut. Poprawiają się zdolności organizatorskie, np. jeżeli czegoś szuka, będzie to robił bardziej systematycznie niż dotychczas. Dla przedstawienia czegoś, czego w danej chwili nie ma w jego otoczeniu, używa wyobraźni – może nawet opisać szczegóły danego wyobrażenia. Osiąga wreszcie pierwszy stopień umiejętności prawdziwego liczenia. Przelicza ułożone w dwóch lub trzech rządkach klocki i próbuje liczyć na paluszkach. Zna pojęcie „jeden", „dwa", a nawet „trzy".
- **Koordynacja ręka-oko.** Umie narysować dość dokładnie linie tworzące pisane litery, ale ich samych nie potrafi jeszcze uformować. Potrafi trzymać sztućce w obydwu rękach i pić z kubeczka. Lubi mieszać różne substancje drewnianą łyżką, następnie mieszankę tę wałkować, a z powstałego placka wycinać różne kształty, by – z twoją pomocą – je upiec. Uwielbia trudniejsze zadania wymagające koordynacji ręka-oko, takie jak dopasowywanie drobnych układanek. Bardzo stara się, aby efekt pracy był jak najlepszy. Dzięki połączeniu sprawności wzrokowej z dobrą koordynacją, potrafi znaleźć i wziąć z półek w sklepie określone produkty.
- **Ruch.** Jest wystarczająco pewne siebie, by wypróbować wszystkie sprzęty na placu zabaw, łącznie z gramoleniem się na huśtawkę i wchodzeniem niemalże na szczyt drabinki. Uwielbia podskakiwać na batucie lub w nadmuchiwanym zamku. Potrafi chodzić w górę i w dół schodów, stawiając kolejno nóżki na stopniu, wykorzystuje do podparcia poręcz czy ścianę. Lubi kopać piłkę toczącą się po ziemi lub podnosić ją i rzucać – ze złapaniem jej nadal ma nieco więcej trudności. Jeżeli odpowiednio się skoncentruje, naśladuje jeden lub dwa niewysokie podskoki. Łączy wykonanie czynności, z których każda wymaga koncentracji, np. niesie jakiś przedmiot podczas wspinania się na schody.

Porządek dnia

Ustalony, powtarzalny porządek dnia wspiera rozwój dziecka. Spożywanie posiłków o tych samych godzinach i rozsądnie ustalona, cowieczorna pora układania się do snu pozwala dziecku ułożyć własny rytm dnia, który przyczynia się do umacniania jego poczucia bezpieczeństwa i wpływa na dobre samopoczucie. Odkryjesz, że maluch lubi dobrze mu znany, codzienny porządek dnia, te chwile przed kąpielą i przed pójściem spać, kiedy każda z powtarzanych systematycznie czynności zapowiada kolejną. Gdy dziecko pozostaje pod opieką innej osoby, stosowanie takiego stałego, znanego maluchowi porządku pomaga mu łatwiej i szybciej przystosować się do nowego otoczenia. Stały porządek dnia jest dla dziecka wręcz dobroczynny, jednak przy tym wskazane jest zachowanie pewnej elastyczności.

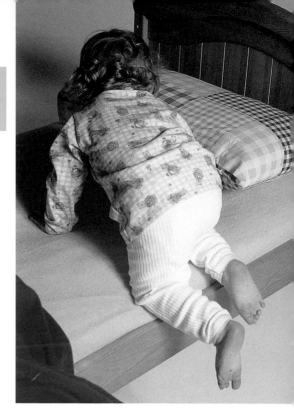

Powyżej: Ustalenie codziennego porządku związanego z udawaniem dziecka do snu może mu pomóc kłaść się wieczorem spać w dobrym nastroju.

Jakie są plusy?

• **Planowanie z wyprzedzeniem.** Dziecko jest zadowolone, wiedząc, że każdego ranka udaje się do przedszkola, a kiedy wraca do domu, zajada smaczną przekąskę, oglądając telewizję. Ustalony w ten sposób porządek pomaga maluchowi w zaplanowaniu dnia z wyprzedzeniem. Może wówczas organizować sobie zajęcia, dostosowując je do znanego mu planu w sposób, jaki uzna w dany dzień za najlepszy.

• **Konsekwencja.** Dziecko rozwija się najlepiej, gdy ma zapewnione poczucie harmonii. Oczywiście lubi ono zmiany i dreszczyk emocji, ale stały porządek dnia spełnia jego głęboko zakorzenioną potrzebę poczucia stabilizacji. Ten stały porządek zapewnia solidną podstawę, na której dziecko może budować swoje codzienne plany działania.

• **Kontrola.** Jeżeli dziecko w ramach stałego porządku dnia może dokonywać pewnych wyborów – np. wolno mu zadecydować, kiedy bawić się zabawkami, a kiedy czytać książeczkę – tym samym daje się mu pewien stopień kontroli nad otaczającym je światem. Jest to znakomity bodziec zwiększający poczucie własnej wartości u malucha.

Jakie są minusy?

• **Opór.** Dzieci nieustannie poddają testom autorytet swoich rodziców, więc próby narzucania im stałego porządku mogą być zarówno wyczerpujące, jak i denerwujące. Bardzo trudno zmusić dziecko do zrobienia czegoś, czego ono zrobić nie chce. Zawsze powinnaś zastanowić się, czy wprowadzony, konkretny element codziennego porządku jest absolutnie niezbędny dla rozwoju twego dziecka.

• **Ograniczenia.** Ustalony porządek dnia może na różne sposoby krępować swobodę dziecka, ograniczając obszar jego kontroli nad daną sytuacją. Maluch nie tylko poczuje się znudzony robieniem tej samej rzeczy codziennie w ten sam sposób, ale może też łatwo stać się podenerwowany, kiedy z jakiejś przyczyny ten porządek dnia zaczyna się załamywać.

Przestrzeganie ustalonego porządku

Aby ustalony porządek dnia był skuteczny, powinnaś zachęcać dziecko do zrozumienia, czemu jest on niezbędny. Możesz zwiększyć zaangażowanie dziecka w przestrzeganie ustalonego planu dnia, wyjaśniając mu cele poszczególnych ustaleń. Lepiej jest powiedzieć dziecku np.: „Chcę, żebyś teraz zjadł(a) obiadek, bo inaczej będziesz głodny(a), kiedy później pójdziemy do parku", niż oświadczyć mu: „Jedz obiadek teraz, ponieważ tak ci każę.". Im lepiej dziecko rozumie przyczyny obowiązujących ustaleń, tym prędzej się do nich dostosuje.

Zachęcaj dziecko do przewidywania następnego etapu rozkładu dnia. Rano przypomnij mu, np. co będzie robiło po południu. Mów pozytywnie o następnym etapie porządku dnia. Nie odrzucaj bez zastanowienia jego narzekań. Jeżeli dziecko uparcie twierdzi, że jest już znudzone tą stałą rutyną, poproś je, by zastanowiło się nad tym, jak porządek dnia może być rozsądnie zmieniony. Poproś malucha, żeby zaproponował inne sposoby organizacji dnia.

Jeżeli w wyniku rozmowy z dzieckiem zgodzisz się na zmiany w rozkładzie dnia, wówczas zrób, co tylko w twojej mocy, aby się ich trzymać. Podkreśl, że popierasz jego propozycje zmian, ale oczekujesz, że teraz będzie się

ono do nich stosowało. Dziecko będzie bardziej zadowolone z takiego porządku dnia, w ustalaniu którego uczestniczyło.

Nieoczekiwane zmiany

Jeżeli w twoim porządku dnia istnieje pewien stopień elastyczności, dziecko będzie się mniej denerwować wszelkimi odstępstwami od jego ustaleń. Ponieważ nauka radzenia sobie z nieoczekiwanymi kryzysami jest także częścią procesu dorastania, również z tych nieznacznych zmian dziecko wyniesie wiele nauki. Dzięki różnorodnym doświadczeniom i ustalonemu porządkowi dnia pewność siebie dziecka może się umacniać.

Powyżej: Jeśli dziecko wie, kiedy może spodziewać się posiłku, lepiej mu zaplanować sobie dzień.

Sen
Lęki nocne

Choć większość dzieci w wieku około dwóch lat może przesypiać regularnie noc we własnych łóżeczkach, są i takie, które tego nie robią. Maluchy, które dotychczas sypiały w nocy dobrze, mogą zacząć się złościć przy układaniu do snu, bo usiłują tym umocnić poczucie swej własnej tożsamości. U dziecka, które stale dobrze sypia, też mogą pojawić się zaburzenia snu, będące wynikiem np. podjętej nauki wypróżniania się do nocniczka albo też sennych koszmarów.

Lunatyzm

Lunatyzm (med. somnambulizm) jest zjawiskiem bardzo często dziedzicznym. Podobnie jak lęki nocne chodzenie we śnie pojawia się, kiedy dziecko śpi głęboko. Czasem trudno rozpoznać, czy dziecko rzeczywiście lunatykuje, czy zwyczajnie obudziło się i chodzi dookoła. Jeżeli nie masz co do tego pewności, obserwuj, co ono robi. Lunatycy wykonują tylko bardzo proste czynności, dlatego jeżeli dziecko podejmuje serie złożonych działań, przypuszczalnie nie śpi. Kiedy upewnisz się, że dziecko śpi, wówczas ważne jest, by go nie obudzić. Zamiast tego poprowadź je delikatnie z powrotem do jego łóżeczka, otul je i powiedz mu to, co zwykle mówisz specjalnie na dobranoc. Choć obserwując dziecko chodzące we śnie, można się przerazić, to wiedz, że dziecko w tym czasie celowo nie zrobi sobie krzywdy, jednak może potknąć się o jakiś przedmiot i przewrócić lub spaść ze schodów. Ważne jest więc, by upewnić się, że jego pokój jest dla niego bezpieczny, a dostęp do schodów zablokowany.

Lęki nocne mogą stanowić odbicie rosnącego rozumienia przez dziecko otaczającego je świata lub mogą zostać wyzwolone przez prawdziwe niepokoje, pojawiające się w jego życiu, takie jak rozpoczęcie chodzenia do przedszkola lub pojawienie się rodzeństwa. Jeżeli twoje dziecko przechodzi akurat serię zmian, dodaj mu otuchy w ciągu dnia, a tym samym podniesiesz jego pewność siebie w czasie nocnego snu. Bez nadmiernego rozpieszczania malucha spróbuj umieścić w rozkładzie jego dnia jakieś wydarzenia rozrywkowe, takie jak wycieczka do parku, i dodatkowo je przytulaj.

Senne koszmary i nocne lęki

Różnią się one od siebie, choć często są mylnie uważane za to samo. Koszmary senne powstają podczas snu fazy REM (patrz strona 38). Ich wystąpienie jest bardziej prawdopodobne u dziecka, które jest zestresowane lub zaniepokojone. Zwykle nie mają jednak żadnej szczególnej przyczyny, ani też istotnego znaczenia. Natomiast lęki nocne potrafią być dla ich świadka szokujące. Jest mało prawdopodobne, by w czasie ich trwania dziecko cię rozpoznawało, czy nawet chciało, byś mu dodała otuchy. Jeśli spróbujesz to zrobić, może nawet stać się jeszcze bardziej zdenerwowane. Dziecko nie będzie rano niczego pamiętało, ponieważ lęki nocne pojawiają się w okresie jego najgłębszego snu. Choć twoje dziecko podczas lęku nocnego może wydawać się rozbudzone, bardzo zdenerwowane i przestraszone, a nawet krzyczeć – w rzeczywistości jednak ciągle śpi. Nie będzie wystraszone, kiedy już naprawdę obudzi się samodzielnie, bo tego snu już nie będzie. Przebudzenie może natychmiast uwolnić je od lęków nocnych i prawdopodobnie dziecko szybko zaśnie ponownie.

Sen
Częste problemy

P.: Co powinnam zrobić, kiedy moje dziecko budzi się z koszmaru sennego?

O.: Koszmary senne są częstym zjawiskiem wśród dzieci liczących od dwóch, aż do kilkunastu lat. Miewa je połowa wszystkich pięciolatków. Pojawienie się ich jest bardziej prawdopodobne, jeżeli dziecko jest zestresowane lub zaniepokojone. Większość koszmarów sennych nie ma przyczyny ani istotnego znaczenia. Wejdź do pokoju dziecka, dodaj mu otuchy, otul je ponownie w łóżeczku, powiedz mu to, co zwykle mówisz na dobranoc i wyjdź z jego pokoju najszybciej, jak tylko możesz. Jeżeli koszmary senne twego dziecka powtarzają się, sporządzaj dotyczące nich zapiski, by sprawdzić, czy nie występuje w tym czasie jakaś prawidłowość. Powtarzające się koszmary senne często można kontrolować, ponieważ pojawiają się w płytszej fazie snu. Jeżeli twoje dziecko śni, że jest np. ścigane przez ptaka, zaproponuj mu, że razem tego ptaka złapiecie do klatki. To da dziecku wrażenie, że może pokierować całą sytuacją i pomoże położyć kres temu snu.

P.: Co powinnam robić, kiedy moje dziecko cierpi na lęki nocne?

O.: Choć obserwacja lęków nocnych u dziecka powoduje niepokój, najlepiej nie reagować na nie. Jeżeli jednak będziesz usiłowała podnieść i obudzić dziecko, zanim cały incydent nie dobiegnie końca w sposób naturalny, możesz je przestraszyć własnym przerażeniem. Ponieważ lęki nocne nie są spowodowane złym snem, dziecko następnego ranka nie będzie pamiętało całego wydarzenia.

P.: Zaczęliśmy właśnie wieczorne uczenie dziecka siadania na nocniczku i wydaje się, że to całkowicie zakłóciło jego dotychczasowy prawidłowy sen. W nocy dziecko bywa niespokojne, często się budzi, choć nadal dość rzadko moczy się. Czy jest to normalne?

O.: Ta wieczorna nauka siadania na nocniczku może wytrącić nawet regularnie i dobrze śpiące dziecko z prawidłowo przebiegającego snu (szczególnie, jeżeli często moczy się w nocy). Najlepiej jest zaczekać, aż dziecko będzie naprawdę do takiej nauki gotowe. Świadczyć o tym będą, m.in. suche pieluszki o poranku. Kup odpowiedni ochraniacz na materacyk i spraw, by w przypadku zmoczenia się dziecka robić jak najmniejsze zamieszanie. Zachęcaj malucha, aby bez zwłoki ponownie położył się spać.

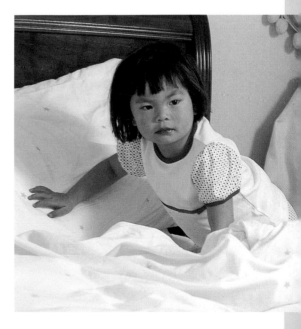

Powyżej: Kiedy dziecko obudzi się z nocnych lęków, nie będzie pamiętało całego wydarzenia.

Żywienie
Czego należy unikać?

Potrzeby żywieniowe dzieci w wieku od 2 do 3 lat nie różnią się zasadniczo od tych, które miało ono w poprzednim roku (patrz strona 134). Jednak pomiędzy 3 a 4 rokiem życia dziecka powinno się podwoić zalecane mu porcje pokarmów węglowodanowych, bogatych w skrobię, a także zwiększyć liczbę podawanych maluchowi owoców i warzyw. Teraz należy już pozwalać dziecku jeść to, na co ma ochotę.

Badania wykazują, że 20% dzieci otyłych lub z nadwagą stanie się w przyszłości otyłymi dorosłymi.

Podobnie jak rozsądnie jest podawać dziecku przekąskę między posiłkami jedynie wówczas, kiedy jest ono głodne, to równie ważne jest, by podać mu właściwy rodzaj przekąski. Wiele gotowych, tanich produktów ma wysoką zawartość cukru i tłuszczu, ale stosunkowo niewiele substancji odżywczych. Choć nie ma niczego złego w podaniu takiego gotowego produktu, regularne serwowanie dziecku jego dużych ilości może prowadzić do pojawiania się okresów złego humoru, trudności w odpowiednim zachowaniu, problemów z nadwagą i niedoborów żywieniowych. Czytaj dokładnie opis

zawartości danego produktu i unikaj tych z długą listą dodatków, w tym tzw. E-dodatków. Jeżeli sama przygotowujesz posiłek, dokładnie wiesz, co wchodzi w jego skład.

P.: Co to są te dodatki?
O.: Większość paczkowanego pożywienia zawiera różne dodatki, takie jak środki konserwujące, substancje stabilizujące, aromaty, substancje barwiące i przeciwutleniacze. Te naturalne lub syntetyczne środki oznaczane literą E dodaje się do pożywienia, by przedłużyć jego termin przydatności do spożycia, wzmocnić zapach lub poprawić wygląd.

P.: Czy dodatki te są niekorzystne dla mojego dziecka?
O.: Istnieją dowody na to, że niektóre dodatki, na przykład barwniki żywności, mogą mieć związek z pojawianiem się trudnych zachowań w dzieciństwie, szczególnie w postaci nadaktywności. Wielu rodziców i pracowników służby zdrowia odkryło, że kiedy u nadaktywnego, impulsywnego dziecka zastosuje się dietę wolną od tych dodatków, trudności z jego zachowaniem znacznie zmniejszają się. Choć nie zdarza się to w każdym przypadku, przytłaczające przykłady wskazują tu na zdecydowany związek zachowania ze wspomnianymi dodatkami.

P.: Czy jedzenie taniej, gotowej żywności może zwiększać zagrożenie otyłością?
O.: Mówimy o otyłości, kiedy waga dziecka przekracza wagę standardową o ponad 20% dla danego wzrostu. Choć może to być rodzinne, nie ma jednak wątpliwości, że nadmierne spożywanie pokarmów z wysoką zawartością cukru i tłuszczu (takich jak pokarmy smażone, tania, gotowa żywność, słodycze czy herbatniki) przy równoczesnym niedostatecznym spożyciu pokarmów zdrowych (takich jak owoce, jarzyny czy ryby) przyczynia się do otyłości.

Wychowanie pozytywne **Maniery przy stole**

P.: Moje dziecko nabrało nieeleganckich nawyków podczas jedzenia: często żuje pokarm z otwartą buzią i bawi się kawałkami żywności. Reszta rodziny jest tym zniesmaczona. Przy okazjonalnie jedzonych posiłkach poza domem dziecko zachowuje się jeszcze gorzej. Dla mnie wszystkie te doznania są bardzo przykre i żenujące. Zastanawiałam się, czy próbując zapanować nad zwyczajami dziecka, nie powinnam ustalić, że je ono posiłki osobno. Czy to dobry pomysł?

O.: Nie. Znacznie lepiej będzie, byś zaczęła uczyć swoje dziecko właściwego zachowania przy stole. Dziecko jest już całkowicie przygotowane do tego, by się ich nauczyć, jeżeli tylko wytłumaczysz mu ich zadanie. Lepiej chwalić dziecko za dobre zachowanie przy stole, niż ganić je za złe maniery. Nie rezygnuj ze wspólnych, rodzinnych posiłków, bo one właśnie zapewniają dziecku najlepsze możliwości do ćwiczenia właściwego zachowania się poprzez naśladowanie starszego rodzeństwa i osób dorosłych. Dalsze, dobre obyczaje przy stole, takie jak: kolejność zabierania głosu w rozmowie czy podawanie różnych rzeczy innym, także utrwalają się poprzez doświadczenia z posiłków rodzinnych.

Sposoby postępowania

• **Właściwe używanie sztućców.** Zachęcaj dziecko, by w czasie jedzenia brało odpowiednio do każdej z rączek nóż, widelec lub łyżkę.

• **Odpowiednie używanie rączki.** Niech posługuje się sztućcami, jeżeli już to potrafi, a rączkami bierze jedynie chleb i owoce.

Po prawej: Wspólne, rodzinne posiłki są najlepszą okazją do uczenia młodszych dzieci dobrych manier przy stole.

• **Ułożenie ust.** Stanowczo zalecaj dziecku, żeby w czasie żucia pokarmu miało buzię zamkniętą. Może ono otwierać usta przez zwykłą nieuwagę.

Jedzenie poza domem

• **Zrób wszystko, by uspokoić dziecko,** kiedy zbliżacie się do restauracji.

• **Wybierz restaurację przyjazną dzieciom,** by niewłaściwe zachowanie mogło pozostać niemal niezauważone.

• **Przygotuj dziecko na to restauracyjne jedzenie.** Maluch będzie bardziej skłonny do właściwego zachowania, jeżeli będzie dokładnie wiedział, czego ma oczekiwać.

• **Połóż duży nacisk na właściwe maniery przy stole.** Przypomnij dziecku, że w restauracji są jeszcze inne osoby i zachęcaj je, by obserwowało, jak one jedzą.

• **Wybieraj porcje dziecięce.** Jeżeli dziecko nie jest przytłoczone wielkością porcji na swym talerzu, raczej nie będzie bawić się jego zawartością.

RÓŻNICE PŁCI

Ich wpływ na rozwój dziecka

Obecnie nie ma już tak sztywnych poglądów na to, jak powinna się zachowywać dziewczynka, a jak chłopiec, ale odpowiednio wyważone założenia mogą wpływać na kształtowanie wyobrażenia dziecka o sobie samym.

Główne różnice między płciami, dotyczące zachowania się, ubioru i sposobu zabawy, ujawniają się w wieku przedszkolnym. Na rozwój tożsamości płciowej dziecka wpływ mają częściowo: czynniki biologiczne – chłopcy mają wyższy poziom testosteronu, hormonu wiążącego się z agresywnością; kontakty towarzyskie – przez obserwację reakcji innych na dziewczynki i chłopców; środki masowego przekazu, a częściowo jest ona także przejmowana od rodziców, czyli twoje postawy wobec spraw płci wywierają wpływ na dziecko.

Obalanie barier

Pomimo istotnych różnic pomiędzy płciami i stereotypowych poglądów dotyczących płci faktem jest, że nie ma wyraźnego powodu, dla którego dziewczynka nie może grać w piłkę nożną, a chłopiec bawić się lalką. Niektórzy mogą patrzeć na to z dezaprobatą, ale jest to wówczas jedynie wyrażanie ich własnych,

Po lewej: Bawienie się tym, co je interesuje, niezależnie od płci, poszerza zakres doświadczeń dziecka.

sztywnych poglądów. Należy pozwolić dziecku na swobodny wybór rodzaju zabawy. Nie powinno ono być ograniczane barierami ze względu na płeć.

Tak naprawdę przełamywanie tych barier jest dobre dla twojego dziecka. Zabawa ma podstawowe znaczenie dla rozwoju dziecka, dlatego im bardziej zróżnicowane ma ono doświadczenia z zabaw, tym postęp w jego rozwoju będzie większy. Różnorodność jest czymś korzystnym dla rosnącego dziecka – zarówno dziewczynki, jak i chłopca.

Niejeden z rodziców określa swoją córkę mianem „chłopczyca", ponieważ lubi ona nosić chłopięce ubrania. Jest to tylko kwestia osobistej preferencji. Może chce ona ubierać się w ten sposób, bo uważa, że jest to wygodniejsze albo bardziej barwne, albo może chce po prostu być inna od swych koleżanek. Jednak, bez względu na przyczynę preferencji dotyczących ubioru, poprzez inny styl ubierania nie wyrządzi sobie krzywdy.

Co powinnam robić?

• **Umacniaj indywidualność dziecka.** Nie pozwalaj się ograniczać przez poglądy otoczenia na sprawy płci. Pozwól swej małej córeczce, jeśli chce, bawić się zabawką, którą zwykle uwielbiają bawić się chłopcy, a także nie zabraniaj swemu synkowi zabaw zabawką określaną zwyczajowo jako dziewczęca. Dzieci mają prawo do wyrażania swojej indywidualności poprzez zabawki, gry i ubrania.

• **Rozmawiaj ze swym dzieckiem.** Zarówno chłopcy, jak i dziewczynki odnoszą korzyści z możliwości wyrażenia słowami własnych uczuć w stosunku do drugiej osoby. Jeśli jednak jest to dla twego dziecka trudne, wiele z nim rozmawiaj, by przyzwyczaiło się do pogawędek z tobą.

• **Nie rób zamieszania z powodu płci.** Jak tylko twoje dziecko zda sobie sprawę, że jesteś zaniepokojona jego wyborem ubrań lub zabawek, będzie przypuszczalnie wykorzystywało to jako sposób zwrócenia na siebie twojej uwagi. Staraj się podchodzić do tego swobodnie.

• **Unikaj konfrontacji.** Nie ma powodu do wojowania z córeczką, bo lubi ona grać w piłkę nożną, albo z synkiem interesującym się domkiem dla lalek swej siostry. Jest to normalne rozszerzenie sfery zainteresowań na różne typy zabawek.

• **Dawaj dobry przykład.** Ponieważ dziecko znajduje się pod wielkim wpływem twoich postaw i zachowań, staraj się sprawić, by w waszej

Badania wykazały, że dziewczynki zaczynają zazwyczaj zachowywać się inaczej od momentu, kiedy w tym samym pomieszczeniu pojawiają się chłopcy, np. stają się mniej otwarte, rozmawiają cichszym głosem i skracają dystans między sobą, są bliżej siebie.

rodzinie podział uciążliwych obowiązków domowych nie był uzależniony od płci. To poszerzy spojrzenie malucha na wiele spraw.

Napady złości

Słownik określa napady złości jako „wybuch złego humoru lub rozdrażnienia", a wiadomo, że taki wybuch może przydarzyć się każdemu, bez względu na wiek. Jednakże, kiedy większość ludzi mówi o napadach złości, ma na myśli coś bardzo specyficznego, a mianowicie gwałtowny napad złego humoru, demonstrowany przez małe dzieci. Ten typ zachowania występuje zazwyczaj u dzieci w wieku od 18 miesięcy do 3 lat, jest też jeszcze bardzo częsty u maluchów do 5. lub 6. roku życia, później – jak powszechnie się mniema – nie jest już tak częsty i stopniowo zanika.

Chłopcy bardziej niesforni?

Wydaje się, że chłopcy często prezentują typ zachowania, który rodzice uważają za trudny, a psychologowie nazywają zachowaniem „uzewnętrzniającym". Wiąże się on z uzewnętrznianiem się, natomiast z punktu widzenia rodzica jedynie z kłopotami. Takie zachowanie zawiera elementy agresji, nieposłuszeństwa i nadmiernie żywiołowej aktywności fizycznej. Nie musi ono jednak w pełni i rzeczywiście zależeć od różnicy płci. Mogą mieć na nie wpływ także i rodzice przez właściwy sobie sposób rozumienia tego, co jest „męskie", np. przez zachęcanie synów do bardziej żywiołowych zabaw.

Co jest typowe?

Nie wszystkie małe dzieci mają napady złości, ale życie z niektórymi może przypominać prawdziwą wojnę – „Nie, nie, nie!", „Nie zrobię tego!", „To moje!", „Nie zmusisz mnie!". Toczone bitwy mają też taką właściwość, że zwykle spokojny, zdrowy, dorosły człowiek ma ochotę nagle sam zamienić się w takiego wściekającego się dwulatka. Uświadomienie sobie, że własne dziecko jest zdecydowane wdać się z nimi w prawdziwy konflikt charakterów, może być dla rodziców przykrym doznaniem. Każdy rodzic, który kiedykolwiek dał się nieopatrznie wciągnąć w walkę ze swoim dwuletnim – uparcie dążącym do wygranej – maluchem, doskonale wie jak może być ona trudna.

Znany jest dość oczywisty, ale czasami zapominany truizm, że dziecko nie miewa napadów złości wówczas, kiedy jest samo. Prawdziwie pełny zaangażowania napad złości wymaga widowni. Jest on niemal zawsze demonstrowane wobec ciebie lub kogoś bardzo dobrze dziecku znanego. Pojawienie się napadu złości wymaga obecności dwóch osób.

Każde małe dziecko, od co najmniej 18 miesiąca życia do 3 lat i więcej, będzie się buntowało przeciwko autorytetowi rodziców i manifestowało swoją indywidualność. Jest to absolutnie normalna cecha tego wieku, jako że takie dziecko stale próbuje odkrywać i dowiadywać się, gdzie znajdują się poszczególne granice. Twoje dziecko niemal zmuszone jest do okazywania pewnej gamy trudnych zachowań, takich jak: upór,

Powyżej: Jeśli odpowiednio pokieruje się dzieckiem, zwykle przestaje ono mieć częste napady złości, kiedy osiągnie wiek trzech lub czterech lat.

nieposłuszeństwo (lub to, co nazywane jest przez psychologów „opozycyjnością"), ponieważ rozwija ono właśnie swoją niezależność i autonomię. Napady złości są także normalnym sposobem dawania upustu uczuciom, które stają się wręcz nieodparte. Dziecko w tym wieku będzie okazywało niektóre lub wszystkie formy następujących zachowań:

- niezadowolenie z wszelkich form kontroli
- dążenie do niezależności, stawianie większej ilości żądań i większe nieposłuszeństwo
- wahanie się pomiędzy niezależnością a niesamodzielnością
- pragnienie lub próby kierowania tobą, poprzez wydawanie poleceń, np.: „Siadaj tutaj" albo „Nie dotykaj"
- ogólnie rzecz biorąc – wpadanie w złość.

Napady złości – 10 faktów

1. **Choć złość dziecka jest tym rodzajem emocji,** który najbardziej rzuca się w oczy rodzicom, to jednak napad złości prawie zawsze łączy się u dziecka z innym uczuciem, takim jak frustracja lub panika.
2. **Napady złości są prawie zawsze demonstrowane wobec rodzica albo innej dobrze znanej osoby.**
3. **Pewną rolę odgrywa tu temperament.** Występowanie napadów złości jest bardziej prawdopodobne u dziecka aktywnego i upartego.
4. **Według niektórych ocen co piąty dwulatek miewa co najmniej dwa napady złości dziennie** – ale pamiętaj, że to oznacza, iż czworo z pięciorga dzieci takich napadów nie ma.
5. **Jeżeli rodzice od początku radzą sobie skutecznie z napadami, to zwykle z czasem stają się one coraz rzadsze.** Najgorsze mijają zazwyczaj w wieku trzech lub czterech lat.
6. **Napady złości często pojawiają się wtedy, kiedy uczucia dziecka wymykają się spod kontroli.**
7. **Około trzech czwartych wszystkich napadów złości zdarza się w domu,** ale najgorsze z nich wydają się specjalnie rezerwowane dla miejsc publicznych, co zapewnia dziecku maksimum powszechnej uwagi.
8. **Do najczęstszych form zachowania się dziecka w napadzie złości należą: krzyki, wrzaski, płacz, uderzanie, kopanie, usztywnianie kończyn, wyginanie grzbietu w łuk, padanie na podłogę i uciekanie.**
9. **W naprawdę ciężkich napadach złości dziecko może sinieć na twarzy, wymiotować, a nawet zatrzymywać oddech tak, że niemal traci przytomność.** Siła naturalnych odruchów obronnych spowoduje jednak, że dziecko zacznie ponownie oddychać, zanim poniesie jakąkolwiek szkodę.
10. **Większość napadów złości stanowi wyraz utraty panowania jako odpowiedź na uczucie frustracji, bezradności i gniewu.** Pojawia się, ponieważ dziecku brakuje umiejętności niezbędnych do radzenia sobie z tymi uczuciami.

Przyczyny napadów złości

Są takie elementy, które mogą wyzwolić napad złości u niemal każdego dziecka, niezależnie od jego charakteru. Poniżej wymieniono najczęściej spotykane okoliczności wraz z sugestiami co do sposobów unikania takich napadów – jeśli to tylko jest możliwe.

Rozproszenie uwagi

Istnieje kilka sposobów postępowania, które możesz wykorzystać w celu rozproszenia uwagi dziecka przed napadem złości lub w czasie jego trwania.

- **Odwrócenie uwagi.** Jeśli nawet sądzisz, że oto zaczyna zanosić się na napad furii, często jest jeszcze czas na odwrócenie uwagi twego dziecka. Szybkie wprowadzenie do akcji nowej zabawki lub wskazanie czegoś, co właśnie dzieje się za oknem: „Chyba słyszę, jak nadjeżdża autobus? Też go słyszysz?". Może to odpowiednio zadziałać szczególnie w przypadku mniejszych dzieci, ale te w wieku trzech lub więcej lat mogą już umieć przejrzeć taki chwyt i nie dadzą się łatwo nabrać.
- **Coś w zastępstwie.** Jeżeli szybko zaoferujesz dziecku zabawkę, może ono chętnie oddać potrzebne ci klucze. Innym przykładem może być zaproponowanie dziecku kartek papieru, kiedy próbuje ono malować na ścianach.
- **Odkrycie prawidłowości.** Jeżeli twoje dziecko ma bardzo częste napady złości, pomóc może sporządzanie dokładnych notatek na temat wydarzeń poprzedzających i okoliczności, w których rozpoczął się napad złości, np. jeżeli często następuje on wtedy, kiedy przygotowujesz obiad, pozwól mu pomagać w nakrywaniu do stołu lub, zanim jeszcze zaczniesz przyrządzać posiłek, zaproponuj mu jakąś zabawkę lub grę, którą będzie mogło się zająć, będąc blisko ciebie.

Częste przyczyny

Element wyzwalający

Próby ściągnięcia uwagi

Pragnienie czegoś, czego nie może otrzymać

Pragnienie udowodnienia swojej niezależności

Wewnętrzna frustracja z powodu własnych ograniczonych możliwości w osiągnięciu zamierzonego celu

Zazdrość

Stawianie wyzwania twemu autorytetowi

Zwykła krnąbrność

Objawy	Rozwiązanie
Złość rzadko jest demonstrowana, by manipulować rodzicami. Jeżeli jednak takie wzburzenie sprawia, że obdarowujemy dziecko mnóstwem uwagi, to dla takiej nagrody może zechce ono wkrótce przygotować następny pokaz złości.	**Kiedy twoje dziecko ma napad złości, staraj się nie reagować nadmiernie i nie robić z tego wielkiej sprawy.** Działaj spokojnie, nawet jeżeli wcale tak się nie czujesz.
Twoje dziecko może uparcie domagać się lodów na śniadanie lub tego, byś je natychmiast przytuliła, kiedy ty np. właśnie przygotowujesz posiłek.	**Bądź konsekwentna i stanowcza, kiedy mówisz „Nie".** Jeżeli chcesz zmniejszyć negatywne nastawienie dziecka, powiedz np.: „Możesz zjeść lody później" zamiast: „Nie. Nie dostaniesz ich".
Dziecko żąda założenia jakiegoś szczególnie nieodpowiedniego elementu garderoby, np. koszulki z krótkimi rękawkami w mroźny dzień, lub odmawia zjedzenia posiłku, który dla niego przygotowałaś.	**Kiedy tylko możesz, pozwalaj mu wybierać to, co ma nosić lub jeść, albo to, czym ma się bawić.** Zapytaj: „Czy do herbaty chcesz mieć grzankę z paluszkami rybnymi czy z fasolką?" albo: „Czy wyjmujemy twoje klocki czy samochodziki?"
Dziecko będzie zdecydowanie chciało robić wszystko samodzielnie, np. ubierać się lub znaleźć właściwe elementy układanki, jednak odkryje tylko, że utknęło w miejscu, zaplątawszy się w połowie drogi.	**Miej dziecko na oku, by móc wychwycić wszelkie sygnały, że zaczyna ono być sfrustrowane.** Daj mu trochę czasu na samodzielne rozwiązanie problemu, ale wkrocz z pomocą, zanim dziecko straci panowanie nad sobą.
Zazdrość jest często skierowana w stosunku do brata, siostry lub innego dziecka. Twoje dziecko będzie domagało się zabawki, którą mają tamte dzieci, lub książeczki, którą właśnie czytają.	**Zachęcaj dziecko do korzystania z tych przedmiotów,** kiedy przyjdzie jego kolej, lub staraj się odwrócić jego uwagę jakąś inną zabawką.
Dziecko może nagle odrzucić ustalony już porządek wieczornego chodzenia spać albo pewnego ranka odmówić pójścia do przedszkola, choć to nawet lubi.	**Pozostaw dziecku trochę czasu i zacznij mu dawać odpowiednie sygnały przed podjęciem nowych działań.** Powiedz mu np.: „Twoja kąpiel będzie gotowa za 5 minut" albo: „Za 10 minut będziemy musieli odłożyć zabawki, by pójść do przedszkola". Zegar pomoże mu zrozumieć, że nie dajesz mu znów następnych rozkazów, tylko jest to zwykła część jego codziennego porządku dnia.
Wydaje się, że dziecko ma napad złości bez istotnej przyczyny.	**Staraj się jednak określić dokładnie ewentualną przyczynę napadu złości i daj dziecku szansę lepszego panowania nad sobą.** Na przykład, jeżeli nie cierpi być zmuszane do siedzenia w swoim wózku spacerowym, kiedy jesteście wewnątrz sklepu, pozwól, by trzymając cię za rękę, szło obok.

Napady złości
Częste problemy

P.: Oboje z mężem sprzeczaliśmy się ostatnio więcej niż zwykle i w tym czasie nasiliły się napady złości naszej małej córeczki. Czy to jedynie zbieg okoliczności?

O.: Nie. Sposób, w jaki wy się zachowujecie, stanowi dla waszego dziecka najłatwiej dostępny przykład. Jeżeli widzi ono, jak wy wpadacie w szał lub wykrzykujecie coś z frustracją już przy niewielkich niepowodzeniach, trudniej jest mu uczyć się panowania nad sobą. Nie możesz oczekiwać od dziecka spokojnego zachowania, jeżeli sama dajesz mu zły przykład.

P.: Doceniam to, że moje dziecko pragnie zaznaczać swoją niezależność i jest bardziej zdecydowane, by próbować robić wszystko samodzielnie, ale nie zawsze jest czas na to, by samo zakładało sobie buciki przed naszym wyjściem z domu. Jak mogę do tego przekonać dziecko?

O.: Jeżeli tylko możesz, pozwól mu, by spróbowało chociaż przez parę minut. Pogódź się z jego gniewnymi uczuciami, które nieuchronnie będą w nim narastać, kiedy będziesz musiała przejąć tę czynność. Spodziewaj się, że dziecko będzie się złościć, ale sama pozostań spokojna i próbuj je pocieszyć, że będzie jeszcze wiele możliwości, by samo to zrobiło. Zawsze staraj się znaleźć dla niego spokojniejszą chwilę, by mogło poćwiczyć swoje umiejętności i chwal je często za jego wysiłki.

P.: Każdego ranka walczę z moim dzieckiem o to, co powinno ubrać. Nie zawsze wybiera ono odpowiednią odzież. Przekonuję się często, że muszę zmuszać je do nałożenia pewnych rzeczy wbrew jego woli. Co zrobić w tej sytuacji?

O.: Jest prawdą, że małe dzieci wybierają przede wszystkim to, co lubią, albo to wszystko, co przyciągnie ich uwagę – niekoniecznie to, co jest odpowiednie. Zadaj sobie sama pytanie, czy w tym konkretnym przypadku jest naprawdę tak ważne, co dziecko założy na siebie. Może w niektórych sytuacjach mogłabyś być bardziej tolerancyjna. Ułatwisz sobie życie, kiedy będziesz proponowała dziecku do wyboru to, co jest odpowiednie na daną pogodę czy okazję, a wszystko inne będziesz trzymała daleko poza zasięgiem jego wzroku.

P.: Są takie chwile, kiedy napady złości mojego dziecka wytrącają mnie z równowagi. Czuję, że staję się coraz bardziej rozgniewana, brak mi sił, by się opanować. Naprawdę nie chcę zachowywać się ani irracjonalnie, ani przekrzykiwać moje rozwrzeszczane dziecko, ale cóż innego mogę uczynić?

O.: W sytuacji, w której naprawdę czujesz, że tracisz nad sobą kontrolę, będzie może lepiej, jak wyjdziesz do drugiego pokoju i dasz sobie trochę czasu na ochłonięcie. Powiedz swemu dziecku, że to właśnie teraz zrobisz i że wkrótce wrócisz, żeby się nim nadal zajmować. Jest to lepsze niż utrata panowania nad sobą, wykrzykiwania i pogarszania już wystarczająco złej atmosfery. Ewentualnie możesz spróbować umieścić dziecko w innym pokoju, aż ono ochłonie. To drugie rozwiązanie nie zawsze jest praktyczne w przypadku bardzo małych dzieci, które nie będą w stanie lub nie będą chciały podporządkować się temu pomysłowi – jeżeli dziecko będzie do tego zmuszane, przypuszczalnie jeszcze bardziej rozpali to jego złość.

Wychowanie pozytywne **Humor sprzymierzeńcem**

P.: Reaguję często w sprzeczny sposób na napady złości mojego dziecka. Choć chcę, żeby zachowywało się odpowiednio i nauczyło się tego, że nie zawsze może postępować po swojemu, czasami czuję, że przesadzam. Poza tym niektóre z tych niesfornych zachowań tak naprawdę są całkiem zabawne. Czy źle robię, dostrzegając od czasu do czasu ich zabawną stronę?

O.: O dziwo, śmiech może oddziaływać szczególnie korzystnie na dyscyplinę dziecka i może być wykorzystywany dla rozładowania delikatnych sytuacji. Rzeczywiście, śmiech jest wszędzie mile widziany. Wszelkie badania jednoznacznie wykazały, że działa korzystnie na całą rodzinę. Śmiech obniża ciśnienie krwi, redukuje stres, podnosi na duchu i uwalnia wywołujące dobre samopoczucie endorfiny, zwane „hormonami szczęścia". Kiedy śmiejesz się – nawet wtedy, gdy nie czujesz się zbyt wesoła – możesz pobudzić organizm do uwalniania endorfin, a w efekcie polepszyć samopoczucie!

Sposoby postępowania

• **Jeżeli twoje dziecko zdecydowanie odmawia założenia bucików i kurtki,** nawet kiedy pada deszcz, powiedz: „Dobrze, więc ja będę je musiała założyć zamiast ciebie i to mnie będzie miło i sucho", a następnie zrób wielkie przedstawienie z wciskaniem twoich stóp w jego buciki, a rąk w rękawy jego kurtki.

• **Udawanie, że to ulubiona zabawka twojego dziecka pragnie, by ono coś zrobiło,** może czasami ułatwić przekonanie malucha do wykonania danej czynności.

• **Używanie zabawnej piosenki jako prośby o coś często pomaga rozbawić dziecko na tak długo, by się na to coś zgodziło:** śpiewaj na przykład: „Jureczku, Jureczku, czy wygodnie ci w tym paseczku", kiedy w samochodzie przypinasz synka pasem do fotelika.

• **Udawanie, że chcesz zjeść posiłek swego dziecka, może także być skuteczne.** Kiedy mówisz: „To mój makaron. Chcę go zjeść. To mamy ulubiony makaron", wiedz, że działa to znacznie skuteczniej niż wszelkie naleganie, by dziecko ten makaron zjadło.

• **Skuteczne są nieraz gry „na niby".** Jeżeli dziecko nie chce założyć swych sandałków, zamiast zmuszać je do tego i powodować ogromne zamieszanie, udawaj, że jesteś sprzedawczynią butów w sklepie. Poproś dziecko, by wybrało obuwie spośród kilku par ustawionych w rzędzie.

• **Próbuj używać żartobliwych zabaw, by uniknąć konfrontacji.** Jeżeli chcesz, by dziecko posprzątało zabawki, spróbuj powiedzieć: „Założę się, że nie odłożysz do pudełka większej ilości zabawek niż ja. Ścigajmy się". Jeżeli to ma być dobra zabawa, ważne jest, by zawsze pozwolić dziecku zwyciężyć.

Powyżej: Zachowanie spokoju i zaangażowanie uśmiechu dla odwrócenia uwagi może zapobiec wybuchowi złości.

ZŁE ZACHOWANIE

Karanie dziecka

Znalezienie sprawiedliwej, a przy tym skutecznej metody karania dziecka może niekiedy być trudne – szczególnie, jeżeli nadal czujesz gniew.

Powtarzające się złe zachowanie twego dziecka może doprowadzać cię do szału. Nieustanne dotykanie kruchych i delikatnych przedmiotów lub powtarzająca się odmowa pomocy w robieniu porządku mogą stać się przyczyną frustracji i utrapienia. Zawodność stosowanych przez ciebie niewielkich kar może powodować pokusy, by zwiększyć ich wysokość, nasilenie i czas trwania. Jeśli za pierwszym razem ukarałaś swoje dziecko za jego złe zachowanie odmową słodyczy na całe popołudnie, kiedy zachowa się ono źle po raz dziesiąty, czujesz już ochotę ukarania go zakazem spożywania słodyczy na stałe.

Powyżej: Konsekwencja i logika w karaniu powinna pomóc dziecku nauczyć się panować nad sobą.

Jest jednak rzeczą niezmiernie ważną, by kara była proporcjonalna do przewinienia, a nie do stopnia nasilenia twego gniewu. Tak jak dorośli nie są przecież wieszani za złe parkowanie, tak i dziecko nie może być ciężko ukarane za jakieś pomniejsze wykroczenie (nawet jeżeli spowodowało ono twoje zdenerwowanie). Jeżeli istnieje rozbieżność pomiędzy danym złym zachowaniem twego dziecka a stopniem nasilenia twojej reakcji, maluch będzie miał trudności w zrozumieniu twego systemu karania.

Jeżeli jest to tylko możliwe, staraj się dopasować tematycznie rodzaj kary do rodzaju złego zachowania, np. jeżeli dziecko uszkodziło w gniewie zabawkę kolegi, powinno oddać mu jedną ze swych własnych. Jeżeli bez zezwolenia podebrało siostrze słodycze, powinno jej to wynagrodzić, przekazując jej część swoich cukierków. Choć nie zawsze da się osiągnąć takie tematyczne powiązanie, jest to bardzo skuteczny sposób.

Konsekwencja

Oczywiście musisz być bardzo elastyczna, gdy chodzi o ocenę zachowania twego dziecka. Wiele zależy od okoliczności i kontekstu każdego konkretnego wydarzenia. W dodatku od czasu do czasu musisz naginać nieco zasady do sytuacji, może wtedy, kiedy złe zachowanie jest odpowiedzią na prowokację ze strony innego dziecka. Staraj się jednak być konsekwentna w swoim podejściu do problemów karania.

Rodzice często nie mają serca odpowiednio karać swej pociechy za złe zachowanie, więc powtarza je ono już w kilka minut później. To z kolei prowadzi rodziców do zwątpienia w siebie i do nabrania przekonania, że ich system karania jest nieskuteczny. Rozumują w ten sposób: „Gdybyśmy byli skutecznymi rodzicami, dziecko nie zachowywałoby się tak nieodpowiednio". W rezultacie, następnego dnia, kiedy ich dziecko nadal zachowuje się niewłaściwie, próbują innego rodzaju kary. To przerzucanie się z jednego sposobu postępowania na drugi niszczy wszelkie pojęcie konsekwentnego postępowania i zmniejsza jeszcze bardziej potencjalne korzyści zastosowanych metod. Potrzeba czasu, by twój system dyscyplinowania dziecka zadziałał, dlatego utrzymuj go przez dwa do trzech tygodni, zanim stwierdzisz jego nieskuteczność i wycofasz się z niego. Twoja konsekwencja jest elementem zasadniczym w zyskiwaniu przez dziecko umiejętności panowania nad sobą i nie może ono osiągnąć tego celu, jeżeli z dnia na dzień zmieniasz swoje podejście do tych problemów.

Zamiar, a nie rezultat

Zamiar stojący za podjętym przez dziecko działaniem jest ważniejszy niż jego rezultat.

Jest mniejszym przewinieniem, kiedy dziecko przypadkowo upuści na podłogę miseczkę z płatkami na mleku, niż kiedy z rozmysłem rzuci łyżką o ziemię. Natura ludzka jest jednak taka, że możesz pod wpływem impulsu ukarać dziecko za sam rezultat. Rozważ więc motywy działania dziecka i twój odbiór jego zachowania. Weź wszystko pod uwagę, zanim zdecydujesz się zareagować.

Dobre zachowanie – pięć kroków

1. **By ułatwić sobie życie, sporządź listę kar** za najczęstsze formy złego zachowania, np. uderzenie młodszego brata oznacza pójście spać tego samego wieczoru o 10 minut wcześniej.

2. **Wysłuchuj wyjaśnień.** Dziecko może mieć znakomite wytłumaczenie swego działania, nawet jeżeli tobie nie podoba się jego zachowanie.

3. **Wszelkie konfrontacje kończ szybko.** Jeżeli incydent ze złym zachowaniem zakończył się, już do niego nie wracaj. Staraj się pozytywne patrzeć w przyszłość.

4. **Ucz się od innych rodziców.** Każdy rodzic używa swego własnego systemu kar. Rozmawiając ze swymi przyjaciółmi o ich podejściu do tej kwestii, możesz dowiedzieć się o innych możliwościach dyscyplinowania dziecka.

5. **Sprawdzaj stopień zrozumienia u dziecka.** Kiedy epizod z karaniem zakończył się, porozmawiaj z dzieckiem, by upewnić się, że zdaje sobie ono sprawę z tego, że cały incydent jest zakończony. Przywróć pozytywną atmosferę.

Rodzeństwo
Nowo narodzony

Cóż to za cudowny moment, kiedy wracasz do domu ze swym zdrowym i bezpiecznym nowo narodzonym dzieckiem. Teraz będziecie już żyli dalej jako rodzina z dwojgiem dzieci. Jednak może być różnie: twoje starsze dziecko nie jest przyzwyczajone do dzielenia się tobą z noworodkiem. Wszystko, czego potrzeba dla wytworzenia tej podstawowej życiowo więzi pomiędzy twym starszym a nowo urodzonym dzieckiem, to chwila refleksji, wrażliwość i ustalony plan działania – i to jak tylko wrócisz z noworodkiem do domu.

Możesz pomóc swemu starszemu dziecku w następujący sposób:

• Wytłumacz mu, że je kochasz i będziesz je kochała stale tak bardzo, jak to było dotychczas. Zapewnij, że także to nowe dziecko będzie je kochało.

• Odpowiedz na wszystkie jego pytania otwarcie i uczciwie.

• Zaangażuj je emocjonalnie w przebieg swej ciąży, np. pozwól mu, by poczuło ruchy dziecka w twoim brzuchu i mogło głęboko odczuwać choć część tego ważnego rodzinnego wydarzenia.

• Pamiętaj, że twoje pierwsze dziecko musi czuć się kochane i doceniane właśnie i szczególnie wtedy, kiedy to noworodek jest w centrum rodzinnego zainteresowania.

• Staraj się znaleźć codziennie czas wyłącznie dla swego pierworodnego, by przypomnieć mu, że kochasz go tak bardzo jak zawsze.

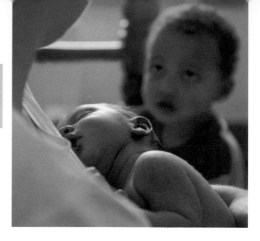

Powyżej: Pojawienie się nowego rodzeństwa może spowodować, że starsze dziecko odczuje niepewność i zazdrość.

Trzy kroki ku harmonii

1. **Zachęcaj odwiedzających do przynoszenia drobnego upominku dla twego starszego dziecka** i upewnij się, że wszyscy goście najpierw spędzają po kilka minut na pogawędce z twoim starszym dzieckiem, zanim ruszą tłumnie na spotkanie z noworodkiem. Takie gesty powodują u starszego dziecka przekonanie, że odnosi ono także korzyści z obecności swej młodszej siostrzyczki, a także ta mała istota nie jest jedyną, której poświęca się uwagę.

2. **Pamiętaj, że to nowe dziecko należy także do niego, starszego.** Na tym wczesnym etapie za wszystkimi mieszanymi emocjami starszego dziecka kryje się fakt, że jest ono jednak bardzo dumne z tego nowo narodzonego i chce pochwalić się nim przed wszystkimi, którzy tylko zechcą posłuchać. Nie ma powodu, dla którego dziecko nawet dwu- lub trzyletnie nie mogłoby poprowadzić krewnych i przyjaciół do łóżeczka noworodka. To sprawi, że starsze dziecko będzie się czuło kimś bardzo ważnym.

3. **Staraj się za wszelką cenę nie okazywać niecierpliwości czy irytacji swemu starszemu dziecku,** choć możesz się jeszcze czuć wyczerpana i obciążona. Twoje starsze dziecko będzie cię bacznie obserwowało, szukając oznak, że nowe dziecko wprowadza jakieś zakłócenia w życie rodzinne. Pewność siebie starszego dziecka jest niewątpliwie zachwiana po twoim powrocie ze szpitala do domu. Jeżeli zobaczy ono, że ty jesteś rozluźniona i odprężona, ono samo poczuje się podobnie.

Rodzeństwo
Częste problemy

P.: Mój dwulatek wydaje się bardzo kochać nowo narodzone dziecko, ale przytula je do siebie z takim entuzjazmem, że za każdym razem wybucha ono płaczem. Jak mogę zachęcić go, by był bardziej delikatny?

O.: Mieszane emocje – tkliwość, ale i obawa – odczuwane przez twego dwulatka znajdują swoje odbicie w sposobie przytulania, tak w rzeczywistości uciążliwym i przykrym dla maleństwa. Obserwuj starsze dziecko uważnie w tych chwilach i przypominaj mu, żeby był delikatny. Nie szczędź mu pochwał, kiedy odnosi się do maleństwa właściwie.

P.: W momencie, kiedy zaczynam kąpać trzymiesięcznego niemowlaka, mój dwulatek zaczyna tarzać się po podłodze i biadolić. Jak powinnam zareagować?

O.: Zanim zaczniesz kąpać niemowlę, upewnij się, że twoje starsze dziecko ma jakieś zajęcie. Zainteresuj je grą lub zabawką, albo pozwól mu pozostać blisko ciebie, by mogło obserwować, jak kąpiesz jego młodszą siostrzyczkę. Jeżeli starsze dziecko będzie w tym czasie czymś zajęte, jest mniej prawdopodobne, by miało ochotę na zwracanie na siebie twojej uwagi.

P.: Wydaje się, że mój dwulatek od czasu narodzin swej młodszej siostrzyczki stał się wyciszony i jakby zmartwiony. On się nie przyznaje do tego, ale ja sądzę, że żywi do niej urazę za to, że wtargnęła w jego świat. Co mogę zrobić, by ją zaakceptował?

O.: Zachęcaj go do codziennego spędzania kilku minut na zabawie z młodszą siostrzyczką. Powiedz mu, że ona go kocha albo że jest dumna z tego, jak pięknie koloruje on swoje obrazki lub buduje z klocków wieże. On bardzo chce, żeby jego młodsza siostrzyczka podziwiała go.

P.: Nasz trzyletni maluch, choć załatwia się do nocnika i nie moczy się w czasie dnia, zaczął się moczyć wkrótce po tym, jak urodziło się nasze drugie dziecko. Czy jest to normalne?

O.: Tak, to jest całkowicie normalne. Dziecko powraca do swego wcześniejszego zachowania, ponieważ czuje się niepewnie. Nie denerwuj się na nie za to, że się moczy. Zamiast tego, nie szczędź mu uścisków i serdecznych przytuleń. Postaraj się o to, by każdego dnia mieć czas przeznaczony tylko dla niego.

P.: Od czasu narodzin drugiego dziecka nasz czterolatek bardzo stara się zwrócić na siebie uwagę. Czy w tym wieku taka sytuacja może go tak poruszyć? Nie powinien już mieć tego etapu za sobą?

O.: Każde dziecko jest inne. Choć twój czterolatek może już być dojrzały, na wielu płaszczyznach pozostaje jeszcze uczuciowo bardzo wrażliwy, a fakt, że zaczął starać się zwrócić na siebie uwagę, jest tego dowodem. Bardzo prawdopodobne, że narodziny jego małego braciszka czy siostrzyczki spowodowały, że poczuł się on teraz niepewnie. Powinnaś także sprawdzić, czy nie istnieją w jego przypadku jakieś inne przyczyny stresu, np. mógł on pokłócić się ze swym najlepszym kolegą.

Rodzeństwo
Rywalizacja

Zazdrość – źródło zjawiska rywalizacji pomiędzy rodzeństwem – zwykle sięga pierwszych pięciu lat życia. Kiedy pierworodne dziecko zostaje strącone ze swojego piedestału przez pojawienie się nowo narodzonego dziecka, rodzą się wówczas często do niego pretensje i zazdrość. Przed pojawieniem się noworodka twoje starsze dziecko miało ciebie tylko dla siebie, a teraz przekonuje się, że temu nowemu poświęcasz bardzo wiele czasu i uwagi.

Twoje starsze dziecko może na wiele sposobów okazywać swoją zazdrość o brata czy siostrzyczkę. Dwulatek może od czasu pojawienia się nowego dziecka stać się kapryśny, zaś trzylatek skarżyć się, że jego mały braciszek ciągle bawi się jego zabawkami. Zjawisko rywalizacji pomiędzy rodzeństwem nie jest ograniczone jedynie do pierworodnego. Badania dowodzą, że dzieci urodzone jako drugie lub trzecie mogą żywić urazę do pojawiającego się nowego dziecka, choć przecież są przyzwyczajone do wspólnego życia z rodzeństwem. Młodsze dzieci mogą być zazdrosne o starsze rodzeństwo, co może mieć na przykład miejsce, kiedy twoje półtoraroczne dziecko wybucha płaczem, widząc, jak przytulasz jego starszą siostrę, bo chce ono całej twej miłości tylko dla siebie.

Jeżeli twoje dziecko ma około dwóch lat, kiedy urodziło się właśnie drugie, to będzie ono przypuszczalnie wyrażało swoją zazdrość,

Rywalizacja – pięć faktów

1. **Każde dziecko w zależności od okoliczności może odczuwać zazdrość wobec swego brata lub siostry** – nawet twój dobroduszny synek czy córeczka mogą od czasu do czasu mieć negatywne uczucia wobec swoich braci czy sióstr.
2. **Rywalizacja pomiędzy rodzeństwem jest zwykle najmocniejsza, kiedy najmłodsze dziecko ma trzy lub cztery lata.** To może oznaczać, że jeśli masz dzieci w wieku, powiedzmy: trzech i pięciu lat, możesz zostać wciągnięta w łagodzenie częstych bójek.
3. **Bójki są częstsze od utarczek słownych,** kiedy jedno z dzieci liczy około dwóch do trzech lat. Na tym etapie rozwoju dziecko zazwyczaj bardzo szybko przechodzi do fizycznej agresji wobec swego rodzeństwa.
4. **Jeżeli rodzeństwo w wieku trzech lub czterech lat sprzecza się ze sobą, spór ten obraca się zwykle wokół jakiejś gry lub zabawki.** Obydwoje chcą bawić się tym samym i w tym samym czasie.
5. **Każde dziecko jest inne.** Możesz mieć jedno dziecko, które jest krańcowo pasywne i gotowe na to, by pozwolić swej siostrzyczce zrobić wszystko to, czego ona sobie życzy, podczas gdy twoje drugie dziecko może być gotowe rzucić się na swoją siostrę za każdym razem, kiedy zrobi ona coś, co mu się nie podoba.

raczej uderzając swojego małego braciszka lub siostrzyczkę, aniżeli skarżąc się tobie. Na szczęście taki sposób postępowania zmieni się, kiedy dziecko będzie już starsze.

Zachowanie się rodzeństwa

Różnica wieku (w latach)	Przypuszczalne zachowanie się
mniej niż 2 lata	• Istnieje duże prawdopodobieństwo, że twoje dzieci będą wyrastać na dobrych przyjaciół, szczególnie kiedy młodsze dziecko osiągnie wiek szkolny. • Ponieważ twoje pierwsze dziecko jest jeszcze zupełnie małe, kiedy rodzi się drugie, przypuszczalnie nie będzie ono czuło się zagrożone przez tego nowego przybysza.
2–4 lata	• Zwiększone u starszego dziecka możliwości pojmowania oznaczają większe prawdopodobieństwo, że będzie ono poirytowane nowym dzieckiem, więc też rywalizacja między rodzeństwem może być silniejsza. • Kiedy karmisz swe niemowlę, twój pierworodny może czuć się zazdrosny, widząc waszą fizyczną bliskość. • Rozkład dnia twego pierworodnego jest inny niż rozkład dnia niemowlęcia, ponieważ chodzi spać później i ma swych własnych kolegów. Powoduje to, że czuje się on jak prawdziwy „starszy brat”.
4 lata i więcej	• Możesz wiele czasu spędzać ze swym nowo narodzonym dzieckiem, bo twój starszy malec jest przez cały dzień w przedszkolu (lub w szkole) i to przez cały tydzień. • Twoje starsze dziecko może po zajęciach szkolnych (przedszkolnych) kontynuować swoje codzienne działania i to niezależnie od bieżących potrzeb swego młodszego braciszka czy siostrzyczki. Można na przykład umówić się z rodzicami jego kolegów, że będą go podwozili. • Twoje starsze dziecko będzie prawdopodobnie chciało pochwalić się tym waszym nowym członkiem rodzinny przed kolegami z klasy lub przed nauczycielem.

Rodzeństwo: znaczenie wieku

Różnica wieku pomiędzy twoim pierwszym a drugim dzieckiem ma wpływ na ich wzajemne relacje, a wyniki badań psychologicznych zwracają uwagę na najczęstsze efekty tej różnicy. W większości przypadków problemy pojawiają się wówczas, kiedy różnica wieku rodzeństwa wynosi od dwóch do czterech lat. Zwykle dwulatek chce wszystko mieć na swój sposób i oczekuje, że cały świat będzie się kręcił tylko wokół niego. Z tego punktu widzenia staje się zrozumiałe, że może być on zdenerwowany pojawieniem się nowo narodzonego dziecka, które potrzebuje wiele uwagi.

Powyżej: Dziecko w wieku dwóch lub trzech lat może okazywać swą zazdrość, uderzając swoją siostrzyczkę lub braciszka.

Rodzeństwo
Starsze rodzeństwo

Nierzadko rywalizacja między rodzeństwem nasila się, kiedy młodsze dziecko zaczyna chodzić, ponieważ wówczas zaczyna ono mieć rzeczywisty wpływ na życie starszego rodzeństwa. Może zabierać im bez pytania zabawki lub nieproszone podążać w ślad za nimi. Na tym etapie życia rodzinnego rywalizacja pomiędzy rodzeństwem pojawia się nie tylko z powodu tego, że zarówno twój czas, uwaga, jak i pieniądze poświęcane dzieciom są ograniczone, ale także dlatego, że każde dziecko odczuwa istotną potrzebę psychiczną umacniania swej własnej, niepowtarzalnej tożsamości.

Twój pięciolatek, dla przykładu, ma własne grono kolegów, z którymi bawi się w ich gry i ich zestawami zabawek. Ma on również własne upodobania muzyczne, ulubione książeczki i opowiadania, a także wybrane programy telewizyjne, które ogląda. Obecność dwuletniego braciszka może powodować u pięciolatka uczucie zagrożenia. Może on nawet uwielbiać małego braciszka, ale nie chce się wszystkim z nim dzielić, ponieważ to zaciera jego własną tożsamość. To jest przyczyna, dla której słyszysz taką skargę: „Powiedz mu, żeby przestał ruszać moje rzeczy".

Pięć kroków ku kontroli nad rywalizacją

1. **Traktuj ich skargi poważnie.** Wysłuchuj uważnie dzieci, kiedy wyrażają wzajemne żale na swój temat. Tobie mogą się one wydawać bardzo błahe, ale dla twoich dzieci są bardzo poważne. Potrzebują one, abyś udzieliła im porady.
2. **Kupuj im takie gry, które wymagają ich współdziałania.** Choć różnice wiekowe pomiędzy twoimi dziećmi mogą sięgać paru lat, staraj się znaleźć taką grę, w którą mogą grać wspólnie, np. piłkę nożną czy jakąś prostą grę w karty. Współpraca przy grze łagodzi napięcie.
3. **Urządzajcie rodzinne wyjścia z domu.** Takie wspólne wycieczki z udziałem małych dzieci poniżej piątego roku życia mogą być dla wszystkich bardzo stresujące, ale mogą też stać się okazją do świetnej zabawy. Wspólne spędzanie czasu umacnia wzajemne więzi pomiędzy rodzeństwem.
4. **Zachęcaj też dzieci do przebywania w odrębnych grupkach przyjaciół.** Starsze maluchy z pewnością nie będą ci wdzięczne, jeśli będziesz nalegać, aby zabrały młodszego braciszka czy siostrzyczkę ze sobą – zresztą młodsze rodzeństwo też nie będzie zachwycone tym pomysłem.
5. **Uznawaj indywidualną tożsamość każdego z dzieci.** Mają one wiele ze sobą wspólnego i cudownie jest, kiedy wykazują jakieś wspólne zainteresowania, ale wspieraj i ochraniaj także ich indywidualne upodobania – to zmniejszy stopień ich wzajemnego współzawodnictwa.

Rodzeństwo
Częste problemy

P.: Mój pięciolatek dzieli pokój ze swoją trzyletnią siostrzyczką, ale skarży się stale, że ona bawi się na jego połowie i jego zabawkami. Jak mogę przekonać moją córeczkę, żeby zostawiła jego rzeczy w spokoju?

O.: Twoje dziecko określiło częściowo swoją postawę pod względem jego prywatnego terytorium i swej prywatnej własności i życzy sobie, żeby to było uznawane. Ma żal do młodszej siostrzyczki o jej brak poszanowania tej prywatności. Wyjaśnij swojej trzylatce zasadę proszenia brata o pozwolenie przed użyciem jego zabawek. Zapytaj ją, jak czułaby się sama, gdyby to on bawił się stale jej rzeczami. Zachęcaj też ich oboje do tego, by dzielili się zabawkami albo korzystali z nich kolejno.

P.: Czy wszyscy rodzice mają dzieci, które nieustannie kłócą się ze sobą, czy to tylko moje są takie?

O.: Rywalizacja pomiędzy rodzeństwem jest w rodzinach zjawiskiem tak częstym, że większość psychologów uważa to za normalne. Twoja rozmowa z przyjaciółmi o ich życiu rodzinnym może ci to potwierdzić. Logika podpowiada, że tam, gdzie istnieje ograniczona ilość czasu i dostępnych środków, dzieci współzawodniczą ze sobą. Każde walczy o swoją część i trudno się dziwić, że prowadzi to do ich wzajemnej zazdrości.

P.: Jak to się dzieje, że ich sprzeczki rozpoczynają się zwykle od błahostek, takich jak spór o to, który·program telewizyjny oglądać, lub w jaką grę się bawić?

O.: Takie sprzeczki pojawiają się tak często, że można by przyjąć je za zwykłe i błahe, ale jednak mają one zazwyczaj swoją głębszą, ukrytą treść.

Na przykład, prawdziwą przyczyną walki twych dzieci między sobą może wcale nie być to, że chcą się one bawić tą samą zabawką w tym samym czasie, ale raczej to, że każde z nich chce zamanifestować swoje prawa terytorialne.

P.: Moje dzieci w ogóle nie kłócą się ze sobą. Czy to oznacza, że tłumią one swe uczucia niechęci wobec rodzeństwa?

O.: Wcale nie. Choć rywalizacja jest zjawiskiem częstym, są takie dzieci, które nigdy nie czują się ani zagrożone, ani rozgniewane działaniami swego rodzeństwa. To są bardzo pozytywne cechy i najwyraźniej twoje dzieci należą do tej właśnie kategorii. Zamiast martwić się tym brakiem wzajemnego ucisku, odpręż się i ciesz się ich bezproblemowymi wzajemnymi relacjami.

Powyżej: Starsze dzieci często z zadowoleniem opiekują się młodszym rodzeństwem.

LĘKI I FOBIE

Pomoc dziecku w radzeniu sobie z nimi

Lęki i fobie mogą stanowić dla niektórych dzieci poważny problem i powinny być traktowane poważnie, a nie obracane w żart.

Kiedy staje się to problemem

Fobia występuje znacznie częściej aniżeli zwykły lęk. Wyniki badań pozwalają na przybliżoną ocenę, że nieco poniżej 5% wszystkich dzieci ma jakąś postać prawdziwej fobii, różniącej się od zwykłego lęku na wiele sposobów:

- **Stopniem ciężkości.** Dziecko z fobią niepokoi się nawet wtedy, kiedy nie ma w jego otoczeniu obiektu lęku; dziecko, które boi się psów, będzie zaniepokojone, słysząc jakieś szczekanie na ulicy, a dziecko z fobią będzie się denerwować i niepokoić już na samą myśl o tych zwierzakach.
- **Uporczywością.** W większości przypadków dziecięce lęki są jedynie krótkotrwałe i często ustępują przy pewnym wsparciu i przemyślanej pomocy, natomiast fobie są bardziej trwałe i utrzymują się zwykle raczej przez lata aniżeli miesiące.
- **Wywieranym wpływem.** Każda postać lęku ma jakiś wpływ na życie dziecka, np. może ono starać się unikać chodzenia na spotkania czy zabawy, bo obawia się spotkać kogoś nowego. Fobia potrafi jednak wywrzeć głębszy wpływ, przykładowo: dziecko nie chce, na wszelki wypadek, w ogóle opuszczać domu, aby nie spotkać jakiegoś nieznajomego dorosłego.

Nie ma chyba dziecka, które by czasami, w pewnych okolicznościach, czegoś się nie bało. W rzeczywistości dzieci mogą lękać się niemal wszystkiego. Na szczęście wszystkie te strachy z dzieciństwa są umiarkowane w swym nasileniu, chwilowe i dość łatwe do opanowania – z odrobiną pomocy i otuchy ze strony rodziców.

Częste lęki

Oczywiście każde dziecko jest inne, ale są pewne, najczęściej występujące lęki, pojawiające się w dzieciństwie.

- **Małe zwierzęta.** Takie zwierzęta, jak owady i chomiki, często budzą u wielu maluchów przerażenie, bowiem poruszają się one w sposób nieprzewidywalny.
- **Ciemności.** Mrok napełnia niektóre dzieci przerażeniem i zaczynają się one bać w momencie wieczornego zgaszenia światła.
- **Koty i psy.** Wspomnienia warczącego psa lub drapiącego kota mogą powodować lęk u dziecka, kiedy tylko zobaczy ono jednego z tych domowych ulubieńców.
- **Brud.** Niektóre dzieci są bardzo schludne i pedantyczne. Widok brudu na rączkach lub ubranku powoduje u nich obawę i zdenerwowanie.
- **Woda.** Nikt nie lubi, kiedy w czasie mycia włosów woda z mydłem dostaje się do oczu,

ale dziecko może obawiać się tego tak bardzo, że krzyczy histerycznie w kąpieli.

- **Uraz.** Choć wiele dzieci należy do bardzo odważnych, zupełnie pozbawionych uczucia strachu, wiele innych obawia się zapoznawać ze wszelkimi nowościami, żeby nie odnieść jakiegoś urazu.

- **Niepowodzenie.** Dziecko może do tego stopnia obawiać się niepowodzenia w jakimś przedsięwzięciu, że woli całkowicie zrezygnować z próbowania czegoś nowego – to chroni je przed źródłem jego obaw.

- **Utrata miłości.** Ty wiesz doskonale, że twoje uczucie do dziecka nie zmniejsza się ani odrobinę wtedy, kiedy się na nie złościsz, ale ono może w takich chwilach bać się, że utraci twoją miłość.

- **Oddzielenie.** Dziecko w wieku trzech lub czterech lat często okazuje prawdziwy strach, kiedy zdaje sobie sprawę, że jego matka za chwilę pozostawi je z inną opiekunką.

Rozpoznawanie oznak strachu

Dzieci mogą okazywać strach na wiele różnych sposobów i właściwe odczytanie zachowania dziecka może być nieraz trudne. Oczywiście, dziecko może ci po prostu powiedzieć: „Nie lubię tego! Boję się tego", ale możesz także przekonać się, że dziecko okazuje swój strach raczej swoim zachowaniem niż słowami. Oznaki strachu nie zawsze są oczywiste i mogą przyjmować którąś z następujących form:

- dziecko mówiące dotychczas płynnie, zaczyna się jąkać
- gwałtownie traci apetyt
- staje się apatyczne i niechętnie bawi się ze swymi kolegami
- staje się niespokojne i zakłóca spokój
- zaczyna obficie się pocić.

Łagodzenie lęku – pięć kroków

1. **Traktuj swoje dziecko poważnie.** Myśl, że boi się jakiegoś owada, może wydać ci się zabawna, ale dla twego dziecka ten lęk jest bardzo realny. Unikaj wyśmiewania jego trwogi – nie można sobie z dziecka żartować na ten temat. Okaż mu pełne zrozumienie i chęć pomocy. Dziecko musi wiedzieć, że może liczyć na twoją pomoc.

2. **Dodaj mu jak najwięcej otuchy.** Zapewniaj wielokrotnie, że nie ma się czego obawiać, że jest całkowicie bezpieczne i że wszystko będzie dobrze. Powtarzaj to tak często, jak potrzeba, aż jego pewność siebie zacznie się umacniać. Takie zachowanie zwiększa jego odporność psychiczną i w końcu zdeterminuje go do pokonania lęku.

3. **Dąż do konfrontacji z lękiem.** Dziecko nie nauczy się pokonywać strachu, dopóki nie spróbuje stawić mu czoła. Upewnij się, czy dziecko nie unika źródła swego strachu. Choć takie unikanie może być początkowo jakimś prostym rozwiązaniem, nigdy nie pomoże ono dziecku w skutecznym zapanowaniu nad swym lękiem.

4. **Ucz je odprężania się.** Kiedy widzisz, że twoje dziecko sztywnieje ze strachu, zachęcaj je do rozluźnienia mięśni rąk i ramion, wyrazu twarzy i do spokojniejszego oddychania – ćwicz to regularnie z dzieckiem w domu. Umiejętność odprężania się pomoże mu opanować lęk.

5. **Razem z dzieckiem stawiaj czoła jego lękom.** Pokaż maluchowi, że może pokonać swój strach, przeżywając wspólnie z tobą to budzące trwogę zdarzenie. To twoja bliskość i zachęta daje dziecku pewność niezbędną np. do wspięcia się na następny szczebel drabinki. Obserwuj, jak dziecko czerpie siły psychiczne z samej tylko twojej obecności przy nim.

Przyuczanie do nocniczka
Kiedy rozpocząć?

Metody przyuczania dziecka do siadania na nocniczku znacznie zmieniły się przez lata. Matki z poprzednich generacji były zachęcane do zaczynania tej nauki nadzwyczaj wcześnie – już od momentu, kiedy dziecko potrafiło siadać, a nawet jeszcze wcześniej. Obecnie podchodzimy o wiele spokojniej do tej nauki. Stało się tak częściowo za sprawą szerszej wiedzy o procesie dziecięcego rozwoju i mechanizmach kontroli przez dziecko funkcji fizjologicznych, a także częściowo dzięki komfortowi, jaki daje stosowanie pieluszek jednorazowego użytku.

Czy chłopcy uczą się wolniej?

Obecne badania potwierdzają, że chłopcy zazwyczaj nieco później od dziewczynek uzyskują kontrolę nad pęcherzem i jelitami. Według amerykańskich badań przeciętny wiek, w którym kończono już naukę siadania na nocniczku wynosił 35 miesięcy u dziewcząt i 39 miesięcy u chłopców. Może tu działać kilka czynników.
- **Układ nerwowy chłopców dojrzewa później.** Dziewczynki mogą już zacząć kontrolować pęcherz moczowy począwszy od 18. miesiąca życia, podczas gdy u chłopców może to nastąpić dopiero po 22. miesiącu życia.
- **Ciągle zazwyczaj to głównie kobiety opiekują się dziećmi,** więc chłopcy nie mają tak często wzoru tej samej płci do naśladowania, jaki mają dziewczynki.
- **Chłopcy wydają się mniej wrażliwi na uczucie wilgoci na skórze.**

Powyżej: Zawsze pochwal dziecko, jeżeli uda mu się prawidłowo posłużyć nocniczkiem.

Czy moje dziecko jest już gotowe?

Gromadzenie się oznak, że twoje dziecko staje się fizycznie, psychicznie i emocjonalnie gotowe do nauki siadania na nocniczku, następuje stopniowo. Dziecko może być już do tego gotowe, jeżeli:
- „Mogę to zrobić" – staje się jego stałą dewizą.
- Ma regularne, dobrze uformowane stolce. Kiedy nadchodzi czas na wypróżnienie, dziecko może zaczerwienić się i mieć bardzo skoncentrowany wyraz twarzy.
- Jest już wystarczająco zręczne, by samodzielnie podnosić i opuszczać majteczki.
- Bardzo intryguje je to, że jego rodzic chodzi do toalety, dlatego naśladuje ono jego czynności.
- Jest na tyle rozwinięte fizycznie, że potrafi swobodnie chodzić i siadać na nocniczku.
- Wie, co to znaczy „siusiu" i „kupka" – może o tym rozmawiać w czasie, kiedy zmieniasz mu pieluszkę.
- Zauważasz, że jego pieluszka pozostaje sucha przez dłuższy czas.
- Dziecko rozumie już to, co do niego mówisz, i potrafi wykonywać proste polecenia.
- Zaczyna okazywać potrzebę pójścia do toalety.
- Staje się nieswoje i narzeka, jak tylko zabrudzi pieluszkę.

Jak przyuczyć dziecko do nocniczka?

Niestety nie można jednoznacznie określić prawidłowej lub nieprawidłowej metody realizacji tego zadania. Istnieją dwa kontrastujące ze sobą podejścia do tej kwestii, które możesz rozważyć. Obydwa są sprawdzone i wypróbowane i obydwa mogą być równie skuteczne. Wybór, który będzie odpowiedni zarówno dla ciebie, jak i dla twego dziecka, zależy w rzeczywistości od typów waszych osobowości i stylu waszego życia.

Metoda pierwsza
Podejście swobodne

Ten sposób podejścia może okazać się przydatny, jeżeli dziecko jest małe albo wówczas, kiedy chcesz kontynuować swój dotychczasowy tryb życia lub bagatelizujesz całą tę ideę uczenia dziecka siadania na nocniczku i nie przejmujesz się zbytnio tym, jak długo cały ten proces potrwa.

Co należy robić?
Rozpoczynaj stopniowo, zdejmując dziecku pieluszkę i codziennie, na krótki czas, sadzając je na nocniku. Może nie siedzieć na nim zbyt długo, więc dla odwrócenia jego uwagi możesz dać mu jakąś książeczkę. Pochwal je, jeżeli zrobi cokolwiek do nocniczka, ale nigdy nie dawaj mu bury, jeżeli mu się to nie uda lub zrobi to niecelnie. Przez kilka następnych tygodni wydłużaj stopniowo czas spędzany przez dziecko bez pieluszki, a następnie zacznij używać majteczek. Jak tylko dziecko pewnie korzysta z nocniczka, a jego pieluszka pozostaje sucha, kiedy jesteś poza domem, możesz odważyć się wyjść z nim z domu bez pieluszki, jedynie w majteczkach.

Zalety
• Dziecko odczuwa o wiele mniejszą presję.
• Nie musisz rezygnować ze swoich codziennych zajęć i nie musisz poświęcać zbyt wiele czasu na przyuczanie dziecka do siadania na nocniczku.

Wady
• Trwa to wszystko dłużej.
• Kiedy są jakieś trudności w dostaniu się do toalety, ma się większą skłonność do pozwalania dziecku, które zgłasza chęć zrobienia siusiu, na zmoczenie pieluszki.

Metoda druga
Kurs intensywny

To podejście będzie ci przydatne, jeżeli twoje dziecko jest nieco starsze i wszystko wskazuje na to, że jest rzeczywiście gotowe do korzystania z nocniczka. Musisz mieć także możliwość zmiany swego trybu życia w sposób, który umożliwi poświęcenie całego tygodnia lub nawet dłuższego czasu na pozostanie w domu i skoncentrowanie się na przyuczaniu dziecka do używania nocniczka.

Co należy robić?
Powinnaś już wcześniej zapoznać dziecko ze sposobem używania nocniczka, a teraz możesz już zacząć używać majteczek – tak jak dla starszych dzieci. Rozstaw w różnych miejscach domu nocniczki i zachęcaj dziecko, by siadało na którymś, jeżeli chce siusiu lub kupkę. Pogratuluj mu w przypadku sukcesu, a wszelkie przypadkowe kałuże usuwaj z uśmiechem. Jeśli macie zamiar wyjść z domu, powiedz dziecku, że przedtem idziesz zrobić siusiu i zachęcaj je, by także usiadło na nocniczku. Zabierz ze sobą nocniczek i dziecięcą odzież na zmianę. Po kilku dniach maluch powinien już zorientować się w logiczność tych czynności i zacząć samodzielnie szukać nocniczka. Jeżeli sprawy po kilku dniach nie zaczynają układać się pomyślnie, zrób przerwę i zacznij przyuczanie od nowa, mniej więcej po miesiącu.

Zalety
• Jest to szybka metoda.
• Dziecko otrzymuje jasne informacje o tym, gdzie i kiedy ma się wypróżniać.

Przeciw
• Może powodować trochę bałaganu.
• Możecie obydwoje „oszaleć", jeżeli będziecie uwięzieni w domu przez dłuższy czas.

Przyuczanie do nocniczka
Noc

Kiedy twoje dziecko osiąga wiek około dwóch i pół roku, stopień jego niezależności gwałtownie wzrasta. Dziecko staje się gotowe, by kontrolować w nocy opróżnianie pęcherza i jelit. Dzieje się tak, ponieważ bardziej wierzy w siebie, potrafi bez twojej pomocy przejść ze swego łóżeczka do toalety, a nabyte umiejętności niemoczenia pieluszki w ciągu dnia chce zastosować też w nocy, bo bardzo pragnie zachowywać się jak „duża dziewczynka" czy „duży chłopiec". Ten okres nocny w przyuczaniu dziecka do nocniczka nie zawsze jednak odbywa się zgodnie z planem, bądź więc przygotowana na pewne rozczarowania, które mogą się pojawiać.

Pewność, że dziecko jest już gotowe

Jest prawdopodobnie rzeczą rozsądną, aby przed przejściem do następnego etapu nauki unikania moczenia się w czasie dnia dać dziecku kilka miesięcy na utrwalenie tego, czego nauczyło się dotychczas. Dziecko zazwyczaj jest gotowe, by pozostać na noc bez pieluszki pomiędzy trzecim a czwartym rokiem życia, choć niektóre maluchy mogą obywać się bez niej znacznie wcześniej. Dziecko jest przygotowane do zdjęcia na noc pieluszki, gdy:

• Budzi się ono rano z suchą pieluszką. Pojemność pęcherza wzrasta znacznie pomiędzy drugim a czwartym rokiem życia, więc dzieci mogą już wytrzymać większość nocy lub nawet całą noc bez konieczności oddawania moczu.

• Budzi się w nocy i mówi, że chce siusiu.

• Wyrzuca w nocy swoją pieluszkę. Dzieci, które przyzwyczaiły się już do lekkich, suchych majteczek, mogą czuć się nieprzyjemnie z ciepłą, przemoczoną pieluchą i wyrzucają ją w czasie snu.

• Wczesnym rankiem mocz zaczyna przeciekać z pieluszki. W miarę jak wzrasta pojemność pęcherza dziecka, oddaje ono na raz znacznie większe ilości moczu.

• Chce chodzić bez pieluszki. Dzieci zwykle same wiedzą, kiedy są gotowe do radzenia sobie bez pieluszki.

Pięć kroków **do suchych nocy**

1. **Porozmawiaj z dzieckiem o tym, czy chce już spróbować poradzić sobie bez pieluszki.** Jeżeli potwierdzi to, wybierz na tę próbę noc, po której nie czeka cię nic ważnego, i objaśnij dziecku, jak to będzie wyglądało.
2. **Bądź przygotowana na kilkakrotne zmoczenie łóżka.** Upewnij się, że masz pod ręką czyste prześcieradła i piżamki, i załóż odpowiedni pokrowiec na materacyk.
3. **Pogratuluj swemu maluchowi za każdym razem, kiedy obudzi się rano w suchym łóżeczku.** Jeśli jednak coś mu się przydarzy, nie złość się z tego powodu.
4. **Nie zachęcaj dziecka do picia dużych ilości płynów tuż przed udaniem się na nocny spoczynek.**
5. **Upewnij się, że maluch opróżnił pęcherz przed pójściem spać**, i zachęć go, by zrobił siusiu, jak tylko się obudzi.

Przyuczanie do nocniczka
Z dala od domu

Niezależnie od tego, czy zdecydowałaś się intensywnie, czy swobodnie przyuczać dziecko do siadania na nocniczku, będziesz musiała w tym okresie odważyć się wyjść z dzieckiem z domu. Za pierwszym razem będziesz niemal bohaterem kina akcji przenoszącym tykającą bombę zegarową, która może wybuchnąć w każdej chwili!

Z czasem jednak staniesz się prawdziwym ekspertem w sprawach szybkiego korzystania dziecka z toalety. Jeżeli nie możesz znaleźć toalety publicznej, możesz zawsze zdać się na łaskę ekspedientki w najbliższym sklepie. Na samym początku lepiej mieć nocniczek przez cały czas pod ręką. Sądziłaś przypuszczalnie, że w momencie, kiedy dziecko przestanie używać pieluszek, twoje życie stanie się łatwiejsze, a twoja torba do przewijania dziecka będzie dużo lżejsza. Tak w końcu się stanie, ale w pierwszych dniach będziesz musiała w swej torbie mieć właśnie o wiele więcej rzeczy niż dotychczas.

Podstawowy zestaw „ratunkowy"

- **Nocniczek.** Podręczny nocniczek jest lekki i praktyczny, ale upewnij się, że dziecko zapoznało się z nim. Zatłoczony chodnik nie jest najlepszym miejscem, by się dowiedzieć, że twoja córeczka usiądzie tylko na nocniczku w kolorze różowym.
- **Pielęgnacyjne chusteczki niemowlęce i rolka papieru toaletowego.**
- **Reklamówka lub torebka na brudne pieluszki.**
- **Rzeczy dla dziecka na zmianę,** włączając w to kilka par spodenek, majteczek i skarpetek.
- **Worek plastikowy i ręcznik do samochodu.**
- **Pieluchomajtki.** Trzymaj je w rezerwie na wypadek, kiedy i ty i twoje dziecko będziecie mieli już dosyć tej nauki. Można je założyć dziecku także wówczas, gdy w czasie podróży samochodem jest zmęczone i zasypia.

Dziecięce ubranie w czasie nauki siadania na nocniczku

Poza domem

- Ogrodniczki
- Ubiory jednoczęściowe
- Odzież na zatrzaski zapinane w kroczu
- Ubrania do prania ręcznego, chemicznego i na sucho

W domu

- Rozciągliwe rajtuzy
- Spodenki z elastyczną taśmą w pasie
- Spódniczki oraz sukienki bez ciasnych ściągaczy
- Z gołą pupą latem

Przyuczanie do nocniczka
Gdzie popełniłam błąd?

Nikt z rodziców nie jest doskonały i każdy popełnia jakieś błędy. Jeżeli ty i twoje dziecko macie trudności z całym procesem przyuczania do nocniczka, poniższa lista może pomóc w ustaleniu, gdzie popełniasz błąd.

Po prawej: Wskazane jest, by zaczynać przyuczanie dziecka do siadania na nocniczku jedynie wtedy, kiedy dobrze się ono czuje bez pieluszki.

Dziesięć najczęstszych błędów i jak ich unikać

1. **Utrata panowania nad sobą.** Jeżeli okazujesz gniew lub wstręt, twoje dziecko to wykorzysta. Sprawdź, czy dziecko rozumie, że wypróżnianie się jest procesem naturalnym, że drobne „awarie" pod tym względem nie są jakimś „końcem świata", a toaleta oraz nocniczek są ciągle do dyspozycji dziecka.

2. **Trzymanie się tylko własnego terminarza zajęć.** Bardzo łatwo znaleźć powody, dla których będziesz przyuczała dziecko do siadania na nocniczku jedynie wtedy, kiedy ci to odpowiada. Może to przynosić dobre efekty, jeżeli twoje dziecko jest już całkowicie gotowe do takiej nauki, ale skończy się jedynie frustracją i niezadowoleniem, jeżeli gotowe nie jest.

3. **Zmuszanie dziecka do siedzenia na nocniczku godzinami.** Niejednokrotnie kusi rodziców, by zachęcać dziecko, aby siedziało na nocniczku tak długo, aż coś do niego zrobi, jednak może to być dla dziecka zarówno nudne, jak i uciążliwe.

4. **Dokuczliwe naprzykrzanie się.** Chcesz być dziecku pomocna i przypominasz mu, by poszło do toalety, ale staraj się z tymi przypomnieniami nie przesadzać. Zupełnie wystarczy delikatna sugestia.

5. **Niekonsekwencja.** Jeżeli czasem pozwalasz dziecku zrobić siusiu w pieluchomajtki, będzie mu trudno zrozumieć, że przy innej okazji to już jest nie do przyjęcia.

6. **Reakcja przesadna.** Jeśli w chwili, kiedy twoje dziecko usiłuje zrobić kupkę, przerywasz swoją pracę i skupiasz całą swą uwagę na nim, może ono później równie dobrze dorzucać po kilka „fałszywych alarmów" jedynie dla zwrócenia twej uwagi.

7. **Ograniczanie spożycia płynów.** Na początku tej nauki dziecko powinno często chodzić siusiać, żeby szybko uchwyciło to, o co w tym wszystkim chodzi, więc picie dużej ilości płynów jest wskazane. W dodatku, dobre nawodnienie organizmu dziecka pomaga zapobiegać zaparciom, które mogą utrudnić całą naukę korzystania z nocniczka.

8. **Zbyt wczesne rozpoczęcie.** Nie ma pośpiechu w przyuczaniu dziecka do korzystania z nocniczka. Jedynym dobrym powodem do bardzo wczesnego rozpoczęcia tej nauki może być tylko wyraźna gotowość do niej dziecka.

9. **Odwlekanie tej nauki.** Jeżeli dziecko zgłasza, że chce iść na nocniczek, chce nosić majteczki i wie, kiedy chce siusiać lub robić kupkę, powinnaś kontynuować naukę.

10. **Uparta kontynuacja.** Musisz umieć rozpoznać, kiedy ty i twoje dziecko macie dosyć całej tej nauki. Jeżeli przekonasz się, że zaczynasz się złościć i czuć sfrustrowana lub twoje dziecko wydaje się bardzo oporne, jest to przypuszczalnie sygnał, że obydwoje potrzebujecie przerwy.

Przyuczanie do nocniczka
Częste problemy

P.: Przez sześć miesięcy próbowałam przyuczać naszą trzyletnią córeczkę do siadania na nocniczku. Szło jej jednak coraz gorzej i gorzej. Teraz często nie chce już nawet na nim usiąść. Czy jest z nią coś nie w porządku?

O.: Jest niemal pewne, że z córeczką nie dzieje się nic złego. Jest ona tylko oporna wobec tej nauki. Możliwe, że rozpoczęła próby przyuczania do nocniczka zbyt wcześnie. Możliwe też, że czuła się przymuszana do korzystania z nocniczka i zaczęła mieć w związku z tym negatywne odczucia. Zrobienie krótkiej przerwy w tej nauce i powrót na pewien czas do pieluszek może być dobrym rozwiązaniem. Porozmawiaj z córeczką o tym przed pójściem spać, kiedy już obydwie jesteście wyciszone, a ona czuje się bezpiecznie z pieluszką na pupie. Możesz wrócić do jej kontynuowania za kilka tygodni. Jeśli jednak dziecko zdecydowanie woli już używać majteczek, wówczas możesz spróbować ponownie, ale tym razem postaraj się, żeby to ona w tym wszystkim decydowała.

P.: Mój synek już od sześciu miesięcy nie moczy się, ale domaga się pieluszki, gdy ma zrobić kupkę. Czy jest to normalne?

O.: Jest to często występujący problem. Dzieci postrzegają swój stolec jako coś w rodzaju przedłużenia czy nawet części ich samych i nie chcą go się „pozbyć". Szczególnie nie lubią robić tego na sedesie, bo wydaje im się wówczas, jakby coś z nich „odpadało". No i... nie cierpią tego głośnego plusku! Dobrym znakiem jest to, że twój synek najwyraźniej jest świadomy pracy swych jelit i kontroluje ich opróżnianie, bo prosi o pieluszkę, jeżeli czuje taką potrzebę. Kampania Na Rzecz Badania Mimowolnego Oddawania Moczu zaleca w takich sytuacjach umieszczenie dziecka w łazience, by tam na stojąco wypróżniło się w pieluszkę. Następnym krokiem ma być nakłonienie malucha, by do zrobienia kupki usiadło już na sedesie (stale z założoną pieluszką). Następnie należy stopniowo usuwać pieluszkę – możesz nawet wyciąć w niej dziurę, dopóki dziecko nie będzie całkiem gotowe obyć się bez niej. Cała ta procedura może być bardzo frustrująca, jednak musisz być konsekwentna i chwalić swe dziecko za każde powodzenie.

P.: Mój synek ma już trzy i pół roczku i zupełnie nie wykazuje zainteresowania nauką korzystania z nocniczka. Nie zaczęliśmy jeszcze nawet jej próbować, bo jak tylko wyjmujemy mu pieluszkę, zaraz zdarza mu się „awaria". Jak długo możemy jeszcze czekać, zanim należy się zwrócić do kogoś o pomoc?

O.: Bystre i radosne dzieci mogą bardzo ociągać się z nauką korzystania z nocniczka i nie powinno to budzić twego zaniepokojenia, aż do czasu, kiedy od skończenia przez dziecko trzeciego roku życia minie sporo miesięcy. Późna i powolna nauka korzystania z nocniczka może też być zjawiskiem rodzinnym. Regularnie próbuj wyjmować mu pieluszkę i sadzać go na nocniczku. Możesz odkryć, że synek cię zadziwi i dość szybko zacznie sobie dobrze radzić. Jeżeli dziecko w wieku czterech lat nie nauczyło się jeszcze korzystania z nocniczka, powinno zostać skierowane do specjalisty.

P.: Teraz, kiedy moja córeczka z łatwością używa nocniczka (ma trzy i pół roczku), chciałabym, żeby spróbowała korzystać z sedesu. Niestety ona podnosi krzyk, jak tylko sadzam ją na nim. Co mogę zrobić?

O.: Wiele dzieci uważa sedes, z jego głośnym spłukiwaniem i pluskiem wody, za coś wręcz przerażającego. Sedes może wydawać się małemu dziecku ogromny, więc choć o wiele łatwiej spuścić w nim wodę niż czyścić brudny nocniczek, ważne jest, byś nie ponaglała i nie zmuszała swej córeczki do zamiany nocnika na sedes.

DYSCYPLINA POZYTYWNA

Rozwijanie wzajemnego zaufania i współpracy

Dyscyplina pozytywna oznacza uważne wysłuchiwanie uwag swojego dziecka, ale też brak jakichkolwiek oporów przed wyznaczaniem dziecku jasnych ograniczeń dla jego zachowania.

Pozytywna dyscyplina działa przez dopilnowanie, by dziecko pragnęło cię zadowolić i utrzymać wasze dobre wzajemne relacje, które ukształtowałaś. Kiedy rozwijasz u dziecka poczucie zaufania i chęć współpracy, obydwoje znajdujecie się szybko po tej samej stronie. Twoja osobowość i temperament twojego dziecka będą wpływały na rodzaj stosowanych tu metod. Spokojne w prowadzeniu dziecko może potrzebować jedynie delikatnych upomnień. Dziecko „trudniejsze" może potrzebować twardszych działań z twej strony.

Błędem jest stwierdzenie, że dyscyplina to w zasadzie karanie za niewłaściwe zachowanie. W rzeczywistości słowo „dyscyplina" pochodzi od łacińskiego słowa „disciplina" i oznaczającego „nauczanie", więc, innymi słowy, powinnaś dążyć do stworzenia w domu takiego systemu zasad, który umożliwi dziecku uczenie się, jak zachowywać się właściwie. Zawsze staraj się w prostych słowach wyjaśnić mu, czemu mają służyć te zasady, które dla niego ustaliłaś.

Praca nad wprowadzeniem dyscypliny pozytywnej kosztuje wiele energii i nikt z rodziców nie jest w stanie prowadzić jej nieprzerwanie i w pełni prawidłowo. Zdarzą się takie dni, kiedy jesteś zbyt zajęta lub zbyt zmęczona i czujesz, że nie potrafisz być odpowiednio cierpliwa. Nie będziesz w stanie zdobyć się wówczas na niezbędny wysiłek. Wszyscy rodzice zachowują się czasami w sposób, którego później przez pewien czas żałują – dając dziecku burę lub nawet spuszczając mu lanie. Jeżeli do tego dojdzie, najlepszą rzeczą, jaką można wówczas zrobić, to powiedzieć, że jest ci przykro i że przepraszasz. To uczy dziecko podobnego postępowania.

Dyscyplina a karanie

„Dyscyplina" to nie to samo co „kara". Pojęcie dyscypliny zawiera w sobie uczenie dziecka i naprowadzanie go na takie formy zachowania, które będą społecznie akceptowane i dostosowane do ustalonych przez ciebie zasad. Nie ma tu „jedynie słusznej drogi" postępowania. Kara zaś, taka jak „spuszczanie lania", nie jest na dłuższą metę skutecznym sposobem uczenia dzieci odpowiedniego zachowania. Badania wykazały, że zastosowanie takiej kary powoduje pojawianie się u dziecka jeszcze gorszych napadów złości.

Dyscyplina negatywna

Dyscyplina negatywna – twoje stałe oczekiwanie, że dziecko będzie niesforne i twoje twarde wkraczanie w każdym przypadku niewielkiego nawet wykroczenia – może spowodować u dziecka i reszty rodziny napięcie i przykre odczucia. U niektórych dzieci może to spowodować narastanie ich arogancji i większą podatność na napady złości. Ciągła kontrola nad zachowaniem dziecka i stałe zmuszanie go do wykonywania poleceń oznacza także, że nie potrafisz się nigdy odprężyć.

Wprowadzanie dyscypliny pozytywnej

• **Uspołecznianie dziecka.** Już od samych urodzin dziecka powinnaś demonstrować mu pełną miłości wrażliwość i chęć współpracy oraz stopniowe wprowadzanie ustalonego porządku wszelkich codziennych zajęć. Musisz uczyć je odróżniania dobra od zła, wyjaśniać mu zasady odpowiedniego zachowania, a także to, jak ważne jest respektowanie potrzeb innych osób.

• **Wyznaczanie granic.** Dziecko w głębi serca wie, że wyznaczane mu przez rodziców pewne ograniczenia są oznaką ich troski i dbałości o niego. To, że dziecko stara się ciągle wypróbowywać te ograniczenia, jest normalną, a nawet niezbędną częścią procesu uzyskiwania przez nie niezależności.

• **Demonstracja naturalnych konsekwencji.** Oznacza to, że pozwalasz dziecku doświadczyć konsekwencji, będących wynikiem jego zachowania się, a pojawiających się wtedy, kiedy ty nie interweniowałaś. Na przykład – jeżeli nie będzie jadło, będzie głodne, a jeśli nie założy kurteczki, zmarznie.

• **Naturalny autorytet.** Wiąże się on ze stanowczym i pewnym posługiwaniem się głosem, a także mową ciała. Nie ma tu czegoś takiego jak dziecko, które „nie przyjmuje twojej odmowy do wiadomości" – kiedy mówisz coś na serio, dziecko zwróci na to uwagę.

Nagrody

Czasami, przy bardzo trudnym zachowaniu się dziecka, będą mu potrzebne dodatkowe, doraźne motywacje. Może to być coś, co dziecko najbardziej doceni – jakaś wycieczka lub nowa zabawka (uściski i pocałunki są także wielką nagrodą). Musisz jednak unikać stwarzania takich sytuacji, w których twoje dziecko będzie coś robiło tylko po to, żeby otrzymać nagrodę.

Podstawowe zasady nagradzania

1. **Starannie wybieraj moment nagradzania.** Nigdy nie usiłuj powstrzymać swego dziecka w połowie epizodu jego złego zachowania jakąś obietnicą nagrody.

2. **Posługuj się nagrodami mądrze.** Zadbaj o to, aby dziecko dostawało nagrody za dobre zachowanie nawet wtedy, gdy się tego nie spodziewa.

3. **Zachowuj stosowność nagród.** Staraj się unikać nagród, których skala ciągle nadmiernie rośnie, lub nagród, które staną się dla dziecka ważniejsze, niż sam sposób jego zachowania.

4. **Zachęcaj je do dobrego zachowania**, bez oczekiwania nagrody. Proś czasem dziecko, by zrobiło coś dla ciebie, nie obiecując mu nagrody.

5. **Nagradzaj też same starania.** Daj czasami dziecku nagrodę tylko za to, że bardzo się starało zachować się prawidłowo.

Język
Co jest typowe?

Dziecko w tym okresie swego życia posługuje się językiem w sposób coraz bardziej zaawansowany. Dzieje się tak częściowo dzięki jego coraz lepszemu pojmowaniu językowych zasad, po części dzięki wzbogacaniu słownictwa, a także dzięki jego rosnącym umiejętnościom uczenia się.

Powyżej: Zawsze czytaj dziecku te książki, których chętnie słucha, a nie te, które budzą w nim niepokój.

Wypowiadane przez dziecko zdania stają się teraz dłuższe, z bardziej złożoną strukturą gramatyczną. Maluch rozumie już lepiej zasady prowadzenia rozmowy – zabierania głosu kolejno. Dzięki tej formie wzajemnego oddziaływania umacnia i rozszerza swoje umiejętności językowe.

Choć może jeszcze nie rozumieć pojedynczych słów, to w wieku trzech lat twoje dziecko zaczyna już rozumieć, że książka ma tytuł na pierwszej stronie, jest napisana przez konkretnego autora, a także że zaczyna się na początku, a kończy na końcu. Te fakty są oczywiste dla ciebie, ale nie dla twego dziecka. Zrozumienie tego, czym są książki, jest podstawową umiejętnością poprzedzającą czytanie.

Co moje dziecko potrafi już zrobić?

2–2½ roku	• Dziecko zadaje pytania i słucha uważnie odpowiedzi, a słownictwo jego liczy kilkaset pojedynczych wyrazów. Zaczyna posługiwać się zaimkami, takimi jak „on" lub „ty", i przyimkami, takimi jak „w" albo „na".
2½–3 lata	• Zna już co najmniej tysiąc słów. Wykazuje zrozumienie pewnych reguł gramatycznych i stosuje je w mowie. Odkrywa, że zadawanie pytań jest dobrym sposobem na gromadzenie informacji.
3–3½ roku	• W wieku trzech lat dla wyrażenia jakiejś myśli zaczyna używać już serii czterech lub pięciu słów, włączając w to przymiotniki do opisania codziennych przedmiotów lub ludzi. Potrafi zrozumieć i wykonać słowne polecenia zawierające do trzech informacji.
3½–4 lata	• W miarę jak osiąga cztery lata życia, potrafi „odczytać" odpowiednie brzmienie słowa składającego się z dwóch lub trzech liter, wydrukowanego wyraźnie na pojedynczej kartce. Uzmysławia sobie podstawowe zasady rządzące językiem, takie jak liczba mnoga, czasy czasowników. Stosuje je w codziennych rozmowach.

Język
Częste pytania

P.: Czy jest prawdą, że chłopcy nieco wolniej uczą się mówić niż dziewczęta?

O.: Wyniki badań psychologicznych potwierdzają to. Ogólnie mówiąc, dziewczęta opanowują język mówiony wcześniej niż chłopcy i wcześniej niż oni rozwijają bardziej złożone struktury językowe. Jest to oczywiście jedynie pewna tendencja i nie oznacza to, że każdy chłopiec wypowiada swoje pierwsze słowo później niż jego rówieśniczka.

P.: W jakim wieku dzieci zaczynają już rozumieć żarty?

O.: Twoje dziecko uśmiechnęło się po raz pierwszy z zadowolenia prawdopodobnie już w wieku około sześciu miesięcy, ale posługiwanie się językiem jako zamierzonym środkiem do wzbudzania śmiechu rozpoczyna się w wieku około dwóch lat. Chociaż żarty twojego trzylatka nie muszą zaraz wydawać ci się wybitnie zabawne, to jednak powodują one, że twoje dziecko samo zaczyna chichotać, a śmiech dziecka jest ogromnie zaraźliwy.

P.: Czy częste wizyty w miejscowym przedszkolu mogą zwiększyć u mojego dziecka zdolności do uczenia się?

O.: Tak. Jest rzeczą bardzo ważną, by organizować dziecku częste kontakty z jego rówieśnikami – w przedszkolu lub w grupie przedszkolnej. Taki bodziec w postaci konieczności nawiązania zrozumiałego kontaktu ze swym kolegą w celu wspólnej zabawy jest wystarczająco mocny, by pobudzać umiejętności lepszego mówienia i bardziej dojrzałego słuchania. Oczywiście, czasami dziecko w czasie wspólnej zabawy kłóci się ze swymi rówieśnikami, ale jednak przez większość czasu wszystkie one szczebioczą ochoczo między sobą.

P.: Moje dziecko uwielbia wszelkie rymowanki i prosi, bym je z nim razem śpiewała w kółko, setki razy. Czy jest to korzystne dla rozwijania jego umiejętności językowych?

O.: Rymowanki są ogromnie korzystne i przyspieszają rozwój językowy dziecka przez powtarzanie, rozwijanie jego poczucia rytmu, demonstrowanie mu walorów poetyckich języka i przez pokazywanie mu, że język zawiera też element zabawy. Niektóre rymowanki to prawdziwe łamańce językowe (takie jak angielski „Peter Piper" lub trochę jak nasze powiedzonko „stół z powyłamywanymi nogami" – przyp. tłum.) i są one znakomitym sposobem na doskonalenie stopnia opanowania różnorodnych typów wypowiadanych dźwięków i rodzajów wymowy.

P.: Czy powinnam uczyć moje dziecko znaczenia poszczególnych słów, czy pozostawić mu możliwość samodzielnego poznawania tych znaczeń?

O.: Jest tu miejsce na te obydwie strategie. Zasób słów dziecka zwiększa się i przez rozmowę z tobą, i słuchanie ciebie albo przez przebywanie z rówieśnikami. Możesz jednak uczyć go także tych słów, które wydadzą mu się przydatne, a uczy się ono rzeczowników o wiele łatwiej niż przymiotników czy czasowników.

P.: Kiedy mój trzylatek bawi się układanką, mówi sam do siebie. Dlaczego?

O.: Jest to zjawisko znane jako „mowa samokierująca", ponieważ w jej trakcie dziecko udziela sobie samo mówionych instrukcji o tym, jak może skompletować układankę. Dziecko używa języka dla poprowadzenia samego siebie ku prawidłowemu rozwiązaniu. Wielu dorosłych robi to samo, z tym wyjątkiem, że zamiast głośno wypowiadać konkretne słowa, tylko o nich myślą.

Język
Stymulacja

Począwszy od wieku dwóch lat, mowa twego dziecka i język, jakim się posługuje, stają się bardziej złożone, ponieważ ma ono teraz bogatsze słownictwo, lepiej rozumie zasady gramatyki i zyskuje większą pewność w posługiwaniu się językiem dla wyrażania swoich potrzeb.

Pod koniec drugiego roku życia dziecko z coraz większym ożywieniem używa słów, zwrotów i zdań. Lubi mówić i jest szczęśliwe, kiedy może opowiedzieć ci wszystkie swoje nowiny. Łączy ze sobą słowa, gesty i odpowiednie miny. Jego słowa wypływają swobodniej, z mniejszym wysiłkiem. W wieku około 4 lat jego pytania stają się coraz bardziej wnikliwe i oczekuje ono coraz bardziej szczegółowych odpowiedzi. Zaczyna samodzielnie stosować pewne zasady gramatyki.

Jak mogę pobudzać zdolności językowe mojego dziecka?

• **Okaż zainteresowanie jego niekończącymi się opowieściami** i reaguj na nie zadawaniem pytań, by dziecko wiedziało, że słuchasz i jesteś zainteresowana.

• **Wciągnij je w jakąś zabawę „na niby", na przykład w przebieranie się.** Ten rodzaj czynności umożliwia dziecku rozwijanie umiejętności językowych, ponieważ może ono udawać, że jest kimś zupełnie innym.

• **Kiedy dziecko zakończy oglądanie programu telewizyjnego lub wideo, porozmawiaj z nim o tym i zadaj mu kilka podstawowych pytań.**

• **Kiedy mówisz do dziecka, akcentuj przyimki.**

Powyżej: Przebrane dziecko, udające, że jest jakąś inną osobą, podnosi swoje umiejętności językowe.

Możesz pomóc mu w zrozumieniu znaczenia „w", „na" i „pod" przez ich praktyczne demonstrowanie.

• **Wybieraj dla niego historyjki już nieco trudniejsze w odbiorze.** Jest już ono teraz przygotowane do słuchania opowiadań z bardziej złożoną akcją i wieloma postaciami.

• **Zapewniaj dziecku odpowiednie wyjaśnienia.** Zaczyna już ono rozumieć wyjaśnienia na przykład przyczyn, dla których powinno się zachować w określony sposób.

• **Zachęcaj je do utrzymywania kontaktu wzrokowego w czasie rozmowy.** Jego uwaga jest większa, kiedy w czasie rozmowy patrzy ci w oczy.

• **Przekazuj mu bardziej złożone polecenia.** Przekaż mu prośbę, zawierającą dwie lub trzy informacje, np.: „Idź, proszę, do kuchni i przynieś mi niebieską ściereczkę".

• **Baw się z nim w zabawy, polegające na słuchaniu.** Niech zamknie oczy i słucha znanego sobie programu telewizyjnego lub video, a ty następnie poproś je, by rozpoznawało, do kogo należą różne głosy.

Wychowanie pozytywne **Porozumiewanie się bez słów**

P.: Moje trzyletnie dziecko potrafi wypowiedzieć jasno swoje myśli. Gawędzimy sobie cały czas o tym, czym się ono obecnie zajmuje. Zawsze pytam je, czy miało dobry, czy zły dzień. Ostatnio pokłóciło się ze swoim najlepszym kolegą i choć oświadczyło mi, że wcale się tym nie przejęło, to jednak z mowy jego ciała odnoszę zupełnie odwrotne wrażenie. Czy mogę wykorzystać jakoś mowę ciała mego dziecka, by wspomóc jego dalszy rozwój?

O.: Mowa ciała nigdy nie przestała być ważną formą porozumiewania się (patrz strony 138–139). Niektóre oceny psychologów sugerują, że kiedy ty i twoje rosnące dziecko porozumiewacie się ze sobą, ponad połowa wszelkich sygnałów jest przekazywana bez użycia słów. Dziecko posługuje się zazwyczaj mową ciała raczej dla wyrażania swoich emocji niż informacji. Mowa ta jest teraz bardziej wyrafinowana, zróżnicowana i złożona, więc też musisz włożyć więcej wysiłku w jej prawidłową interpretację.

Na co zwracać uwagę?

Różne elementy sygnałów przekazywanych poprzez mowę ciała oddziałują na siebie wzajemnie. Powinno się interpretować ich pełny zestaw, tak jak przedstawia to dziecko, a nie tylko pojedyncze fragmenty. W tym wieku głównymi takimi elementami są:

• **Ułożenie głowy.** Dziecko może trzymać swą główkę podniesioną i skierowaną w twoją stronę, co sugeruje, że jest ufne i pewne siebie. Może nią potakiwać, czy kręcić przecząco, co pokazuje, czy zgadza się z tobą, czy nie. Może też ona być groźnie wysunięta do przodu, czym daje ci znać, że dziecko jest czymś rozgniewane.

• **Wyraz twarzy.** Obserwuj wszystkie aspekty wyrazu twarzy swego dziecka, zwracając uwagę na brwi, oczy, usta i nawet jego język. Wszystkie one mówią coś o wewnętrznych odczuciach dziecka. Rozluźniony, spokojny wyraz twarzy z lekko otwartymi ustami daje ci znać, że dziecko jest zadowolone, podczas gdy napięte, ściągnięte mięśnie twarzy ujawniają, że jest ono spięte i złe.

• **Przybliżenie się.** Jeżeli dziecko staje blisko i przytula się do ciebie, jest możliwe, że czuje się bardzo niepewnie, czegoś się lęka lub bardzo się na ciebie gniewa – będziesz w stanie zidentyfikować jego prawdziwe odczucie, badając równocześnie inne aspekty mowy jego ciała, takie jak uścisk jego rączki czy sposób oddychania.

• **Postawa ciała.** Kiedy dziecko staje prosto przed tobą, z rękami na biodrach, zaciśniętymi piąstkami i napiętym wyrazem twarzy, możesz nie mieć wątpliwości, że jest z jakiegoś powodu bardzo rozgniewane. Kiedy rozsiada się wygodnie na krześle, trzymając nóżki rozprostowane a rączki zwieszone swobodnie po bokach i oddycha spokojnie, wiesz, że czuje się zadowolone.

Język
Częste problemy

P.: Mój trzylatek stale używa pojedynczych słów, bez formowania krótkich zdań. Czy w jego wieku jest to normalne?

O.: Tempo, w jakim dzieci opanowują mowę, jest bardzo różne. Większość dzieci jest już jednak na tym etapie bardziej zaawansowana językowo. Możliwe, że mowa twojego dziecka będzie rozwijała się normalnie i nie ma się czym martwić. Ale możesz też uznać, że uspokoi cię rozmowa na ten temat z twoim lekarzem domowym.

P.: Co powinniśmy zrobić, gdy nasze dziecko sepleni?

O.: Wiele dzieci, opanowując sztukę mówienia, zaczyna czasowo seplenić, zastępując na przykład głoskę „sz" głoską „s" lub „ś", głoskę „ż" głoską „z" lub „ź" i tak dalej. U większości ten sposób mówienia zanika spontanicznie. Na tym etapie nie powinnaś więc podejmować żadnych szczególnych działań, poza powtarzaniem dziecku prawidłowej wymowy danego słowa i zachęcaniem go do naśladowania.

P.: Moja córeczka, mająca obecnie trzy i pół roczku, ma skłonności do nieustannego trajkotania o wszystkim i o niczym. Jednak czasem wydobycie z niej choć jednego słowa staje się prawie niemożliwe. Co mogę zrobić?

O.: Odbierając córeczkę z przedszkola, grupy przedszkolnej lub z domu przyjaciół, możesz czasem zauważyć, że jest ona wyciszona i zamyślona. Nie ma po prostu ochoty na pogawędkę z tobą. Wszystko jest w porządku i nie powinno się to stać przyczyną jakiejś konfrontacji między wami. Może być tak, że jest ona zmęczona swoim długim dniem lub może pokłóciła się z koleżanką i jest w marnym nastroju. Niezależnie od przyczyny jej niechęci do pogawędki pozostaw jej swobodę zachowania. Jeżeli zostawisz ją w spokoju, po około godzinie powróci do swego zwykłego zachowania.

P.: Zdarza się, że właśnie wtedy, gdy próbuję memu dziecku coś objaśnić, ono nagle wykrzykuje, że mam być cicho. Czemu to robi?

O.: Bardzo często jest to instynktowna reakcja na to, że słyszy coś, co mu się nie podoba. Może nie chcesz dać mu czegoś, co by chciało mieć, albo starasz się wytłumaczyć mu, dlaczego nie może czegoś zrobić. Najlepszą rzeczą, jaką możesz wówczas uczynić, to uspokoić dziecko i mimo wszystko, powiedzieć do końca to, co zamierzałaś na początku rozmowy. Dziecko uczy się tego, że ty masz takie samo prawo do mówienia jak i ono, pomimo że to, co mu przekazujesz, bardzo mu się nie podoba. Kiedy już powiedziałaś swoje, słuchaj z uwagą jego odpowiedzi. W niektórych przypadkach dziecko może tylko próbować zwolnić tempo twojej wypowiedzi.

Powyżej: Pomagaj dziecku w nauczeniu się i zapamiętaniu rymowanek małymi fragmentami.

P.: Jestem naprawdę zadowolona z postępów, jakie czyni moje dziecko w nauce mówienia, ale ma ono wyraźne skłonności do robienia błędów. Co mogę zrobić, aby to skorygować?

O.: Powinnaś być przygotowana na to, że twoje dziecko będzie robiło błędy językowe. Ono ciągle jeszcze uczy się i czasami używa niewłaściwego słowa w nieodpowiednim miejscu lub może posługuje się niedojrzałym, dziecinnym stylem mówienia. Takie błędy są czymś całkowicie normalnym i nie ma się tu czym martwić. Zamiast korygować każdy kolejny błąd, przedstawiaj mu właściwą formę danej jego wypowiedzi, jak gdybyś potwierdzała to, co powiedział, np. jeżeli mówi do ciebie: „Siet pisiu", możesz mu odpowiedzieć: „Tak, dobrze. Poszedłeś do łazienki, zrobić siusiu." Będzie ono przejmowało od ciebie prawidłowy dobór słów. Czasami jego język zawiera omyłki, które mogą być wręcz zabawne, ale staraj się nie śmiać z niego. Taki bowiem sposób zwracania uwagi na błędy może je bardzo zawstydzać i powodować, że w przyszłości będzie już mniej chętne do otwartej rozmowy.

Powyżej: Czytając dziecku książki, pokazujesz mu, jak się z nich korzysta, co pomaga mu później w samodzielnym czytaniu.

P.: Moje dziecko chce uczyć się rymowanek, ale wydaje mi się, że ma trudności w ich zapamiętywaniu. Jak mogę mu pomóc?

O.: Najlepszym sposobem zapamiętywania wszelkich rymowanek, wierszyków lub piosenek jest uczenie ich małych fragmentów – nie całości na raz. Może być tak, że twoje dziecko stara się zapamiętać zbyt wiele od razu, dlatego zachowuje w niej jedynie część tekstu. Ucz więc dziecko bardziej skutecznej strategii. Zachęcaj je do głośnego powtarzania tylko pierwszej połowy linijki tekstu (upewniając się, że każdy fragment, który dziecko ma zapamiętać, ma swój własny, samodzielny sens). Jak tylko opanuje ono w pełni dany fragment, przejdź do następnej, małej

części. W ten sposób, powoli, nauczy się ono całego wierszyka.

P.: Zaczęłam czytać bajki mojemu trzylatkowi, ale wydaje się, że trochę go one niepokoją. Czy bajki naprawdę mogą wywołać u niego lęk?

O.: Niektóre opowieści mogą wywołać u dziecka niepokój. Dlatego tak ważny jest staranny dobór książek, które chcesz mu czytać. Ma on na celu upewnienie się, że ich treść jest odpowiednia dla jego wieku i możliwości pojmowania. Dziecko nie będzie prawdopodobnie zbyt pozytywnie nastawione do książek i obrazków, jeżeli w związku z nimi doświadcza czegoś, co je niepokoi i wywołuje lęk.

Uczenie się
Co jest typowe?

Jakaż przemiana w rozumieniu przez twoje dziecko otaczającego je świata! Teraz, w wieku przedszkolnym, jego zdolność uczenia się – zwana także „inteligencją", „umiejętnością myślenia" lub „zdolnością rozumienia" – w dalszym ciągu szybko narasta. Zdolność malucha do opanowywania nowych umiejętności i pojęć, rozumienia dziejących się wokół niego wydarzeń, do sprawnego korzystania ze swej pamięci i rozwiązywania problemów stale się poprawia.

Tak jak dotychczas lubiło spędzać czas z tobą, teraz dziecko lubi także towarzystwo swoich rówieśników. Przez zabawy i rozmowy z nimi nabywa wielu umiejętności – i to o wiele szybciej, niż mogłoby to uczynić samodzielnie. Kiedy zbliża się do trzecich urodzin, jego pamięć jest sprawniejsza, potrafi już wytłumaczyć sobie znaczenie własnych doświadczeń, ma bardzo żywą wyobraźnię, dobrze posługuje się językiem i potrafi także osiągać znacznie wyższy poziom koncentracji. Zanim skończy cztery lata, zacznie przejawiać rzeczywiste rozumienie liczb i bardziej wnikliwie niż dotychczas zastanawiać się nad takimi pojęciami, jak kształt i kolor.

Co moje dziecko potrafi już zrobić?

2–2½ roku	• Łączy przedmioty w grupy zgodnie z ich cechami charakterystycznymi, przypisując im cechy ludzkie, co stanowi wyraz jego żywej wyobraźni. Zaczyna rozumieć coraz lepiej pojęcie czasu.
2½–3 lata	• Potrafi porównać dwa przedmioty pod względem ich rozmiarów i wysokości. Umie zapamiętać nazwę przedmiotu przez jej stałe powtarzanie. Jest już teraz w stanie przewidzieć następstwa swoich działań. Wie na przykład, że jeśli przewróci swój kubek, napój się rozleje.
3–3½ roku	• Rozwija podstawowe zdolności do rozumienia cyfr. Zna zasady dobrego zachowania i powody, dla których należy je stosować. Może mylić związki przyczynowo-skutkowe, łącząc ze sobą dwa wydarzenia, które w rzeczywistości nie są ze sobą powiązane.
3½–4 lata	• Rosną jego zdolności organizatorskie, umożliwiające mu, np. systematyczne poszukiwania przedmiotów. Osiąga wreszcie pierwszy stopień umiejętności prawdziwego liczenia. Przelicza ułożone w dwóch lub trzech rządkach klocki i próbuje liczyć na paluszkach.

Uczenie się
Częste pytania

P.: Czy postęp procesu uczenia się ulega zwolnieniu, kiedy dziecko zbliża się do wieku trzech lat?

O.: Nie, jego tempo nabywania wiedzy w rzeczywistości zwiększa się, ponieważ może ono już zastanawiać się nad pojęciami, które były dla niego dotychczas niezrozumiałe. Zaczyna ono już np. pojmować wartość cyfr, znaczenie rozmiarów i czasu. Może już także uświadamiać sobie, że litery i słowa mają na papierze swoje kształty, co jest wstępnym etapem nauki czytania.

P.: Czy telewizja jest dla mego dziecka czymś niekorzystnym?

O.: Dziecko może się bardzo wiele nauczyć z krótkich, przeznaczonych dla rodziny programów telewizyjnych. Jeśli jednak dziecko spędza zbyt wiele czasu, obserwując bez sensu jakieś marnej jakości programy i to tylko dlatego, że telewizor jest włączony, może to być dla niego szkodliwe.

P.: Kiedy mój trzylatek zobaczył, jak kulając mały kawałek gliny, tworzę z niego długi, cienki wałeczek, zaczął uparcie twierdzić, że zawiera on teraz więcej gliny. Dlaczego tak rozumuje?

O.: Twoje dziecko nie rozumie, że niezależnie od kształtu kawałka gliny jej ilość pozostaje w nim taka sama. Zauważa natomiast, że ten cienki kształt jest jednak znacznie dłuższy niż poprzedni, i stąd wyciąga mylny wniosek, że musi być w nim więcej gliny.

P.: Czy jest prawdą, że najmłodsze dziecko w rodzinie myśli bardziej twórczo niż dziecko najstarsze?

O.: Istnieją dowody, że dzieci urodzone w drugiej kolejności i dzieci najmłodsze potrafią myśleć w sposób bardziej twórczy aniżeli dziecko

Powyżej: Układanie na tacy różnych rzeczy, aby dziecko mogło przypomnieć sobie ich nazwy, jest rodzajem zabawy pomocnej w usprawnianiu jego pamięci.

pierworodne. Niezależnie od tego, jakie mogą być tego przyczyny, możesz odkryć, że twoje najmłodsze dziecko istotnie myśli bardziej elastycznie niż jego starsze rodzeństwo.

P.: Czy dzieci w tym wieku rozumieją już zasady odpowiedniego zachowania?

O.: Tak. Dziecko może nie lubić zasad, które ograniczają mu robienie tego, co chce. Może nawet próbować je łamać, ale z pewnością rozumie zasady właściwego zachowania. Zawsze wyjaśnij każdą taką zasadę swemu dziecku, a szczególnie stojące za nią cele. Uczy się ono tych reguł o wiele szybciej, kiedy podawane mu są wraz z logicznym uzasadnieniem.

P.: Czy istotnie niektóre dzieci są w sposób naturalny uzdolnione i utalentowane?

O.: Nie ma wątpliwości, że niektóre dzieci posiadają wyjątkowe uzdolnienia w pewnych dziedzinach. Przykładowo uzdolnienia muzyczne są uważane za wrodzone, a utalentowane muzycznie dzieci okazują nieraz swoje uzdolnienia już bardzo wcześnie. W zasadzie wszystkie dzieci mogą nauczyć się nowych umiejętności w każdym wieku, niezależnie od tego, czy mają w tym kierunku wrodzone zdolności, czy też nie.

Uczenie się
Stymulacja

Począwszy od wieku około dwóch lat, dziecko zaczyna myśleć o wiele bardziej aktywnie, dysponując już znacznie większą wiedzą i lepszym rozumieniem pojęć niż wcześniej. Jest ono już teraz zdolne do dokładniejszego skupiania uwagi i mniej podatne na wpływ elementów ją rozpraszających. Narasta też intensywność zadawania przez dziecko pytań, powodowanych jego wrodzoną ciekawością.

U dziecka w wieku około trzech lat zwiększająca się sprawność pamięci wspomaga jego proces uczenia się. Maluch może teraz zapamiętać już dwie lub trzy informacje, działając jednocześnie na ich podstawie. Co więcej, zaczyna on wprowadzać obrazy do swego procesu myślenia. Jest coraz bardziej zdolny do rozmowy o osobach, przedmiotach czy zabawkach, których w danej chwili nie ma w rzeczywistości przed sobą, więc nie jest już tak ściśle związany wyłącznie z tym, co może w danej chwili widzieć. To otwiera przed nim nowe możliwości uczenia się.

W jaki sposób mogę wspomagać rozwój umiejętności uczenia się mojego dziecka?

• **Kiedy jest czymś zajęte,** powiedz mu coś do zapamiętania, może nazwę rodzaju pokarmu albo jakiejś części ubioru. Po kilku minutach poproś dziecko, by ją sobie przypomniało.

• **Czytaj mu mnóstwo bajek** i pytaj je od czasu do czasu, co też, według niego, może się następnie wydarzyć.

• **Pokaż mu najnowsze fotografie rodzinne.** Poproś, by rozpoznało osoby na zdjęciach,

Powyżej: Ćwicz pamięć swego dziecka w czasie zabawy – poproś je, by zapamiętało nazwy pięciu owoców znajdujących się w misce.

a następnie zapytaj, czy wie, gdzie te zdjęcia były wykonywane.

• **Zlecaj mu jakieś czynności sortujące.** Na przykład poproś, by ułożyło w jednym miejscu swoje zabawki-zwierzątka, a w drugim zabawki-ludziki.

• **Ucz je rozpoznawać zapis jego własnego imienia.** Początkowo nie będzie w stanie odróżnić swego imienia od innych wyrazów. Wskaż mu je i poproś, by znalazło to samo słowo, napisane gdzie indziej, na tym samym kawałku papieru.

• **Używaj przykładów.** Wyjaśnij mu, dlaczego wykonałaś dane zadanie w ten, a nie inny sposób, żeby mogło nauczyć się tego sposobu postępowania.

• **Zaklaszcz swemu dziecku jakiś prosty rytm** i poproś, aby go powtórzyło – na przykład: dwa szybkie klaśnięcia, a następnie dwa wolne.

• **Zachęcaj je do korzystania z biurka.** Wkrótce przekona się, że na biurku można o wiele wygodniej rysować lub układać układanki.

• **Proś je o pomoc w rozwiązywaniu problemów.** Poproś je np., by pomyślało o najlepszym sposobie przechowania w szafce wszystkich blaszanych puszek.

Wychowanie pozytywne **Gry pamięciowe**

P.: Moje dziecko wydaje się mieć dobrą pamięć. W wieku dwóch i pół roku potrafiło grać w pary – uproszczoną wersję gry pamięciowej, a w wieku trzech lat umie zapamiętać pięć owoców i po pięciu minutach opisać je. Czy są sposoby na zachęcenie go do jeszcze aktywniejszego ćwiczenia pamięci?

O.: Sprawność dziecięcej pamięci z pewnością wzrośnie przez wprawianie się i ćwiczenia, a najbardziej skutecznym sposobem dla osiągnięcia sukcesu na tym polu i w tej grupie wiekowej jest zabawa w gry pamięciowe. Wszystkie dzieci bardzo je lubią i możesz je sama wymyślać.

Sposoby postępowania

• Na tacy ustawionej przed dzieckiem umieść około sześciu przedmiotów codziennego użytku domowego. Poproś malucha, by przyjrzał się tej tacy i starał się zapamiętać wszystkie te przedmioty. Uprzedź dziecko, że za chwilę zabierzesz tacę, więc musi zapamiętać tyle przedmiotów, ile tylko będzie w stanie. Następnie usuń tacę. Przekonasz się, że dziecko prawdopodobnie przypomni sobie co najmniej dwa lub trzy przedmioty, a bardzo możliwe, że i więcej. Jak tylko opowiedziało, co sobie przypomina, pozwól mu spojrzeć na tacę ponownie.

• Możesz poprawić wyniki uzyskiwane przez twoje dziecko w tej zabawie, ucząc je sposobów przeprowadzania takich prób. Kiedy usiłuje ono zapamiętać leżące na tacy przedmioty, zaproponuj mu, żeby wielokrotnie wymieniło głośno wszystkie ich nazwy. Sposób ten usprawni przypominanie sobie tych przedmiotów przez dziecko. Będzie ono zadowolone z rezultatów. Kiedy przekazujesz mu do wykonania jakieś proste polecenie, poproś, by je powtórzyło. To zwiększa ilość informacji przechowywanych przez dziecko w jego pamięci krótkotrwałej.

• Oprócz tego można jeszcze poukładać w szereg znane przedmioty o różnej fakturze, takie jak kromka chleba, mała książeczka, łyżeczka do herbaty, kubeczek, koszulka i tak dalej. Pozwól dziecku dotykać tych przedmiotów i brać je do ręki przez kilka minut, a następnie usuń je z pola widzenia. Po 10 minutach włóż je wszystkie do woreczka i poproś dziecko, by samym dotykiem, bez patrzenia, rozpoznawało je ponownie. Będzie miało świetną zabawę.

P.: Mam kłopoty w spowodowaniu, by moje dziecko nauczyło się czegoś na pamięć, ponieważ koncentracja uwagi jest u niego bardzo słaba. Co mogę zrobić, by ją pobudzić?

O.: By pomóc poprawić koncentrację jego uwagi, weź je ze sobą na zakupy do supermarketu. Weź do ręki jakąś puszkę z żywnością i poproś je, by odszukało dokładnie taką samą. Zrób to zaraz na początku całego pasażu, w którym poukładane są te produkty. Zachęcaj je, by idąc wzdłuż pasażu, przeglądało szczegółowo każdy rządek ustawionych w nim produktów. Jeżeli spostrzeżesz, że posuwa się zbyt szybko, nie zauważając szukanych przedmiotów, zaproponuj mu, by szło wolniej. Powtórz to trzy lub cztery razy przy każdych kolejnych zakupach – jest do dobre ćwiczenie skupiania uwagi dziecka. Kiedy natomiast wyjeżdżasz z nim samochodem, możesz poprosić je, by rozpoznawało np. czerwone samochody.

Uczenie się
Częste problemy

Powyżej: Zapewnienie dziecku dużej ilości gier pobudzających myślenie rozwija jego zdolności uczenia się.

P.: Moja trzyletnia córeczka często myli kolor czerwony z niebieskim, pomimo że uczyła się kolorów ze względną łatwością. Jest przy tym bardzo uparta i nie mogę w żaden sposób wyperswadować jej, że z tymi kolorami jest inaczej. Czemu ona to robi?

O.: Dziecko w tym wieku ma wyjątkową zdolność do zaprzeczania rzeczywistości, nawet w obliczu przeciwnych dowodów. Mogą być też takie momenty, w których dziecko jest naprawdę przekonane, że ma w czymś rację, choć ty wiesz dobrze, że tak nie jest. Jeżeli łapiesz się na tym, że próbujesz przekonywać swoją trzylatkę, choćby do tego, że jej nowy sweterek nie jest niebieski, tylko czerwony – to lepiej spokojnie wyjmij

ten sweterek, by go jej zaprezentować. Cierpliwie pokaż jego prawdziwy kolor, a następnie zmień temat rozmowy. Kiedy następnym razem będzie mówiła o tym sweterku, nazwie go już czerwonym.

P.: Mam dwoje dzieci. Okazało się, że młodszy z nich jest bardziej powolny w nauce niż jego starszy braciszek. Doszłam do wniosku, że młodszy syn nie jest tak bystry jak jego brat. Nie chcę go poganiać. Czy mam rację?

O.: Choć prawdą jest, że niektóre dzieci są bardziej bystre niż inne, musisz unikać wpadania w pułapkę tworzenia sobie tego, co psycholodzy nazywają „samospełniającą się przepowiednią", np. jeżeli sądzisz, że twoje dziecko jest niezbyt zdolne, wówczas będziesz od niego oczekiwała mniej i będziesz zadowalać się mniejszymi osiągnięciami. To może je zniechęcać, a wtedy już z całą pewnością tempo czynionych przez nie postępów zacznie się zwalniać. Twoja prognoza zacznie się sama spełniać. Dlatego jest rzeczą zasadniczą, by oczekiwać od niego wykorzystania wszystkich jego zdolność i stale, intensywnie zachęcać go do dalszych wysiłków.

P.: Moje dziecko liczące teraz dwa i pół roczku ma skłonności do strojenia różnych fochów, kiedy nie może ułożyć układanki albo zapomina, co chce mi powiedzieć. Czy powinnam coś z tym zrobić?

O.: W miarę jak u twojego dziecka będą dalej rozwijać się umiejętności myślenia, nieuchronnie podejmie ono ambitniejsze formy uczenia się. W niektórych przypadkach nie uda mu się osiągnąć celu swoich wysiłków w zdobywaniu nowych umiejętności – czy to prawidłowego ułożenia dużej układanki, czy zapamiętania ciągu pierwszych pięciu cyfr. Może to zmniejszyć jego wiarę w siebie, obniżając w ten sposób jego ochotę do przyswajania nowych informacji w przyszłości. Rób wszystko, co tylko możliwe, aby w uczącym się dziecku podtrzymać jego wysoką pewność siebie, optymizm i wiarę we własne zdolności.

P.: Moje dziecko dostrzega dziwne związki pomiędzy wydarzeniami, które zupełnie nie są ze sobą powiązane. Dlaczego to robi?

O.: Twój trzylatek może wiązać ze sobą wydarzenia, które następują jedno po drugim, nawet jeśli w rzeczywistości nie łączą się one ze sobą. Na przykład, dziecko może dojść do wniosku, że ponieważ jest ono z twojego powodu w złym humorze, to silnik twego samochodu nie chce teraz zapalić. Wiesz, że te dwie sprawy zupełnie nie są ze sobą związane, ale brak doświadczenia u twego dziecka powoduje ustalenie przez nie takiego właśnie związku przyczynowo-skutkowego. Kiedy widzisz, że twoje dziecko błędnie przyjmuje istnienie takiego mylnego związku pomiędzy jakimiś dwoma wydarzeniami, wytłumacz mu, że nie są one powiązane ze sobą, ale przypadkowo nastąpiły jedno po drugim. Poinformuj je, że wydarzenia mogą następować razem także zwykłym zbiegiem okoliczności.

P.: Jak to się dzieje, że moje dziecko jest bardziej zainteresowane zabawkami innych dzieci aniżeli własnymi?

O.: Jego uwagę zwraca nowość tych zabawek, ponieważ różnią się one od jego zabawek. Spróbuj zmniejszyć ilość zabawek, które dziecko ma na raz do dyspozycji, a wówczas kiedy przyniesiesz mu jakieś inne zabawki, będą one je przyciągać swoją nowością. Utrzymuj stale taką rotację zabawek, aby dziecko nie stawało się nimi znudzone.

P.: Moje dziecko ma prawie trzy latka i próbowałam zapoznawać je z cyframi. Nie

Po prawej: W wieku około czterech lat dzieci często są już w stanie liczyć przy pomocy paluszków.

wydaje mi się jednak, by było na to odpowiednio gotowe. Czy jest jeszcze na to za wcześnie?

O.: Rzeczywiste zrozumienie pojęcia cyfr i liczb zwykle nie rozwija się u dziecka wcześniej niż w wieku około czterech lub pięciu lat, ale możesz próbować kłaść już podwaliny matematyki u dziecka, nawet w tym wieku. Kiedy idziesz ze swym dzieckiem po schodach, w górę lub w dół, licz powoli każdy stopień. Wymawianie tych cyfr: „raz", „dwa" i tak dalej, w miarę jak się posuwacie, zwraca uwagę dziecka na te słowa. Rób to samo, kiedy dajesz mu cukierki albo licz paluszki jego rączki, zanim połaskoczesz jego dłoń. Po pewnym czasie dziecko zacznie cię naśladować, powtarzając samodzielnie nazwy cyfr.

Koordynacja ręka-oko
Co jest typowe?

W miarę jak rosnące dziecko wchodzi w wiek przedszkolny, wzrasta znaczenie stopnia sprawności jego rączek. Dzieje się tak nie tylko dlatego, że pomaga mu to stawać się coraz bardziej niezależnym, ale także dlatego że wiąże się z możliwościami rozwiązywania problemów i uczenia się.

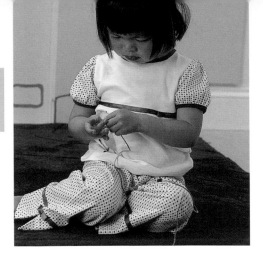

Powyżej: Bawienie się zabawkami, które składają się z drobnych elementów, wymaga od dziecka maksymalnej koncentracji.

Przed ukończeniem drugiego roku życia coraz sprawniejsza koordynacja ręka-oko pozwala dziecku na większą niezależność oraz podnoszenie i manipulowanie przedmiotami bez konieczności proszenia o pomoc. Kiedy dziecko kończy już drugi roczek, wiele z tych czynności, które były poprzednio poza jego zasięgiem, jest już teraz w granicach jego możliwości. Np. umiejętność trzymania kubka, posługiwanie się sztućcami, podnoszenie i przenoszenie różnych przedmiotów oraz samodzielne ubranie się – wszystko to pomaga mu stać się bardziej samodzielnym. W rezultacie jest już ono przygotowane do tego, by czynić znacznie więcej dla siebie, a w wieku od trzech do czterech lat jego pewność siebie wzrasta w sposób istotny.

Co moje dziecko potrafi już zrobić?

2–2½ roku	• Około drugiego roku życia potrafi już ono nawlekać duże koraliki na sznurek, stawiać zamierzone znaki w czasie malowania lub rysowania i ma już wyraźnie ustaloną rączkę dominującą.
2½–3 lata	• Będzie już próbowało ciąć papier nożyczkami bezpiecznymi dla dzieci, choć będzie to jeszcze dla niego trudne. Potrafi już skopiować narysowane przez ciebie proste kształty i wykonywać proste prace domowe, takie jak ułożenie sztućców na stole czy zabawek w pudle.
3–3½ roku	• Potrafi zbudować małą wieżę z ośmiu lub dziewięciu poziomów drewnianych klocków. Umie posługiwać się małym wałeczkiem w celu rozwałkowania kawałka modeliny i odpinać duże guziki.
3½–4 lata	• Umie już teraz znaleźć i wziąć z półek supermarketu określone produkty. Lubi trudniejsze działania, takie jak składanie małych układanek.

Koordynacja ręka-oko
Częste pytania

Powyżej: Malowanie paluszkami to świetna zabawa i powinnaś do niej zachęcać nawet wtedy, kiedy dziecko potrafi posłużyć się pędzelkiem.

P.: Mój synek ma dwa i pół roku i obsesję na punkcie ubierania i rozbierania lalek. Rzadko bawi się czymś innym. Czy jest to normalne?

O.: Tak. Dzieci w tym wieku często mają bzika na punkcie jednej tylko, konkretnej zabawki. Twoje dziecko zwróciło uwagę na taką właśnie zabawę z lalkami, bo sprawność jego rączek wzrosła już na tyle, że zabawa ta nie sprawia mu już trudności. Zachęcaj je do zabawy także innymi zabawkami.

P.: Ile elementów układanki ramkowej powinno potrafić ułożyć dziecko w wieku dwóch i pół roku?

O.: Możesz oczekiwać, że dziecko w tym wieku poradzi sobie z układanką liczącą mniej więcej od sześciu do ośmiu różnych elementów. Na stopień trudności układanki wpływa także kształt elementów układanych: duże, nieregularne kształty są trudniejsze do dopasowania niż małe i regularne.

P.: Moje dziecko potrafi z łatwością kompletować układanki ramkowe. Czy jest to dobry moment na wprowadzenie bardziej złożonych układanek (puzzli)?

O.: Tak. Twoje dziecko jest przypuszczalnie gotowe do przejścia od prostych układanek ramkowych do układanek bardziej złożonych, choć przejście to może być trudne. Puzzle nie mają jakiejś zewnętrznej ramki stanowiącej dla dziecka pewne naprowadzenie. Kawałki puzzli mogą pozornie pasować do różnych miejsc, w różnych połączeniach, więc jest tu o wiele więcej możliwych kombinacji niż w przypadku elementów układanek ramkowych. Na początek kup swemu dziecku puzzle składające się jedynie z dwóch części tworzących jakiś łatwo rozpoznawalny obrazek. Tym, co będzie naprowadzać dziecko, będzie raczej obrazek niż kształt danej części układanki. Kiedy złoży już prawidłowo tę układankę dwuczęściową, przejdź do trzyczęściowej, następnie czteroczęściowej i tak dalej.

P.: Czy teraz, kiedy moja córeczka potrafi już trzymać pędzelek, jest ona zbyt duża na malowanie palcami?

O.: W porównaniu do malowania pędzelkiem malowanie palcami angażuje wiele różnych części jej dłoni, więc powinna ona mieć możliwość udziału w obydwu tych formach malowania – tak długo, jak długo jesteś gotowa akceptować powstający przy tym bałagan. Niezależnie od tego, ile ma ona lat, jest to także świetna zabawa.

P.: Czemu moje dziecko robi takie dziwne miny, kiedy mocno koncentruje się w czasie zabawy bardzo małymi zabawkami?

O.: Możliwe, że robisz takie same, kiedy np. próbujesz nawlec igłę. Jego skrzywiona mina pomaga mu jeszcze bardziej skupić uwagę na wykonywanym zajęciu. W miarę jak dziecko rośnie, tych min jest coraz mniej. Dzieci często przechodzą także okres strojenia jakichś szczególnych min (zwłaszcza jeśli dostrzegą, że to cię gniewa), a następnie, po pewnym czasie, przestają to robić.

Koordynacja ręka-oko
Stymulacja

Przez następnych kilka lat stały rozwój koordynacji ręka-oko u twojego dziecka zależy od wzajemnych relacji pomiędzy codziennym stymulowaniem go i wspieraniem, rozwojem psychicznym i neurologicznym dziecka, a także jego motywacją. Te trzy różne aspekty powinny zostać starannie zrównoważone, zanim dziecko przejdzie z jednego etapu rozwoju do drugiego.

Te postępy koordynacji ręka-oko, które mają miejsce pomiędzy trzecim a czwartym rokiem życia, dokonują się systematycznie, ale bardzo wolno, co powoduje, że trudno je dostrzec. Twoje dziecko może potrzebować tego, byś to właśnie ty mu wskazała, że o wiele sprawniej tnie swe pokarmy nożem niż kilka miesięcy temu. Potrzebuje ono tego, byś to właśnie ty zwróciła uwagę na te jego małe kroczki naprzód.

Jak mogę pobudzać sprawność koordynacyjną ręka-oko mego dziecka?

• **Poproś je, by przyniosło ci jakieś przedmioty.** Dziecko bardzo lubi pomagać, więc wykorzystaj to do zwiększania sprawności jego rączek. Może ono np. odkręcić nakrętkę słoika i przynieść ci kruche ciasteczko.

• **Pokaż mu, jak posługiwać się sztućcami.** Ono już korzysta z łyżki, ale staraj się nauczyć je, jak posługiwać się sztućcami każdą z rączek. Zacznij od widelca w jednej i łyżki w drugiej rączce.

• **Daj dziecku różnorodne pomoce do rysowania i malowania.** Kup duży wybór kolorowych ołówków, kredek i różnego rodzaju papieru, by twoje dziecko miało odpowiedni wybór, gdy przychodzi do działalności twórczej. Zachęcaj je do zmiennego stosowania wybieranych przez nie materiałów.

• **Powierz mu odpowiedzialność.** Dziecko bardzo lubi przyjmować na siebie obowiązek codziennych, rutynowych czynności domowych w takiej formie, jak choćby ścieranie kurzu z powierzchni stołu.

• **Zabieraj je do przedszkola lub grupy przedszkolnej.** Będzie odnosiło korzyści z nawiązania znajomości z innymi dziećmi, bawienia się z nimi na nowe sposoby i z możliwości korzystania z nowego wyboru zabawek.

• **Przydzielaj mu niewielkie zadania, łączące osobistą odpowiedzialność ze sprawnością rączek.** Kiedy dziecko sprząta swoje zabawki, zachęcaj je, by starannie poukładało je na właściwym miejscu. Pokaż mu, jak prawidłowo trzymać szczoteczkę do zębów, żeby mogło je czyścić we właściwy sposób. Będzie się bardzo starało wykonać zadania, które przed nim postawiłaś.

• **Baw się z maluchem w zabawy ćwiczące palce.** Wymyślaj gry wymagające ruchów palców i rączek. Jego rączki mogą być dwoma pająkami pełznącymi po ścianie, a paluszki nóżkami jakiegoś małego ludzika wędrującego po powierzchni stołu.

• **Baw się z nim w trudne gry wzrokowe.** Kiedy jesteście razem poza domem, poproś je np., by wypatrywało samochodów takich samych jak wasz. Rodzaj obiektu, wybranego przez ciebie do obserwacji i rozpoznania, nie ma tu znaczenia. To może być, co tylko chcesz, byle dziecko musiało posłużyć się swym wzrokiem dla zlokalizowania go.

Zabawki odpowiednie dla rosnącego dziecka

Wiek dziecka	Zabawka / Czynność	Ćwiczona umiejętność
2–2½ roku	Rysowanie na papierze kolorowymi kredkami	• By zachęcić dziecko do prawidłowego trzymania kredek.
	Zestaw narzędzi-zabawek	• Dla usprawniania ruchów rączek. Takie czynności, jak: piłowanie, uderzanie młotkiem i obracanie śrubokrętu, stanowią doskonałe ćwiczenie.
2½–3 lata	Materiały rękodzieła artystycznego, takie jak: papier kolorowy, bezpieczne nożyczki i klej	• Dla uczenia się nowych umiejętności. Cięcie papieru, jego zaginanie i przyklejanie to złożone zadania ćwiczące rączki, a ich opanowanie zabiera sporo czasu.
	Plastikowy serwis do herbaty	• Używanie prawdziwego płynu zachęci do większej precyzji w jego przelewaniu z jednego naczynia do drugiego.
3–3½ roku	Książeczka do kolorowania	• Zachęca do większej dokładności w kolorowaniu, ze względu na konieczność trzymania się w obrębie czarnych konturów.
	Modelina	• Usprawnia koordynację ręka-oko poprzez ćwiczenia w lepieniu z niej figur lub wałkowania jej kawałków małym wałeczkiem.
	Klocki do układania	• By zachęcić dziecko do prób tworzenia różnych kształtów i wzorów.
3½–4 lata	Zabawy z piaskiem i wodą	• By dziecko odczuwało różne doznania. Dzieci lubią wycierać rączki w piasku i wyciskać między paluszkami piaskowe „błotko".
	Ubiory zapinane na rzepy i duże guziki	• Dla podnoszenia sprawności paluszków dziecka.

Koordynacja ręka-oko
Częste problemy

P.: Rączki mojego dziecka nie wydają mi się zbyt silne. Jak mogę to poprawić?

O.: Siła jego mięśni będzie zwiększać się, w miarę jak dziecko będzie rosło, więc teraz nie musisz podejmować jakichkolwiek szczególnych działań. Mogłabyś ewentualnie dać mu do ręki małą, miękką piłeczkę i poprosić, by wielokrotnie ją ściskało. Możesz je także zachęcać do zabaw klockami i elementami do budowania konstrukcji.

Powyżej: Zawsze zachęcaj dziecko do prób posługiwania się długopisem i papierem – niezależnie od poziomu jego umiejętności.

P.: Choć moje dziecko nie ma jeszcze czterech lat, stale próbuje samodzielnie zapinać swą kurteczkę na guziki. Zwykle kończy się to łzami. Co powinnam zrobić?

O.: Współpracuj z nim, zamiast pozostawać w opozycji. Możesz na przykład przecisnąć każdy guzik przez dziurkę w ten sposób, by pozostawić dziecku wykonanie ostatniego ruchu kończącego zapinanie. W ten sposób maluch będzie uważał, że robi to samodzielnie i będzie zachwycony tym sukcesem.

P.: Mój trzylatek ma sprawne rączki, ale woli, bym to ja wszystko jemu przynosiła. Jak mogę to zmienić?

O.: Powstrzymaj się od wykonania tych zadań, które dziecko jest w stanie zrobić samodzielnie. W końcu jego ochota np. na zabawę konkretną zabawką lub na zjedzenie czegoś stanie się tak mocna, że dziecko samodzielnie sięgnie po daną rzecz. A kiedy już to zrobi, nie omieszkaj wzmocnić takiego zachowania. Pochwal jego zdolność i zapewnij, że jesteś zachwycona jego samodzielnością.

P.: Moje dziecko ma trzy i pół roczku i choć potrafi trzymać długopis prawidłowo, zupełnie nie potrafi narysować czegokolwiek, co dałoby się rozpoznać. Czemu tak jest?

O.: Niezależnie od tego, jak bardzo się stara, jego układ nerwowy i mięśnie nie są jeszcze wystarczająco dojrzałe do wykonywania tak misternych ruchów ręką. Co więcej, jeżeli będziesz na dziecko naciskać, mówiąc np.: „Pisz starannie", ryzykujesz, że przestanie się ono całkowicie interesować nauką pisania. Zamiast je ponaglać, obserwuj troskliwie możliwości swego dziecka i zachęcaj je do dalszego, spokojnego ich rozwijania.

P.: Kiedy coś wzbudzi gniew mego dziecka, podnosi ono porywczo rączkę i z całej siły uderza obiekt swego gniewu, nie namyślając się ani chwili. Jak sprawić, by tego nie robiło?

O.: Takie niewłaściwe wykorzystywanie sprawności ręki jest całkowicie nie do przyjęcia. Powinno zawsze spotykać się z twoją dezaprobatą. Upewnij się, że twoje dziecko zdaje sobie sprawę z tego, że cię rozgniewało to jego agresywne działanie. Wyjaśnij mu, że powinno ono wyrażać swe niezadowolenie słowami, a nie fizycznie i poproś je, by pomyślało o tym, jak czułoby się samo, gdyby ktoś uderzył je w podobny sposób. Będziesz przypuszczalnie musiała jeszcze wiele razy posłużyć się tą metodą, dopóki dziecko nie zacznie lepiej panować nad swymi impulsami.

P.: Teraz, kiedy mój maluch częściej nawiązuje znajomości z innymi dziećmi, porównuje się z rówieśnikami. Może to mieć na niego negatywny wpływ, jeżeli np. stwierdzi, że jego rysunki nie są tak dobre jak innych dzieci. Co mogłabym zrobić w takiej sytuacji?

O.: Cały zapał małego dziecka do podejmowania wyzwań dotyczących koordynacji ręka-oko może gwałtownie stopnieć w obliczu wyraźnie lepszych rezultatów osiąganych przez jego kolegę. Kiedy straci ono wiarę we własne możliwości, przy następnej okazji będzie już bardzo niechętne do malowania, rysowania lub pisania. Wszystko, co możesz zrobić w takich przypadkach, to mocno go dopingować.

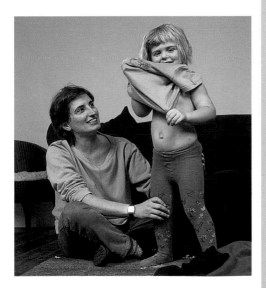

Powyżej: Zaopatrz dziecko w ubranka, które łatwo zakładać, aby twoje samodzielne dziecko mogło ubierać się samo.

Pięć najważniejszych wskazówek

1. Opieraj się pokusom porównywania swego dziecka z kimkolwiek. Będzie ono rozwijać koordynację ręka-oko w swoim własnym tempie. Możesz znać inne dzieci w jego wieku mające lepszą koordynację, ale porównania z nimi wzbudzą jedynie twoje zaniepokojenie i osłabią jego wiarę w siebie.
2. Zapewnij dziecku materiały do modelowania. Może tworzyć z modeliny czy ciastoliny takie postacie, które tylko zechce. Jeżeli nie podoba mu się to, co ulepił, może dzieło zgnieść i zacząć od nowa, dopóki materiał zupełnie nie wyschnie.
3. Rozruszaj jego paluszki. Zademonstruj mu, jak potrafisz szeroko otworzyć dłonie i poruszać palcami w powietrzu. Twoje dziecko będzie próbowało ciebie naśladować i przekona się przy okazji, że potrafi poruszać paluszkami w tak skoordynowany sposób, jak ty to czynisz.
4. Baw się z nim w gry „ze wskazywaniem". Podawaj nazwy konkretnych przedmiotów znajdujących się w pokoju i proś, by je wskazywało. Będzie ono wówczas przyglądało się bacznie otoczeniu, by znaleźć przedmiot, którego nazwę wymieniłaś, a kiedy go odszuka, skieruje na niego paluszek wskazujący. Ten typ gry „Widzę moim małym oczkiem, że..." jest świetną zabawą.
5. Posłuż się artykułami gospodarstwa domowego. Korzystne dla rozwoju koordynacji ręka-oko jest, kiedy dziecko bawi się przedmiotami codziennego użytku: suchy makaron na przykład może być wykorzystany na różne sposoby, a mąka połączona z wodą tworzą kleistą mieszankę, którą dziecko może modyfikować.

Ruch
Co jest typowe?

Twoje dziecko umacnia teraz i rozwija te umiejętności fizyczne, które wypracowało w latach poprzednich. Te wyzwania z dziedziny koordynacji ruchowej, które niegdyś były poza zasięgiem jego możliwości – np. skakanie na jednej nodze, skakanie przez skakankę i utrzymywanie równowagi ciała – są dla niego obecnie dostępne i może ono brać już udział w wielu z tych czynności. Oczywiście dziecko ma jeszcze długą drogę przed sobą, zanim osiągnie całkowitą sprawność w tych dziedzinach, ale jest ono teraz znacznie bardziej zręczne i sprawniejsze fizycznie aniżeli uprzednio.

Dziecko w wieku od dwóch i pół do czterech lat, każdego roku rośnie około 8 cm i przybiera na wadze około 3 kg. Głowa malucha wydaje się mniejsza i bardziej proporcjonalna do reszty ciała. Twarz dziecka poszerza się, przygotowując się do stałego uzębienia, które zacznie wyrzynać się za parę lat. Następują także zmiany w układzie nerwowym: w mózgu, rdzeniu kręgowym, a także w części obwodowej tego układu. Łączny efekt tych normalnie pojawiających się w organizmie zmian jest taki, że dziecko staje się smuklejsze i zwinniejsze, z mniejszą ilością spowalniającej je tkanki tłuszczowej, a ponadto może już bez znużenia podejmować długotrwałą i forsowną aktywność fizyczną.

Co moje dziecko potrafi już zrobić?

2–2½ roku	• Potrafi niewysoko podskoczyć z pozycji stojącej, wchodzić po schodach bez pomocy, a w czasie wykonywania jakiegoś zadania z powodzeniem manewruje między przeszkodami.
2½–3 lata	• Będzie próbowało czynności wymagających utrzymania równowagi, takich jak chodzenie po kłodzie lub skakanie na jednej nodze. Jest w stanie wspiąć się na drabinkę i zjeżdża z dużych zjeżdżalni na placu zabaw. Biega już szybko i pewnie.
3–3½ roku	• Dzięki sprawniejszej koordynacji potrafi już realizować więcej niż jedno zadanie na raz. Potrafi wprawić w ruch zabawkę z napędem na pedały, taką jak rowerek na trzech kółkach. Umie wdrapać się na swoje krzesło i stać przez kilka sekund na paluszkach, nie opierając pięt o podłoże.
3½–4 lata	• Jest wystarczająco pewne siebie, by wypróbować wszystkie sprzęty na placu zabaw. Uwielbia podskakiwać na batucie lub w nadmuchiwanym zamku. Potrafi chodzić w górę i w dół schodów, stawiając kolejno nóżki na stopniu, wykorzystuje do podparcia poręcz czy ścianę.

Ruch
Częste pytania

P.: Czemu większość chłopców woli zabawy na świeżym powietrzu, nawet te wyczerpujące, a dziewczęta na ogół wolą angażować się w spokojniejsze zajęcia?

O.: Nikt właściwie tego nie wie, czemu pojawia się taka różnica. Niektórzy utrzymują, że wynika ona z natury fizjologicznej, a zdaniem innych to wynik oczekiwań społecznych. Bez względu na to twoje dziecko – czy to chłopiec, czy dziewczynka – powinno być zachęcane do uczestniczenia w zabawach wyrabiających poczucie równowagi, aktywność i koordynację ruchową. Każde dziecko, niezależnie od płci, czerpie istotne korzyści z takich zabaw.

P.: Czy powinnam odciągnąć dziecko od zabaw pełnych szamotaniny i przepychanek?

O.: Szamotanina i przepychanki mogą wyglądać na agresywne i niebezpieczne, ale takimi nie są. Z punktu widzenia dziecka jest to bardzo twórcza forma zabawy, ponieważ rozwija ona jego sprawność fizyczną i umiejętności zachowania się wśród innych dzieci. Jeżeli twoje dziecko, a także jego przyjaciele są zadowoleni, bawiąc się w ten sposób, i zabawa nie kończy się łzami, pozwól im bawić się dalej.

P.: Moje dziecko ma dwa i pół roczku. Czy powinno potrafić już skakać na jednej nodze?

O.: Większość dzieci nie potrafi skakać na jednej nodze, zanim nie osiągnie wieku około trzech – czterech lat, ale nie ma nic złego w tym, że będziesz swoje dziecko przygotowywała do zdobycia takiej umiejętności. Możesz na początek poprosić je, by starało się utrzymać równowagę, stojąc na jednej nóżce.

P.: W porównaniu z dzieckiem moich przyjaciół moje dziecko jest pulchniejsze i wolniejsze. Czy zacznie szczupleć?

O.: Dziecko jest już w trakcie utraty swej

Powyżej: W tym wieku twoje dziecko zaczyna uczyć się skakać, podskakiwać na jednej nodze, skakać przez skakankę i wzmacniać poczucie równowagi.

„dziecięcej pulchności" – co jest naturalnym dla tego wieku wynikiem procesu rośnięcia. Na tym etapie ważniejszy niż rozmiary ciała jest stosunek dziecka do aktywności ruchowej. Jeżeli maluch jest pełen entuzjazmu, nie masz się czym martwić.

P.: W jakim wieku następuje u dzieci gwałtowne przyspieszenie wzrostu?

O.: Okres szybkiego wzrostu wagi i rozmiarów ciała występuje w dzieciństwie dwukrotnie. Pierwszy ma miejsce od porodu do drugiego roku życia, drugi w okresie dojrzewania. Tempo wzrostu jest stałe pomiędzy drugim i pół, a piątym rokiem życia.

P.: Słyszałam, że dzieci, które rosną szybciej, są bardziej bystre. Czy to prawda?

O.: Niektóre badania wykazały, że dzieci rosnące bardzo szybko we wczesnym dzieciństwie istotnie uzyskują zazwyczaj nieco lepsze wyniki w szkole niż dzieci rosnące wolniej. Jest jednak cała masa niskich dzieci, które są bardziej bystre niż ich wysocy rówieśnicy. Tempo wzrostu jest tu tylko jednym, niewielkim przyczynkiem.

Ruch
Stymulacja

Pomiędzy trzecim a czwartym rokiem życia dziecko dokonuje wielkiego postępu w dziedzinie podstawowych umiejętności ruchowych takich, jak: skakanie, bieganie, wspinanie się i utrzymywanie równowagi. Zwiększa się także zdolność dziecka do uczenia się. Maluch łączy ze sobą te dwie dziedziny rozwoju, co pozwala mu już brać udział w wielu różnorodnych rodzajach czynności.

Czuje się o wiele pewniej w działaniach wymagających umiejętności ruchowych i wie, że jego zmysł równowagi, koordynacja i siła mięśni są teraz większe. Uczestniczy z zapałem w grach, w których się kopie, rzuca i chwyta, a kiedy ma już około czterech lat, schody nie są dla niego większą przeszkodą.

Jak mogę stymulować sprawność ruchową mojego dziecka?

• **Zamiast unieruchamiać dziecko w uprzęży wózka spacerowego, chodź z nim na spacery pieszo.** Choć wówczas twoje spacery będą ogólnie wolniejsze, będzie się to opłacało, bo dziecko będzie miało więcej możliwości do ćwiczenia swej sprawności ruchowej.

• **Poproś je, by układało swoje zabawki do przeznaczonego do tego celu pudła.** Oprócz tego, że powierzasz mu odrobinę osobistej odpowiedzialności i niezależności, o które zacznie i tak niedługo zabiegać, wykonywanie tego zadania wymaga od dziecka ruchów całego ciała, włączając w to chodzenie, schylanie się, utrzymywanie równowagi i układanie.

• **Biegaj razem ze swym dzieckiem, trzymając je za rączkę.** Będzie próbowało biegać szybciej, kiedy będzie miało bezpieczne poczucie, że jesteś przy nim, by pomóc mu, jeżeli się przewróci.

• **Zabawy na otwartym powietrzu są ważne w rozwijaniu umiejętności ruchowych twego dziecka**, więc zabieraj je na plac zabaw tak często, jak tylko możesz.

• **Pozwól mu chodzić po leżącym pniu.** Prawdopodobnie spadnie, więc w czasie tego chodzenia będzie trzeba je trzymać za rączkę. Jest to dla twego dziecka bardzo trudna czynność. Jest ona dla niego także pasjonująca i stanowi dobry sposób na wzmacnianie jego poczucia równowagi oraz sprawności ruchowej.

• **Wykorzystuj muzykę, by uczynić ćwiczenia ruchowe jeszcze lepszą zabawą.** Tańcz razem ze swym dzieckiem w takt jego ulubionej melodii.

• **Baw się z nim na poziomej huśtawce.** Kołysząc się łagodnie w górę i w dół, dziecko umacnia swoją pewność siebie. Ponadto podczas odpychania ćwiczy mięśnie nóg, a trzymając za sznurek – mięśnie ramion.

• **Pozwól mu siadać samodzielnie na krzesło.** Dziecko jest już teraz w stanie wgramolić się na swoje krzesło zajmowane przy posiłkach i tak wyginać się, kręcić, aż znajdzie się w wygodnej pozycji do jedzenia.

• **Wchodź z nim na wzniesienia.** Zadbaj o to, by nie chodzić z dzieckiem wyłącznie po terenie całkiem płaskim. Podchodzenie łagodnym stokiem wzmacnia mięśnie jego nóżek i buduje jego ruchową wytrzymałość.

• **Zapisz je na naukę pływania.** Twoje dziecko mogło już uczyć się pływać lub nie, ale niezależnie od tego zyska, korzystając ze wskazówek wykwalifikowanego trenera pływania. Jego pewność siebie w czasie przebywania w wodzie będzie się stale zwiększać.

Wychowanie pozytywne **Złoty środek**

P.: Mój najmłodszy synek jest nazbyt śmiały i tryska entuzjazmem. Jego wyższa sprawność fizyczna powoduje, że chce biegać i wspinać się na wszystko w okolicy. Robi to wszędzie i nie ma znaczenia, czy jest to miejsce przeznaczone specjalnie do takich zabaw, czy nie. Z rozkoszą korzysta ze swej wyższej sprawności ruchowej, nawet jeżeli dana czynność jest potencjalnie ryzykowna. Co mogę zrobić, bez zniechęcania go do takich działań, żeby nie wyrządził sobie jakiejś krzywdy?

O.: Nie jest łatwo balansować pomiędzy staranną ochroną dziecka – aż do tego stopnia, że zaczyna ono bać się udziału w dynamicznej zabawie, a zezwalaniem mu na kontynuowanie żywiołowych harców – aż do momentu, kiedy znajdzie się w stanie zagrożenia. Najskuteczniejszym sposobem postępowania jest łączenie sensownych uwag dotyczących zachowania bezpieczeństwa z pozytywnymi wskazówkami, jak można przeżywać przygody bez znalezienia się w niebezpieczeństwie.

Sposoby postępowania

• **Sprawdź, czy dziecko ma odpowiednią ilość możliwości bezpiecznego zapoznawania się z otoczeniem,** tak by dla przeżycia przygody i emocji nie musiało się narażać. Dobrze zorganizowane place zabaw na otwartym powietrzu, wyposażone w huśtawki, karuzele, konstrukcje wspinaczkowe i pnie drzewne do ćwiczenia równowagi, zapewniają świetną zabawę i pomagają pobudzać ciekawość dziecka, a przy tym mają tę zaletę, że zostały zaprojektowane z myślą o bezpieczeństwie dzieci.

• **Zabierz je na jakieś zajęcia rekreacyjne, takie jak pływanie, gimnastyka lub inne rodzaje zajęć sportowych.** Wybierz zajęcia dobrze nadzorowane, odbywane w bezpiecznym i pewnym otoczeniu. Energia i zapał dziecka znajdują w takich zajęciach zachętę i nie są hamowane jakimiś niechętnymi spojrzeniami. Choć dziecko początkowo może niechętnie chodzić na te zajęcia, szybko się zaadaptuje, jak tylko zda sobie sprawę z dobrej zabawy, jaka tam na niego czeka.

• **Nie szczędź dziecku pochwał, kiedy widzisz, że bawi się ono bardzo aktywnie, ale bezpiecznie.** Przytul je np. serdecznie, kiedy pamięta o tym, by na ulicy iść spacerem, a nie biec na oślep.

P.: Mój trzyletni synek jest z natury nieśmiały i obawia się odkrywać rozległe tereny parku lub atrakcje placu zabaw. Wiem, że chciałby się bawić, ale brak mu odwagi, by wchodzić na konstrukcję wspinaczkową czy choćby kopnąć piłkę. Co mogę zrobić, by go ośmielić i nie dopuścić, by ominęły go te wszystkie zabawy, które, jak wiem, uznałby za bardzo ekscytujące?

O.: Niech cię nie kusi popychać go do nich zbyt zdecydowanie i zbyt szybko. Jeżeli dziecko rzeczywiście obawia się zrobienia sobie krzywdy lub boi się upadku, zmuszane do śmielszych działań zesztywnieje wręcz w bezruchu. Będzie znacznie lepiej, kiedy posłużysz się tu łagodną, taktowną perswazją – złośliwa ironia lub naśmiewanie się z jego nieśmiałego zachowania pogorszą tylko sytuację. Dziecko musi czuć, że jesteś po jego stronie, gotowa by mu doradzić, zamiast wyśmiewać się z niego. Miej na uwadze, że twoje nieśmiałe dziecko będzie bardziej skłonne do rozszerzania zasięgu swoich możliwości fizycznych właśnie pod nadzorem osoby dorosłej.

Ruch
Częste problemy

P.: Ostatnio moja córeczka przybiegała do mnie zapłakana, skarżąc się: „Nie potrafię tak biegać jak mój kolega". Ma dwa i pół roczku i stale porównuje się z innymi. Czy jest to normalne?

O.: To zwiększone zainteresowanie twej córeczki towarzystwem może mieć ujemny wpływ na jej poczucie własnej wartości, bo jej pewność siebie może się obniżyć, kiedy zda sobie sprawę, że niektóre dzieci są zręczniejsze od niej. Jeżeli to ją denerwuje, traktuj jej odczucia poważnie. Dla ciebie może to być błahostka, ale dla niej sprawa jest niezmiernie poważna. Przytul ją w sposób dodający otuchy i pocieszaj ją, dopóki się nie uspokoi. Powiedz jej, że będzie biegała szybciej, pod warunkiem, że nadal będzie się o to bardzo starać i przypomnij jej inne zdobyte przez nią umiejętności ruchowe.

Powyżej: Niektórym dzieciom brakuje pewności siebie w dziedzinie aktywności fizycznej i mogą one potrzebować delikatnej zachęty.

P.: Mój trzylatek jest bardzo zdecydowany. Jego wyobraźnia nie zna granic i marzy o wspinaniu się na przeszkody, rzucaniu piłki wysoko w powietrze i bardzo szybkim bieganiu. Ale kiedy tylko przekonuje się o swych fizycznych ograniczeniach, wybucha wściekłością i rozczarowaniem. Co powinnam zrobić?

O.: Przede wszystkim nie wpadaj w gniew, kiedy on w taki sposób traci panowanie nad sobą. Zamiast tego spraw, by zaprzestał frustrującej go czynności i uspokój go. Zwróć mu uwagę, że im więcej płacze, tym trudniej mu będzie zakończyć pomyślnie swoje działanie. Wyjaśnij mu, że inne dzieci także uważają to za bardzo trudne i zasugeruj mu, by spróbował osiągnąć jakiś łatwiejszy cel.

P.: Moje dziecko boi się wspinania. Czy powinnam w takim razie postawić je na ramie do wspinaczki?

O.: To prawdopodobnie przerazi je jeszcze bardziej. Daleko lepszym sposobem jest stopniowe pobudzanie jego umiejętności wspinaczkowych, rozpoczynając od niewielkich przeszkód, takich jak leżąca na podłodze poduszka. Następnie zbuduj przeszkodę już z dwóch poduszek, stopniowo wzmacniając pewność siebie dziecka. Zabierze się ono do ramy wspinaczkowej, kiedy będzie do tego gotowe.

P.: Ja sama poruszam się beznadziejnie niezgrabnie i nie mogę zbyt wiele przekazać memu dziecku w dziedzinie sprawności fizycznej. Czy dziecko może na tym stracić?

O.: Badania psychologiczne potwierdzają, że choć zainteresowanie rodziców sprawnością ruchową własnego dziecka ma na nią jakiś wpływ, to jednak dzieci uczą się jej także poprzez zabawy ze swymi rówieśnikami. Rób więc, co tylko możesz, by dobrze pokierować aktywnością ruchową dziecka, ale także upewnij się, że ma ono możliwość regularnego spędzania czasu ze swymi rówieśnikami.

P.: Moje dziecko ma trzy i pół roczku i upiera się przy wspinaniu się na wszystkie meble. Co powinnam zrobić?

O.: Daj mu jasno do zrozumienia, że wspinanie się na meble jest niedopuszczalne. Zwróć uwagę dziecka na ryzyko możliwego urazu i na uszkodzenia mebli, jakie może spowodować. Równocześnie zaproponuj mu plac zabaw, gdzie będzie mogło bez przeszkód ćwiczyć swe umiejętności wspinaczkowe.

P.: Mój trzylatek jest bardzo niesforny w czasie zabaw ze swoimi kolegami, zauważyć to można zwłaszcza podczas zabawy z jednym z chłopców, który z powodu mego syna chwilami jest bardzo zdenerwowany. Czy powinnam powstrzymać mego syna od zabawy z tym chłopcem?

O.: Niektóre dzieci w czasie bardzo dynamicznych zabaw są bardziej żywiołowe niż inne; lubią

popychać inne dzieci, mocować się z nimi i turlać się po ziemi, kiedy tylko mogą. Nie jest to zamierzona agresja, lecz zabawa, jednak dziecko, które jest obiektem takich żywiołowych działań, może się nimi denerwować. Nie powstrzymuj swego synka przed zabawą z innymi dziećmi, ale łagodnie wytłumacz mu, że nie wszyscy jego koledzy mogą lubić takie brutalne zabawy. Zachęć go do brania pod uwagę także ich odczuć. To zwiększa jego wrażliwość w stosunku do kolegów.

P.: Moje dziecko ma trzy i pół roczku i nie potrafi chodzić na paluszkach. Czy mogłabym mu pomóc się tego nauczyć?

O.: Tak. Możesz uczyć dziecko nowych umiejętności ruchowych, jeżeli ma ono trudności z samodzielnym ich opanowaniem. Jeżeli chodzi o chodzenie na paluszkach, to początkowo dziecko może czuć wielki zapał do tego i dynamicznie ruszyć do nauki, co mogłoby się skończyć upadkiem i utratą pewności siebie. Podziel więc tę czynność na małe etapy. Po pierwsze, dziecko powinno stać pewnie, z obydwiema nóżkami wspartymi mocno na ziemi. Następnie podnieść lekko pięty, a jeżeli tylko maluch czuje się swobodnie, może je podnieść wyżej. Systematycznie dziecko robi to coraz wyżej, aż wreszcie będzie się wspinać na paluszkach samodzielnie. Następnym etapem będzie nauczenie go, jak chodzić w takiej pozycji. Zachęć je, kiedy stoi już na paluszkach, by przesunęło jedną nóżkę lekko ku przodowi, podczas kiedy druga pozostaje w miejscu. Następnie ten kroczek w przód może zostać wydłużony. Innymi słowy, stopniowo prowadź dziecko ku opanowaniu przez nie tej umiejętności ruchowej. Bądź w stosunku do dziecka bardzo cierpliwa. Przekonasz się, że uczy się ono w swoim własnym, naturalnym tempie.

Po lewej: W wieku około czterech lat twoje dziecko stanie się śmielsze i polubi korzystanie z otwartych placów zabaw.

Problemy zdrowotne
Pierwsza pomoc

Ten dział, poświęcony sprawom zdrowia, omawia jedynie przypadki pomniejszej wagi. Pierwszej pomocy nie można nauczyć się z książek, a żeby móc poradzić sobie z koniecznością wykonania resuscytacji, z ciężkim krwawieniem lub oparzeniami, albo z urazami głowy, należy zapisać się na kurs pierwszej pomocy. Jeżeli nie masz takiego przeszkolenia, twoje dziecko powinno zostać zbadane przez lekarza lub przewiezione na oddział pomocy doraźnej (patrz także strony: 120–121 oraz 174–175).

P.: Co powinnam robić, jeżeli moje dziecko zemdleje?

O.: Zwykle objawami wskazującymi na możliwość omdlenia są: zawroty głowy, wolne tętno i bladość twarzy – spowodowane krótkotrwałym ograniczeniem dopływu krwi do mózgu. Dziecko może zemdleć z głodu, strachu, bólu lub kiedy jest zmuszone stać bez ruchu przez dłuższy czas. Jeżeli dziecko zemdleje, połóż je, unieś jego nóżki i podtrzymaj w tej pozycji. Poluźnij ciasną odzież w pasie, na klatce piersiowej i w obrębie szyi. Zapewnij mu świeże powietrze, otwierając okno i/lub wachlując mu twarz. Kiedy dziecko zacznie odzyskiwać świadomość, łagodnie, tak by go nie przestraszyć, stopniowo posadź i uspokój je, ale nie dawaj mu niczego do picia, zanim nie stanie się całkowicie przytomne.

P.: Co zrobić, jeżeli memu dziecku utkwi coś w uszku?

O.: Małe dzieci dość często wpychają sobie do uszka różne przedmioty. Istnieje też możliwość, że jakiś owad dostanie się do uszka dziecka. W tym drugim przypadku posadź dziecko i obejrzyj jego ucho w dobrym świetle. Jeżeli jest w nim jakiś owad, połóż ręcznik na ramionku dziecka i wlewaj do uszka letnią wodę, by wypłukać owada na zewnątrz. Nigdy nie próbuj usuwać z przewodu słuchowego czegokolwiek innego niż owad, ponieważ niezmiernie łatwo jest wepchnąć ciało obce w głąb przewodu i spowodować większą szkodę. Należy wówczas skorzystać z pomocy lekarza.

P.: Jak powinnam postępować z dzieckiem, które ma coś w oczku?

O.: Drobiny pyłu lub piasku często wpadają do oka i zwykle dość łatwo można je usunąć. Nie można jednak dotykać niczego, co tkwi w oku lub przylega do kolorowej części oka (tęczówki lub źrenicy). Jeżeli ciało obce przylega do kolorowej części oka i nie porusza się, kiedy dziecko mruga, pokryj oczko gazą i przybandażuj ją. Dalej postępuj tak, jak przy urazie gałki ocznej (patrz strona 175). Jeżeli ciało obce znajduje się na białej części gałki ocznej lub pod powieką, odsuń delikatnie powiekę i poproś dziecko, by poruszało oczkiem w górę, w dół oraz na boki, byś mogła zobaczyć ciało obce. Przechyl główkę dziecka tak, aby oczko z ciałem obcym znalazło się niżej. Następnie wlewaj do oczka niewielką ilość wody z dzbanuszka, by wypłukać tą obcą drobinę. Jeżeli nie zostanie wypłukana, spróbuj ją wyjąć, używając do tego zmoczonego, zwiniętego rogu chusteczki higienicznej lub czystej chustki. Jeżeli ciało obce znajduje się pod górną powieką, pociągnij ją w dół i poproś dziecko, by mrugnęło – to może usunąć drobinę. Jeżeli jednak ciało obce nadal pozostaje w oczku, przybandażuj je i zabierz dziecko do lekarza.

P.: Jak powinnam postępować w przypadku skręconej kostki?

O.: Skręcenie takie wiąże się z rozdarciem jakiejś części więzadeł i innych tkanek wokół stawu, co powoduje ból i obrzęk. Ten rodzaj urazu może być niewielki lub tak rozległy, że trudno go nieraz

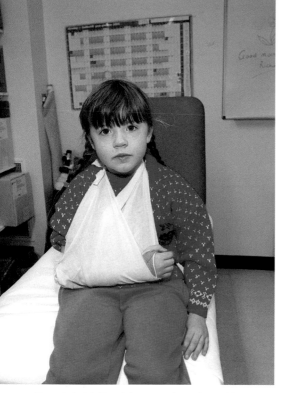

Powyżej: Jeżeli podejrzewasz złamanie rączki, to po odpowiednim zabandażowaniu (patrz tekst po prawej), zawieź dziecko do szpitala.

odróżnić od złamania. Jeżeli istnieje jakakolwiek wątpliwość, skręcenie powinno być zawsze traktowane tak jak złamanie (patrz poniżej). Przede wszystkim pomóż dziecku usiąść lub położyć się i podtrzymaj nóżkę w wygodnej, spoczynkowej pozycji. Delikatnie zdejmij obuwie i skarpetki. Obłóż okolicę kostki ściereczką zamoczoną w zimnej wodzie i wykręconą (dla zmniejszenia bólu i obrzęku), połóż na nią woreczek z lodem. Owiń wokół kostki grubą warstwę waty i zabandażuj dla unieruchomienia i ochrony. Ułóż nóżkę wyżej. Jeżeli sądzisz, że ten uraz mógł spowodować złamanie, zabierz dziecko do szpitala.

P.: Co powinnam zrobić, jeżeli podejrzewam, że moje dziecko złamało sobie rączkę lub nóżkę?

O.: Złamanie kończyny może wręcz rzucać się w oczy obecnością takich objawów, jak obrzęk, zniekształcenie i silny ból. Dzieci, które doznały niepełnego złamania kości (tzw. złamanie zielonej gałązki), mogą mieć mniej wyraźne objawy. Każde dziecko, które miało jakiś wypadek i ma po nim miejscowy ból nad jakąś częścią kości, musi zostać odpowiednio zbadane. Szczególnie częste u dzieci są złamania w okolicy łokcia. W przypadku złamania rączki posadź dziecko i podtrzymaj uszkodzoną kończynę. Pomiędzy ramieniem a ścianą klatki piersiowej umieść poduszeczkę z jakiegoś zwiniętego materiału. Delikatnie i powoli ułóż przedramię w najbardziej wygodnej pozycji w poprzek klatki piersiowej i unieruchom je przy pomocy trójkątnej chusty lub chustki na głowę. Dla dodatkowego umocnienia drugim bandażem przybandażuj ten temblak wokoło, do klatki piersiowej. Zawieź dziecko do szpitala. W przypadku złamania nóżki pomóż dziecku położyć się, podtrzymując cały czas uszkodzoną kończynę. Staraj się unieruchomić ją przy pomocy własnych rąk lub zwiniętego koca. Wezwij karetkę pogotowia. Bandażuj uszkodzoną nóżkę dla jej dodatkowego unieruchomienia jedynie wtedy, kiedy wiesz, że karetka przybędzie z istotnym opóźnieniem. Staraj się utrzymywać dziecko w nieruchomej pozycji i nie dawaj mu niczego do jedzenia ani picia. Jeżeli musisz dziecko poruszyć, najpierw podtrzymaj i staraj się unieruchomić złamaną nóżkę, przysuwając do niej nóżkę zdrową.

Jeżeli bezpośrednio po wypadku nie ma zagrożenia życia, a fachowa pomoc medyczna będzie szybko na miejscu, najlepszym sposobem postępowania może być czekanie na jej przybycie.

Problemy zdrowotne
Wzrost

P.: Co to są bóle wzrostowe?

O.: Są to bóle nóg, tępe lub piekące, pojawiające się zwykle w nocy. Ich przyczyna nie jest do końca poznana, ale jest niemal pewne, że bóle te nie są spowodowane przez to, że dziecko rośnie. Niektóre dzieci są na te bóle szczególnie podatne, a dziewczynki cierpią z ich powodu częściej niż chłopcy. Występują najczęściej pomiędzy trzecim a piątym, a następnie pomiędzy ósmym a dwunastym rokiem życia. Dzieci, które cierpią na inne nawracające bóle, jak choćby migreny czy bóle brzucha, częściej też odczuwają bóle wzrostowe. Bóle te nigdy nie są ciężkie i w końcu zanikają samoczynnie.

P.: Jakie mogą być następstwa niedoboru hormonu wzrostu?

O.: Jeżeli twoje dziecko ma niedobór hormonu wzrostu, to zauważysz, że po pierwszym roku normalnego rozwoju wzrost dziecka uległ zahamowaniu. Dziecko może mieć wówczas nadwagę, dziecinną twarzyczkę, ale będzie się wykazywało normalną inteligencją. Wzrost jest w przeważającym stopniu sterowany hormonem wzrostu wydzielanym przez przysadkę mózgową, która mieści się w obrębie podstawy mózgu. Niektóre dzieci rosną bardzo wolno, a badania wykazują u nich niedobór hormonu wzrostu. Co trzecie dziecko z niedoborem hormonu wzrostu ma nadwagę spowodowaną zaburzeniami wydolności przemiany materii. Jeżeli schorzenie to zaczyna być leczone wystarczająco wcześnie, dziecko może osiągnąć pełny wzrost osoby dorosłej. Bez leczenia chłopiec rośnie jedynie do wysokości 143 cm, a dziewczynka do 127 cm. W większości przypadków leczenie polega na codziennym podawaniu dziecku w zastrzyku zastępczej dawki syntetycznego hormonu wzrostu.

P.: Co powinnam robić, jeżeli sądzę, że moje dziecko ma nadwagę?

O.: Twoja pielęgniarka środowiskowa dokona odpowiednich pomiarów dziecka i naniesie ich wyniki na tabelę rozwoju dziecka. Dopóki krzywa wagi dziecka układa się w sposób mniej więcej zbliżony do odpowiednich centyli i nie przebiega wyżej niż dwa przedziały od krzywej wzrostu, większość lekarzy nie widzi powodów do zbytnich obaw. Jeżeli krzywa wagi ciała rośnie bardziej stromo aniżeli krzywa wzrostu, dziecko przybiera na wadze zbyt szybko. Jeżeli tak jest u twojego dziecka, porozmawiaj ze swym lekarzem lub pielęgniarką środowiskową, by wykluczyć jakieś przyczyny zdrowotne, a także rozważ styl życia waszej rodziny. Znajdź sposoby na wprowadzenie do rozkładu dnia twego dziecka większej ilości ćwiczeń fizycznych i prawidłowych nawyków żywieniowych.

Choć niektórzy lekarze wątpią, czy bóle wzrostowe w ogóle istnieją, każde z rodziców, których dziecko budziło się w nocy z powodu takiego bólu, jest całkowicie pewne, że nie są one wytworami wyobraźni.

Problemy zdrowotne
Astma

Radzenie sobie z napadem astmy

U dziecka mającego napad astmy pojawiają się trudności z oddychaniem, oddech jest przy tym zbyt ciężki, by móc mówić lub jeść, a ponadto dziecko może oddychać bardzo szybko. Zachowaj spokój i podejmij wymienione poniżej kroki. Jeżeli napad astmy pojawił się u dziecka po raz pierwszy, przejdź od razu do punktu 4.

1. **Zachowaj spokój i realizuj uzgodniony z lekarzem plan doraźnej pomocy dziecku.**
2. **Podaj dziecku natychmiast leki rozszerzające oskrzela,** używając do tego celu rozpylacza, jeżeli jest on dostępny. Odczekaj następnie 5 do 10 minut. Jeżeli oddychanie nie uległo poprawie, powtórz dawkę leku.
3. **Podtrzymuj dziecko w pozycji siedzącej,** jeżeli jest mu w niej wygodnie.
4. **Jeżeli dwie dawki lekarstwa nie przyniosły efektu, skontaktuj się natychmiast z lekarzem, pogotowiem lub szpitalnym oddziałem pomocy doraźnej.**

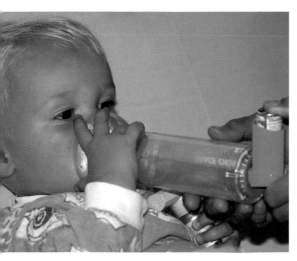

Powyżej: Mniejszym dzieciom może być łatwiej korzystać z inhalatora z dołączonym do niego rozpylaczem.

P.: Co to jest astma?

O.: To częste schorzenie, rozpoczynające się nierzadko w dzieciństwie, występuje wówczas, kiedy w drobnych drogach oddechowych płuc, oskrzelikach, pojawia się stan zapalny. W jego wyniku wyściółka dróg oddechowych ulega obrzękowi i zaczyna produkować więcej śluzu niż zwykle, a mięśnie w ścianach dróg oddechowych kurczą się. Wynikiem tych zmian jest charakterystyczny, chrapliwy świst, pojawiający się przy próbach nabierania powietrza do płuc i wydychania go na zewnątrz, a czasami i uporczywy kaszel, mający doprowadzić do pozbycia się śluzu. U większości niemowląt i małych dzieci wystąpienie tych objawów jest wyzwalane przez infekcje wirusowe, takie jak zwykłe przeziębienie, z tym, że pomiędzy epizodami przeziębień dziecko czuje się zupełnie dobrze. Astma jest często schorzeniem występującym rodzinnie, szczególnie w tych rodzinach, w których istnieje skłonność do alergii. Objawy astmy mogą także pojawić się wówczas, kiedy dziecko zetknie się z uczulającymi substancjami, takimi jak kurz domowy, pyłki kwiatów, sierść zwierząt lub pierze.

P.: Jak można ją leczyć?

O.: Leki na astmę mają postać przewidzianą do wdychania, by mogły działać tam, gdzie są najbardziej potrzebne – głęboko w płucach. Są dwa główne typy tych leków: leki wziewne łagodzące (rozszerzające oskrzela) i leki zapobiegające. Te pierwsze rozluźniają mięśniówkę ścian dróg oddechowych. Są one zwykle dostępne w niebieskich inhalatorach, do zastosowania w czasie trwania napadu. Każde dziecko z astmą musi mieć zawsze natychmiastowy dostęp do niebieskiego inhalatora. Inne leki, znajdujące się w inhalatorach białych lub brązowych, są stosowane codziennie, kiedy dziecko czuje się dobrze. Leki te tłumią stan zapalny dróg oddechowych i zmniejszają prawdopodobieństwo wystąpienia nadmiernej reakcji dziecka na wdychane przez nie alergeny.

Problemy zdrowotne
Choroby zakaźne wieku

P.: Co to jest ospa wietrzna?

O.: To schorzenie wysoce zakaźne, wywołane przez wirus „Varicella zoster", atakujący najczęściej dzieci poniżej 10. roku życia. Ospa przenoszona jest w płynie, który wysącza się z pęcherzyków skórnej wysypki lub w kropelkach znajdujących się w wydychanym powietrzu. Inkubacja wirusa trwa od 10 do 21 dni, a chore dziecko jest zakaźne dla innych, licząc od 1–2 dni przed pojawieniem się wysypki, do chwili, kiedy wszystkie wykwity pokryją się strupkami. Przechorowanie ospy wietrznej zwykle uodparnia na nią na całe życie, ale uśpiony wirus pozostaje w organizmie i może w późniejszym okresie być przyczyną półpaśca.

P.: Jakich objawów powinnam wypatrywać?

O.: Twoje dziecko może źle się czuć, stracić apetyt, mieć podwyższoną temperaturą ciała, i ból gardła. Pierwsze małe plamki wysypki pojawiają się najpierw na głowie, następnie na brzuchu, plecach, rękach i nogach. W ciągu kilku godzin plamki te przekształcają się w małe pęcherzyki wypełnione płynem, wokół których są czerwone obwódki. W ciągu 3–4 dni pęcherzyki tworzą swędzące, żółte strupki, które po upływie około 10 dni zaczynają odpadać.

P.: Czy mogę leczyć to schorzenie samodzielnie, a jeżeli tak, w jaki sposób?

O.: Jeżeli jesteś pewna, że jest to ospa wietrzna, możesz tę infekcję leczyć samodzielnie. Jeżeli natomiast dziecko czuje się ogólnie źle, kiedy plamki wysypki czerwienieją i są bolesne lub cokolwiek innego ciebie niepokoi, porozum się z lekarzem. Najpierw zmierz dziecku temperaturę. Jeżeli jest podniesiona, daj mu paracetamol. Poinformuj przedszkole, do którego dziecko chodzi, oraz wszystkie ciężarne z rodziny i przyjaciół. Zaopatrz swoją domową apteczkę w emulsję

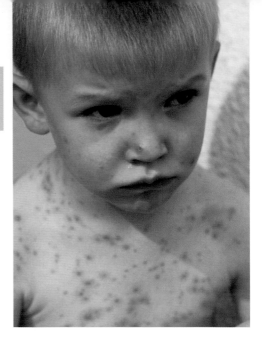

Powyżej: Można rozpoznać ospę wietrzną po małych plamkach, które szybko zamieniają się w wypełnione płynem pęcherzyki.

cynkowo-wapniową (np. Calamina), jeden z leków przeciwhistaminowych oraz w wodorowęglan sodowy (Sodium bicarbonate, sól Vichy). Przytnij paznokcie dziecka, nałóż na zmiany skórne emulsję cynkowo-wapniową lub pastę zrobioną z proszku wodorowęglanu sodu i wody i poucz dziecko, by zamiast drapać swędzące miejsca, uciskało je, gładziło lub szczypało. Postaraj się, by dziecko codziennie kąpało się w ciepłej wodzie, w której rozpuszczono garść wodorowęglanu sodowego. Nie przegrzewaj malucha ubieraj go w luźną odzież, bez elastycznych ściągaczy. Jeżeli dziecko ma długie włosy, podwiąż je wysoko.

P.: Co to jest choroba dłoni, stóp i jamy ustnej?

O.: Choroba ta jest infekcją wirusową, zwykle umiarkowaną, w której na dłoniach, stopach i w jamie ustnej pojawiają się małe pęcherzyki. Infekcja rozprzestrzenia się w kropelkach znajdujących się w wydychanym powietrzu, szczególnie kiedy osoba zakażona kaszle lub kicha. Wirus atakuje następnie przewód pokarmowy. Jeszcze przez kilka tygodni po wyzdrowieniu zainfekowanego dziecka wirus ten może być przenoszony

z kału na ręce. Choroba rozwija się przez 3–5
dni, ale u większości dzieci powoduje jedynie
umiarkowany rozstrój zdrowia, trwający przez 3–7
dni. Dziecko wygląda na niezdrowe: nie ma apetytu i gorączkuje. Trzymaj je z dala od innych maluchów, dopóki strupki, jakie powstały na miejscu
pęcherzyków nie odpadną lub do czasu, kiedy
płyn w pęcherzykach nie wchłonie się – w tym
okresie dziecko jest najbardziej zakaźne dla
innych. Podaj dziecku paracetamol. Rozbierz je,
by obniżyć temperaturę ciała i upewnij się, że ma
odpowiednią ilość chłodnych płynów do picia.

**P.: Czy powinnam być zaniepokojona, jeżeli
moje dziecko zachorowało na świnkę?**

O.: Choć sama świnka* ma zwykle przebieg umiarkowany, często nawet bez widocznych objawów,
to jednak infekcja ta może prowadzić do powikłań,
jak zapalenie opon mózgowych, zapalenie mózgu
lub stała głuchota jednego ucha**. Objawami świnki
mogą być: gorączka, ból głowy, brak apetytu, niechęć do przełykania, a nawet mówienia oraz obrzęk
okolicy kąta żuchwy. Jeżeli stan dziecka zaczyna
się pogarszać akurat wtedy, kiedy ty oczekiwałaś
już jego poprawy, powinnaś skontaktować się z lekarzem. U dziecka, które całkowicie wyzdrowiało,
po kilku dniach może się rozwinąć wtórna infekcja. Skontaktuj się z lekarzem, jeżeli zaobserwujesz u niego: zmiany nastroju, drażliwość, senność,
sztywność karku, drgawki, chwiejne ruchy lub zaburzenia orientacji, bóle brzucha lub wymioty.

P.: Co to jest zespół uderzonego policzka?

O.: Zespół uderzonego policzka*** jest infekcją wirusową o umiarkowanym przebiegu, z objawami
przypominającymi różyczkę, a także z jasnoczer-
woną wysypką na policzkach. Schorzenie rozprzestrzenia się poprzez drobniutkie kropelki, które przenoszone są przez wydychane powietrze, kichanie
i kaszel. Rozwija się od 4 do 14 dni, ale z chwilą pojawienia się wysypki dziecko przestaje być zakaźne
dla innych. Jego przebieg zwykle mija bez leczenia,

jednak infekcja ta może czasami powodować poro-
nienia, więc ciężarne powinny unikać osób nim za-
infekowanych. Przez kilka miesięcy po wyzdrowieniu dzieci, które przeszły tę infekcję, mogą miewać
jasnoczerwone policzki, w chwilach kiedy są pod-
ekscytowane lub wystawione na działanie promieni
słonecznych.

*   nagminne zapalenie ślinianki przyusznej
     (przyp. tłum.)
** u chłopców możliwym powikłaniem jest także
     zapalenie jąder (przyp. tłum.)
*** znany jako: rumień zakaźny lub piąta choroba
     (przyp. tłum.)

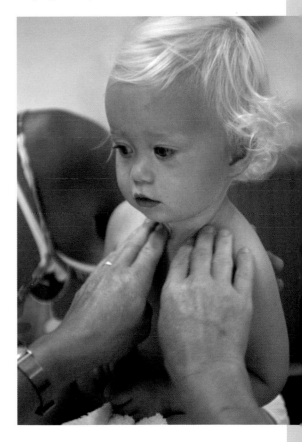

Powyżej: Jeżeli sądzisz, że twoje dziecko może
mieć świnkę, powinno zostać przebadane przez
lekarza.

Problemy zdrowotne
Skóra, włosy i paznokcie

P.: Co powinnam robić, jeżeli moje dziecko ma grzybicę?

O.: Grzybica jest zaraźliwa, więc dopóki nie rozpocznie się leczenie dziecka, nie powinno ono chodzić do przedszkola. Może mieć grzybicę skóry owłosionej głowy, co prowadzić może do pojawiania się plackowatego łysienia, lub grzybicę skóry tułowia. W obydwu tych przypadkach pojawiają się owalne pola zaczerwienionej, łuszczącej się skóry, a zaczerwienienie to rozszerza się powoli ku obwodowi, pozostawiając w swej środkowej części bladą, wygojoną już skórę. W większości przypadków infekcja ta jest leczona lekiem przeciwgrzybicznym, gryzeofulwiną, w tabletkach lub syropie, które dziecko, w celu zapewnienia dobrego wyniku leczenia, powinno przyjmować od czterech do ośmiu tygodni. W dodatku do tego leku na chore miejsca skóry owłosionej głowy lub skóry tułowia możesz jeszcze zastosować krem przeciwgrzybiczny. Po dotknięciu istniejących u dziecka zmian grzybiczych zawsze starannie umyj ręce.

P.: Co to jest świerzb?

O.: Świerzb jest to plaga pasożytów, które drążą skórę dla złożenia w niej swych jaj. Z jajeczek wylęgają się następne roztocza. Rezultatem jest dotkliwe, choć względnie nieszkodliwe podrażnienie skóry. Świerzbu można nabawić się przez bezpośredni kontakt skóry zdrowej z chorą. Może minąć miesiąc, zanim pierwsze objawy świerzbu staną się u niego widoczne. Plagę tę leczy się zwykle przepisaną przez lekarza emulsją przeciw insektom, którą należy stosować na skórę całego ciała, a szczególnie wokół paznokci i pod nimi, na powierzchnie podeszwowe stóp, pomiędzy palcami i za uszami.

Powyżej: Nie polegaj zbytnio na stosowaniu szamponów leczniczych dla pozbycia się wszy głowowych, gdyż szampony te są często nieskuteczne.

P.: Jaka jest najlepsza metoda leczenia brodawek?

O.: Najlepszą rzeczą, jaką możesz zrobić w przypadku brodawki, to zostawić ją w spokoju, aby zanikła samoistnie. Może to potrwać rok, a w niektórych przypadkach nawet dwa. Brodawki składają się z powierzchownej warstwy martwych komórek skóry, pokrywających żywe komórki skóry zainfekowane wirusem brodawki ludzkiej. Mogą one być leczone przy użyciu emulsji, żelu lub plastra nasączonego lekiem, które można kupić w aptece. Najpierw przetrzyj brodawkę pilniczkiem do paznokci z drobnoziarnistą warstwą ścierną, następnie zamocz skórę brodawki na dwie lub trzy minuty, a potem ją osusz. Nałóż na nią emulsję, żel lub plaster i czekaj, aż zupełnie wyschnie. Codziennie powtarzaj całą procedurę, zaczynając od przetarcia powierzchni brodawki. Jeżeli po 12 tygodniach leczenie nie da oczekiwanego rezultatu, zabierz dziecko do lekarza.

P.: Co powinnam wiedzieć o wszawicy głowowej?

O.: Wszy głowowe pojawiają się bardzo często, szczególnie wśród dzieci w przedszkolu i szkole podstawowej. Jeżeli główki dwojga dzieci stykają się, wszy szybko przechodzą z głowy na głowę. Jedynym sposobem ich poruszania się jest pełzanie – nie potrafią one skakać, podskakiwać ani tym bardziej latać. Składają swoje jajeczka (których puste łupinki znamy pod nazwą gnid) tuż przy skórze głowy i przyklejają je do podstaw włosów. Czasami dziecko mające gnidy nie ma jednak wszy, ponieważ już się one wylęgły i przeniosły na głowę innej osoby. Wylęganie się z jajeczek następuje w 7 do 10 dni po ich złożeniu, a mała wesz rośnie, zrzucając trzykrotnie swą skórę w ciągu następnych 7 do 14 dni.

P.: Na co powinnam zwracać uwagę?

O.: Dziecko będzie odczuwało swędzenie skóry owłosionej głowy. Na jego włoskach możesz dostrzec nieruchome, białe drobinki, które, w przeciwieństwie do drobin łupieżu, nie dają się łatwo usunąć szczotkowaniem. Dziecko będzie też miało na karczku czerwoną wysypkę spowodowaną uczuleniem na odchody wszy. Jeżeli dostrzeżesz którykolwiek z tych objawów, musisz bardzo skrupulatnie skontrolować włoski dziecka (patrz niżej).

P.: Jak powinnam postępować w przypadku wszawicy?

O.: Możesz ją zwalczać naturalnymi metodami, używając specjalnego, gęstego grzebienia do usuwania wszy i powtarzając wyczesywanie co trzy lub cztery dni przez okres dwóch tygodni, by usunąć także wszy wylęgłe z jajeczek, zanim się one rozpełzną. Ewentualnie możesz też zastosować środki insektobójcze. Nie polegaj zbytnio na leczniczych szamponach, ponieważ nie pozostają one w kontakcie z jajeczkami wystarczająco długo, by osiągnąć odpowiednią skuteczność. Weź pod uwagę, że dzieci z astmą, egzemą, suchością

skóry lub ciemieniuchą powinny być leczone emulsjami sporządzonymi na podłożu wodnym, a nie spirytusowym. Twój lekarz lub farmaceuta mogą doradzić ci te środki, które są aktualnie polecane.

Szukanie wszy i gnid

- Umyj dziecku włoski normalnym szamponem, z zastosowaniem dużej ilości odżywki do włosów.
- Rozczesz włoski dziecka normalnym grzebieniem.
- Czesz je następnie gęstym grzebieniem do wykrywania wszy, rozpoczynając czesanie od podstawy włosów, utrzymując zęby grzebienia skierowane do skóry głowy. Upewnij się, że przeczesujesz nawet najdłuższe włosy dokładnie, aż do ich końców.
- Rób małe przedziałki i przeczesuj każde pasemko włosów oddzielnie.
- Po każdym ruchu czesania sprawdzaj grzebień na obecność wszy i przecieraj go papierowym ręczniczkiem kuchennym.

Powyżej: Wyczesywanie włosów dziecka, powtarzane co trzy do czterech dni, jest skutecznym sposobem na pozbycie się wszy głowowych.

indeks

podziękowania

Redaktorzy projektu:
**Anna Southgate, Jane McIntosh,
Alice Bowden**
Graficy:
Joanna McGregor, Ginny Zeal

Współautorzy – eksperci:
Jane Chumbley – nauczycielka, autorka
tekstów traktujących o zdrowiu
Dr Jane Gilbert – lekarka, pisarka,
prezenterka medycznych audycji telewizyjnych
Eileen Heyes – doradca organizacji
pozarządowych w sprawach wychowania,
pisarka i prezenterka telewizyjna
Jane Kemp – autorka i specjalistka w dziedzinie procesu uczenia się we wczesnym
dzieciństwie
Sara Lewis – autorka i redaktorka tekstów
kulinarnych
Dr Penny Stanway – pediatra, autorka
i prezenterka programów telewizyjnych
Nancy Stewart – specjalistka w dziedzinie
zabaw wczesnego dzieciństwa
Clare Walters – autorka i specjalistka
w dziedzinie procesu uczenia się
we wczesnym dzieciństwie
Dr Richard C Woolfson – psycholog
dziecięcy, autor książek i prezenter telewizyjny

Hamlyn dziękuje za wypożyczenie rekwizytów
do fotografii:
www.modernbaby.co.uk.
00 44 (0)800 093 1500
www.jojomamanbebe.co.uk.
00 44 (0)20 7924 6844
www.bloomingmarvellous.co.uk.
00 44 (0)20 7371 0500

Bardzo dziękujemy także wszystkim dzieciom i rodzicom, biorącym udział w sesji zdjęciowej, za poświęcony czas, energię, cierpliwość i współpracę.